A estrada das flores de Miral

A estrada das flores de Miral

Rula Jebreal

Tradução de
Fabiana Colasanti

EDITORA RECORD
RIO DE JANEIRO • SÃO PAULO
2013

CIP-BRASIL. CATALOGAÇÃO NA FONTE
SINDICATO NACIONAL DOS EDITORES DE LIVROS, RJ

J48m
Jebreal, Rula, 1973-
A estrada das flores de Miral / Rula Jebreal; traduzido do inglês por Fabiana Colasanti. — Rio de Janeiro: Record, 2013.

Tradução de: La Strada dei Fiori di Miral
ISBN 978-85-01-09200-7

1. Orfãos — Jerusalém — Ficção. 2. Palestinos — Jerusalém — Ficção. 3. Conflito árabe-israelense — Ficção. 4. Romance palestino (Italiano). I. Colasanti, Fabiana. II. Título.

13-8408
CDD: 849.93
CDU: 821.134.1-3

Título original em italiano:
La Strada dei Fiori di Miral

Copyright © 2004, 2009 by Rula Jebreal

Texto revisado segundo o novo Acordo Ortográfico da Língua Portuguesa.

Todos os direitos reservados. Proibida a reprodução, no todo ou em parte, através de quaisquer meios. Os direitos morais da autora foram assegurados.

Editoração eletrônica: Livros & Livros | Susan Johnson

Direitos exclusivos de publicação em língua portuguesa somente para o Brasil adquiridos pela
EDITORA RECORD LTDA.
Rua Argentina, 171 — Rio de Janeiro, RJ — 20921-380 — Tel.: 2585-2000, que se reserva a propriedade literária desta tradução.

Impresso no Brasil

ISBN 978-85-01-09200-7

Seja um leitor preferencial Record.
Cadastre-se e receba informações sobre nossos lançamentos e nossas promoções.
Atendimento e venda direta ao leitor:
mdireto@record.com.br ou (21) 2585-2002.

*Para Julian
e para todos os israelenses e palestinos que
ainda acreditam que a paz é possível*

AGRADECIMENTOS

Obrigada à minha família por me dar a confiança para encarar o lado escuro da nossa memória. Obrigada a Julian por voltar até lá comigo e me ajudar a unir meu passado a meu futuro. Também gostaria de agradecer a Sophie e Jerome Seydoux por se importarem tanto e cuidarem de cada passo dessa jornada. Obrigada a Bianca Turetsky por seu ouvido afiado e atitude gentil. Obrigada a Thomas e Elaine Colchie, meus agentes e meus amigos. Um agradecimento especial a Hind Husseini e a meu pai, Othman Jebreal, cuja humanidade e amor pela educação salvaram minha vida e me botaram no caminho.

PARTE UM

Hind

1

Ao amanhecer do dia 13 de setembro de 1994, um tremor percorreu os bairros árabes de Jerusalém, conforme boatos sobre a morte de Hind Husseini corriam de casa em casa até mesmo antes de a Rádio Jerusalém transmitir a notícia. Naquela manhã, os barulhos que normalmente acompanham as preparações no *souk*[1] passaram das vielas estreitas e becos da Cidade Velha para as fronteiras da rua Saladin, pela qual a procissão funerária iria passar. Muitos comerciantes mantiveram suas grades abaixadas e ficaram de braços cruzados em frente a seus negócios. As pechinchas e regateios em torno das mercadorias haviam cessado tão logo se espalhou a notícia de que o caixão estava saindo do orfanato Dar El-Tifel, o lugar aninhado no sopé do Monte das Oliveiras e virado para a Cidade Velha, ao qual Hind dedicara sua vida e que, desde sua fundação em 1948, havia se tornado um símbolo de esperança para o presente e o futuro da Palestina.

Nos bairros árabes, bandeiras palestinas pendiam das janelas das casas, e os residentes que não haviam descido para a rua estavam nas sacadas, jogando punhados de sal, de arroz ou de flores. Todo mundo aplaudia em homenagem a uma mulher que vivera com coragem e humildade. Até os homens

---

[1] Mercado árabe. (*N. da T.*)

tinham lágrimas nos olhos. Um sentimento de profundo desalento caiu sobre Jerusalém, um grande sentimento de perda, como se um de seus portões tivesse subitamente se fechado para sempre.

Nascida na Cidade Sagrada em 1916, quando era parte do Império Otomano, Hind Husseini passou os dois primeiros anos de sua vida em Istambul, onde seu pai era juiz. Ele faleceu alguns meses antes da queda do Império, no rastro de sua derrota na Primeira Guerra Mundial. Sua família voltou para Jerusalém. Na época, a Palestina estava fazendo a transição das leis turcas para seu novo status sob o Mandato Britânico, que duraria até o nascimento do Estado de Israel, em 1948.

Hind, a mãe e os cinco irmãos se mudaram para uma casa no bairro armênio, que estivera sob a posse do clã dos Husseini por séculos. Sua mãe e seu pai haviam morado, depois do casamento, na espaçosa residência de cinco quartos, e a sala de estar ainda estava decorada com os tapetes e almofadas coloridos que a mãe de Hind bordara em sua aldeia vizinha, famosa pelos trabalhos de costura das mulheres. No meio do aposento havia um narguilé sobre uma típica mesa árabe, uma grande bandeja de prata assentada em pés de madeira escura.

Como consequência de sua chegada a Jerusalém, a mãe de Hind assumiu o comando das terras e dos animais que havia herdado de seu marido e da família dele, no afastado distrito de Sheikh Jarrah. Todos os dias, de manhã cedo, ela se dirigia para a fazenda, a fim de supervisionar os diversos trabalhadores. Seu companheiro nessas excursões diárias era o filho mais velho, Kemal, a quem pretendia ensinar os negócios da família, preparando-o para assumi-los um dia. No início da tarde, mãe e filho retornavam a Jerusalém, parando no meio do caminho na residência principal da família, a casa do avô de Hind, a uma curta distância dos muros da cidade. Hind estaria lá brincando com os irmãos e primos e todos ficariam até o sol se pôr, quando voltariam para casa. Quando parentes perguntavam à mãe de Hind por que eles faziam essa migração diária, ela respondia sem hesitação: "Meu marido sabia que, se acontecesse qualquer coisa com ele, nós voltaríamos para nossa casa em Jerusalém. Seu espírito saberá onde nos encontrar quando vier nos procurar à noite."

A mãe de Hind amou aquele homem durante a maior parte de sua vida, tendo se casado com ele aos 14 anos, de acordo com uma promessa de matrimônio arranjado entre duas famílias. Como ela era de família nobre e seu futuro marido pertencia a um clã cujos membros ocupavam os postos civis e religiosos mais proeminentes na cidade — do governador ao prefeito e ao *mufti* — a cerimônia de casamento acabou sendo um espetáculo e tanto. A noiva chegou em um cavalo branco, um árabe puro-sangue, seguida por toda a família. Deu como dote três extensões de terra e duas casas, enquanto o noivo, mantendo um antigo costume árabe, lhe deu um baú de cobre forrado de veludo vermelho e transbordando de joias de ouro feitas especialmente para a ocasião: pulseiras, colares, brincos e anéis. Apesar de sua beleza, a mãe de Hind raramente usava seus adornos de ouro, pois considerava-os demonstrações vulgares de riqueza. A comemoração aconteceu na casa da família do noivo, onde as mulheres haviam preparado cordeiro assado temperado com cardamomo e canela; arroz basmati com pinhão e passas; abóbora, cenouras e alho-porro fritos com cebolas e noz-moscada; iogurte; e várias bandejas cheias de frutas mistas. A dança começou à noitinha e terminou muito depois da meia-noite, quando os pais da noiva e do noivo os acompanharam até sua nova casa, no bairro armênio. Os parentes do jovem casal esperaram do lado de fora da casa até as colinas de Jerusalém tornarem-se um tom claro de cor-de-rosa com as primeiras luzes da alvorada. Só então o noivo reapareceu para apresentar prova de que seu casamento fora consumado.

Certa tranquilidade ainda reinava naquela Jerusalém onde Hind deu seus primeiros passos. Apesar de serem muçulmanos, quando criança ela passava toda noite de Natal no

American Colony Hotel, que antigamente fora o palácio de um paxá turco. Todos os anos, Bertha Spafford, uma norte-americana rica e excêntrica, dava uma festa de Natal no hotel para as crianças do bairro, na qual era servida uma ceia de peru com recheio de pão e passas, seguida por sobremesas e distribuição de presentes. Em um canto do saguão principal ficava uma árvore de Natal, um presente da mãe de Hind, que, com a ajuda dos filhos, a havia cavado de sua propriedade. Ao final das festividades, as crianças seguiam Bertha para fora a fim de testemunhar o transplante da árvore para o terreno do hotel, "porque", como Bertha dizia a seus jovens convidados, "se deixarmos a árvore morrer, a festa de Natal não terá tido um propósito útil". Após o jantar, era habitual cantar canções natalinas em árabe, depois do que os cristãos compareciam à Missa do Galo na Igreja do Santo Sepulcro.

Bertha e a mãe de Hind acabaram estabelecendo uma pequena enfermaria para os camponeses que trabalhavam em suas terras. Um dia, quando um recém-nascido foi abandonado na porta da enfermaria, as duas mulheres, ajudadas por um médico voluntário, imediatamente pegaram o bebê e cuidaram dele durante alguns dias até encontrarem uma família de camponeses disposta a adotá-lo.

Hind e seus irmãos receberam uma educação excelente. Sua mãe esperava que passassem pelo menos algumas horas por dia lendo. Seus livros preferidos incluíam alguns romances em inglês, adquiridos com a ajuda de Bertha. A mãe de Hind era particularmente insistente em relação à instrução de sua filha, porque, como ela dizia, a educação elevava o status social de uma mulher. Hind foi mandada para a Universidade para Mulheres, em Jerusalém, enquanto seus irmãos, como os rapazes de outras famílias palestinas importantes — Husseinis, Nashashibis, Dijanis — completavam seus estudos em universidades de prestígio em Damasco ou no Cairo.

Hind foi privilegiada por passar sua adolescência em uma das cidades mais fascinantes do mundo. Apesar de alguns sinais dos desastres por vir já serem evidentes, Jerusalém ainda era um lugar onde as crianças podiam crescer em paz. A mãe de Hind teria gostado de casá-la em grande estilo com um de seus primos, mas Hind estava determinada a continuar seus estudos em Damasco. A revolta árabe contra o Mandato Britânico em 1936 interrompeu tanto os projetos da mãe quanto os sonhos da filha.

As duas mulheres que lavaram o corpo antes que ele fosse envolto em uma mortalha — para que o morto se apresentasse diante de Deus perfeitamente puro, como prescrito no Corão — disseram que os traços do rosto de Hind pareciam tão serenos quanto eram quando ela estava viva, intocado pelos tormentos excruciantes que a haviam afligido em seus momentos finais.

Hind acordara na manhã anterior encharcada de suor e, apesar de tentar esconder as pontadas de dor provocadas por sua doença, sua filha Miriam decidiu que ela iria para o Hospital Hadassah, onde trabalhavam os médicos que tratavam dela. No final, Hind permitiu que a persuadissem, mas pediu para passar primeiro por Dar El-Tifel. Queria dar uma última olhada em sua escola.

Naquela época do ano, o jardim não era mais adorado pelas maravilhosas florações que espalhavam seu forte aroma pelas ruas e pelos pátios vizinhos no começo do verão. Aquela fragrância acompanhava as lembranças mais felizes de Hind, evocando a estação das flores, quando a luz do sol se derrama tão intensamente pelas colinas de Jerusalém que as casas se misturam ao céu.

Hind lembrava-se de como o local era vazio antes da escola ser fundada, sem o roseiral, as oliveiras, os limoeiros, as palmeiras, os jasmins, as romãs, as toranjas, as magnólias, as figueiras, a pequena parreira, as árvores de canela e hena, sem a hortelã, a sálvia e o alecrim selvagem. E sem a pequena fonte que ela construíra no centro do pátio, exatamente como a que sua família tinha quando moravam no bairro armênio. Seus pensamentos vagaram pelas lembranças daquele lugar como ele fora um dia — antes dos aromas, das cores brilhantes e dos risos de pequenas meninas que corriam atrás de uma bola no pátio, a salvo das tragédias que estavam acontecendo do lado de fora de seus muros.

Miriam, a vice-diretora da escola, uma mulher robusta de estatura imponente, ombros largos e quase 1,85m de altura, ergueu Hind para que ficasse sentada no banco de trás do carro. Consumida por sua doença, Hind ficara extremamente magra, e sua voz era fraca.

— Quando você chegou a Dar El-Tifel, fui eu quem a pegou nos braços — disse Hind, seus olhos sorrindo como sempre faziam. Com a idade de 1 ano e meio, Miriam havia perdido ambos os pais: seu pai, um fedayin, havia perecido em batalha, enquanto sua mãe fora morta em uma emboscada. O imame da mesquita da aldeia a trouxera para a escola. Ela estava subnutrida e mostrava sintomas de pneumonia. Hind a recebeu e a colocou sob os cuidados do médico da escola, seu primo Amir. Miriam cresceu dentro dos muros de Dar El-Tifel e decidiu permanecer lá mesmo depois de se formar. Sentia por Hind o amor de filha e, durante os longos meses de sua doença, Miriam cuidou dela com carinho, empurrando-a na cadeira de rodas pela escola durante várias horas por dia e, quando necessário, levantando-a em seus braços fortes.

Enquanto o automóvel passava pelo portão da escola, Miriam viu Hind se virar para lançar um último e fugaz olhar para o Monte das Oliveiras, vibrante em reflexos prateados conforme as árvores se balançavam com as primeiras brisas de outono.

Hind via sua Jerusalém com outros olhos agora e a via enraizada em um solo encharcado de sangue inocente e esburacada por túneis cavados sob as sinagogas, por criptas, por passagens secretas. Simultaneamente, no entanto, Jerusalém se esticava para cima, seus minaretes e campanários projetando-se para o céu. Talvez, ela pensou, essa contradição espelhasse a história dessa terra molestada, do destino trágico que a levara a representar ao mesmo tempo o reino dos Céus e o reino do Inferno. Enquanto o carro deixava a Cidade Velha para trás, ela ficou ofuscada por um instante pela luz refletida nas casas construídas de pedra branca faiscante, como se para significar esperança e paz, apesar de tudo, apesar de todos.

Hind pensou nos momentos mais difíceis de sua vida, que estavam associados aos mais trágicos para seu povo: o massacre em Deir Yassin, o Setembro Negro na Jordânia, depois a erupção da guerra no Líbano e os massacres de Sabra e Shatila, perpetrados pelas falanges cristãs maronitas com proteção e cooperação do Exército israelense. Cada um daqueles momentos assinalara mais uma derrota, a reencenação de um roteiro imutável no qual o povo palestino invariavelmente acabava perdendo.

Olhando para fora da janela do carro, Hind refletiu novamente sobre um pensamento que nunca se afastava de sua mente: os palestinos de Jerusalém eram obrigados a lutar em duas frentes, uma interna e uma externa — contra si mesmos, antes de mais nada, para não caírem em uma espiral absurda de violência que certamente levaria à própria derrota; e contra forças políticas inescrupulosas prontas para oferecerem sua terra em uma bandeja de prata, como uma mercadoria intercambiável.

Ela pensou na Primeira Intifada, em todos os seus esforços para manter as alunas da Dar El-Tifel longe das manifestações, e sobre como havia conseguido salvar algumas vidas. Muitos palestinos abastados haviam deixado o país, esperando construir uma nova vida em outro lugar; Hind, por outro lado, decidira ficar e fazer algo por seu povo. Mais do que uma decisão consciente, fora o destino dela, o qual ela cumpriu sem hesitar. Em seu vocabulário, a palavra *privilégio* tinha um significado único: significava a condição de ser capaz de ajudar os outros. Apesar de nunca ter se casado, ela era, como frequentemente dizia rindo para suas meninas, "a mulher com mais filhas em toda Jerusalém". Sem dúvida, em 1948, logo após seu trigésimo aniversário, quando Hind era uma jovem elegante e de mente aberta, um poeta a havia comparado a Jerusalém, "a noiva do mundo". Enquanto o carro estacionava em frente ao hospital, ela ficou imaginando: "Mas o que irá acontecer agora?"

Depois de completar seus estudos, Hind foi dar aulas na Escola Muçulmana para Meninas, em Jerusalém. Mais tarde, fundou, com várias colegas, uma organização dedicada a combater o analfabetismo no país. Como um dos membros mais ativos do grupo, percorreu a Palestina de cima a baixo e de um lado a outro, promovendo a abertura de novas escolas até mesmo nas aldeias mais remotas. Ela dirigia até campos de refugiados em um grande ônibus escolar e voltava com muitas crianças cujas mães, mulheres pobres incapazes de dar uma educação para seus rebentos, ficavam mais do que felizes em confiá-los a ela. Na época, Hind estava convencida de que a redenção do povo palestino dependeria da liberação cultural de sua juventude. A organização que ela ajudou a fundar lançou uma revista cujo objetivo era conscientizar as pessoas do trabalho que estava sendo feito em nome das crianças mais carentes.

Com o fim da Segunda Guerra Mundial, no momento em que o mundo parecia ter encontrado a paz novamente, a Palestina começou sua queda rumo ao pesadelo. Era como se questões não resolvidas em outros lugares tivessem subitamente explodido no meio dela, como uma tempestade de fogo fatal. Desta vez, os muros da Cidade Velha, um antigo símbolo de segurança, foram incapazes de defender seus habitantes, porque o agressor já estava do lado de dentro.

Durante toda a sua vida, Hind nutrira a convicção de que a religião não era a única ou até mesmo a principal causa do conflito israelense-palestino, que era na maior parte baseado, como ela via, na política. Mas sua voz era como um sussurro comparado ao barulho incessante das armas espalhando morte e dor em nome de uma religião que, não obstante, era contrária à violência.

A burguesia árabe deixou em massa a cidade. Muitas famílias planejavam voltar quando a luta tivesse acabado, e as colegas de Hind a asseguraram de que voltariam a trabalhar juntas em breve. Mas a maioria delas nunca retornaria a Jerusalém; elas continuariam suas vidas em Amã, Damasco ou no Cairo. Ao mesmo tempo, conforme o Exército israelense continuava com suas conquistas, a Cidade Velha gradualmente se encheu de pessoas evacuadas das aldeias, que não tinham outra opção a não ser afluir para a cidade e tentar de alguma maneira sobreviver lá.

Hind foi o único membro de sua organização que decidiu permanecer em Jerusalém. Como única precaução, abandonou sua casa no bairro armênio durante alguns meses porque a parte sudoeste da Cidade Velha ficava exposta demais à artilharia israelense.

Enquanto isso, todos os homens iam para a guerra, e as mulheres, para o trabalho. Sem escola para frequentarem ou adultos para supervisioná-las, as crianças perambulavam pelas ruas. Foi então que Hind decidiu abrir um pequeno jardim de infância no coração da Cidade Velha. Consistia em dois aposentos mobiliados com simplicidade, um com uma dúzia de camas e o outro com várias cadeiras e mesas pequenas. Não muito tempo depois, quando a luta se alastrou para o centro da cidade e impediu que as crianças chegassem à escola, Hind foi forçada a fechá-la.

2

No dia 9 de abril de 1948, assim que uma trégua na luta permitiu, Hind Husseini retornou a Jerusalém, onde o governador a convidara para uma reunião a respeito da situação crítica dos refugiados. A jovem entrou na Cidade Velha através do Portão de Herodes e andou pelas ruas estreitas, observando as poucas barracas espalhadas por onde antes era a confusão animada do *souk*, outrora repleto de legumes e onde as fragrâncias intensas de hortelã, cominho e cardamomo se misturavam às extravagantes exibições de frutas.

Um mês antes do estabelecimento do Estado de Israel, uma atmosfera de desgraça iminente permeara a cidade. Nos bairros judeus, saudações eram abafadas, e transeuntes evitavam olhar-se nos olhos. A inquietação era mais palpável nos bairros árabes, onde o chamado do muezim soava mais como um lamento prolongado do que como um convite alegre à oração de sempre.

Perto da Igreja do Santo Sepulcro, Hind se deparou com um grupo de crianças maltrapilhas. Havia cerca de cinquenta delas: algumas sentadas na beira da calçada, encostadas umas nas outras, enquanto algumas permaneciam de pé, imóveis, na rua, como se esperassem por alguém. Conforme Hind se aproximou, ela percebeu que as crianças menores estavam descalças.

Muitas estavam chorando, e a maioria tinha as bochechas salpicadas de lama e o cabelo empoeirado e emaranhado. Ela pediu imediatamente uma explicação para a menina mais velha, que parecia ter uns 12 anos e usava calças rasgadas e uma camisa com mangas arrancadas.

— Onde estão seus pais? — perguntou Hind. — E o que vocês estão fazendo aqui no meio da rua?

— Foi aqui que eles nos deixaram — respondeu a menina, mal segurando as lágrimas.

Hind sentou-se ao lado dela.

— Qual é o seu nome?

— Zeina — respondeu a criança entre soluços.

Zeina contou a Hind que ouvira tiros a noite inteira em sua aldeia, Deir Yassin, e que vira casas, inclusive a dela, pegarem fogo. Ela havia procurado os pais, gritando por eles, mas, como o único som que ouvia era o do tiroteio, ela se escondeu. Quando amanheceu, alguns homens armados a arrancaram de seu esconderijo e a levaram para a praça da aldeia. Lá, ela encontrou outras crianças, mas ninguém da sua turma na escola. Elas foram levadas para dentro de um caminhão, e então os homens armados as largaram, sem uma palavra, perto do portão da Cidade Velha.

— Espere por mim aqui, Zeina — disse Hind de forma tranquilizadora, acariciando o cabelo da menina onde ele estava grudado à testa. — Tenho que falar com alguém e voltarei em seguida.

3

Anwar al-Khatib, o governador de Jerusalém, nunca encontrara Hind Husseini, mas conhecia bem seu compromisso de ajudar as crianças carentes do país. Assim que a viu entrar na sala de reuniões, reconheceu a determinação característica dos Husseini.

Hind imediatamente pediu para falar.

— Com licença, mas, antes que o senhor inicie a assembleia, eu gostaria de lhe falar sobre um grupo de crianças, cerca de cinquenta, que acabei de encontrar a apenas alguns metros daqui. Elas são sobreviventes de um massacre.

— Em Deir Yassin — replicou o *mutasarrif*, tendo tomado conhecimento do incidente apenas uma hora antes.

— Elas estão sujas, com fome e assustadas — falou Hind. — Não há tempo a perder. Temos que ajudá-las imediatamente. — Ela repetiu a história que ouvira de Zeina.

Sentado atrás de uma pesada mesa de madeira abarrotada de jornais velhos, o governador cofiou a barba enquanto escutava Hind. Seus olhos permaneceram fixos em uma gravura que retratava a Jerusalém do final do século XIX, como se para compreender exatamente quando e onde havia começado o conflito que agora estava trazendo à luz toda podridão que outrora permanecera dormente no âmago da cidade.

Quando Hind terminou de falar, ele explicou que tinha que considerar o problema como um todo e que, no momento, seria incapaz de resolver as necessidades daquelas crianças em particular.

— Temos tantos refugiados que não sabemos como ajudar a todos.

Hind ficou de pé e se dirigiu para a porta. Virando-se para o governador, ela olhou em seus olhos e disse com uma voz calma, porém firme:

— Eu entendo. Vá em frente com a sua reunião. Da minha parte, vou ver o que posso fazer por elas.

Anwar al-Khatib ficou impressionado com a intransigência da moça. Ela estava determinada a ajudar aqueles órfãos a qualquer custo.

4

Quando Hind voltou, as crianças ainda estavam na rua, no mesmo lugar, apesar dos indícios de que naquele meio-tempo um tiroteio havia crivado de balas o gesso de uma casa próxima. Elas permaneciam ali imóveis, apavoradas com o incidente. Hind pegou a criança mais nova pela mão e disse às outras:

— Venham comigo, crianças, todas vocês. Eu vou tirá-las daqui.

Para chegar à casa de Hind, a estranha procissão tinha que atravessar a Cidade Velha de um lado a outro. Todos os que os viam passar ficavam impressionados pelo contraste entre o pequeno exército de crianças descalças e seminuas e a jovem elegante que os guiava. Enquanto isso, notícias sobre o massacre em Deir Yassin — cometido pela milícia Irgun com o consentimento velado do Haganá, o Exército israelense oficial — corriam pela cidade, ricocheteando de loja em loja, da barraca de um vendedor a outra, antes que os jornais tivessem tempo de imprimi-la.

Não levou muito tempo para que as pessoas fizessem a ligação entre as notícias do massacre e as 53 crianças traumatizadas, as mais velhas segurando as mais novas, marchando pelas ruas de Jerusalém atrás de Hind Husseini. Aquele estranho desfile era uma prova dilacerante da matança.

* * *

A casa de Hind era uma grande vila de pedra branca, protegida do sol por um jardim grande e abundante. Sua mãe e duas empregadas observaram tristemente enquanto o grupo de crianças chegava e ficaram momentaneamente sem fala quando Hind pediu que a ajudassem a dar banho e a alimentar seus novos protegidos.

Quando a mãe e as empregadas começaram a fazer perguntas, Hind — que naquele momento só pensava nas crianças — respondeu secamente que elas eram sobreviventes de Deir Yassin.

— Elas irão para o jardim de infância de agora em diante — acrescentou, antes de começar a acompanhar as crianças mais novas até o banheiro.

Situações dramáticas tendem a gerar sentimentos conflitantes. Por um lado, há uma sensação maior de solidariedade e apoio mútuo, mas, ao mesmo tempo, um sentimento insidioso, quase instintivo, de inveja é dirigido àqueles que parecem mais afortunados. Nos dias por vir, pessoas de língua ferina iriam acusar Hind de avareza, de não gastar o suficiente de seu dinheiro para ajudar os outros. Ela respondeu a essas provocações declarando que toda a sua reserva de dinheiro somava 128 dinares palestinos e que pretendia usar tudo para ajudar as crianças sobreviventes de Deir Yassin.

Outros, no entanto, viram instantaneamente a importância do que ela estava fazendo. Entre eles estava Basima Faris, a diretora de uma escola próxima, que apareceu um dia, por espontânea vontade, para oferecer ajuda no cuidado com as crianças. Basima era uma mulher racional e direta que não tinha medo de olhar os homens nos olhos e pedir aquilo que as crianças precisavam. Com essa aliada, Hind ia todos os dias aos mercadores e proprietários de lojas da cidade, que quase sempre ficavam felizes em doar comida, roupas e cobertores. Mesmo assim, Hind sabia que o dinheiro poupado não garantiria a seus órfãos nem mesmo uma única refeição por dia. Ela decidiu visitar o palácio do governador novamente, desta vez com Basima.

Anwar al-Khatib estava na sala de reuniões com alguns comerciantes locais. As duas mulheres ficaram logo na entrada do recinto, esperando que a reunião acabasse. O governador não havia percebido sua presença e estava falando para seus convidados.

— Se quiserem que eu lhes conceda um alvará — afirmou ele —, têm que prometer mandar um saco de batatas, um saco de arroz e um saco de açúcar para a escola de Hind Husseini.

O mais velho dos comerciantes respondeu sem hesitação:

— Já ouvi falar sobre essa mulher corajosa. Vou mandar hoje mesmo os itens que mencionou para o orfanato. E vou botar algumas frutas e legumes também.

Os outros comerciantes concordaram.

A essa altura, o governador se levantou e percebeu a presença das duas mulheres. O rosto de Hind claramente mostrava surpresa, pois até aquele momento ela considerava o governador um obstáculo. Seus olhos revelavam que ela estava intensamente emocionada. Al-Khatib se aproximou, sorrindo afavelmente, e perguntou o que podia fazer por elas.

— Não tenho nada para pedir — respondeu Hind, devolvendo o sorriso dele. — Já conseguimos o que queríamos. O senhor realizou nosso pedido antes mesmo de ouvi-lo. Nós lhe agradecemos do fundo do coração, ao senhor e a todos os comerciantes.

Nas semanas que se seguiram, a luta em Jerusalém se intensificou. Os israelenses fizeram várias tentativas de invadir o bairro árabe da Cidade Velha, mas os imponentes muros do século XVI, com seus enormes portões, serviam para defendê-lo por algum tempo. Jerusalém estava prestes a se tornar uma cidade dividida em duas: o leste sob o controle dos árabes e o oeste sob o controle dos israelenses.

Uma manhã, Hind chegou ao jardim de infância e encontrou todas as crianças no pátio, amontoadas em um círculo, os menores chorando desesperadamente.

— O que houve? — perguntou. — Por que estão chorando?

Zeina se apresentou e contou que eles haviam sido acordados por um tiroteio durante a noite e que, como parecia não acabar, eles presumiram que os soldados viriam destruir tudo, como acontecera em sua aldeia. Decidiram que o melhor a fazer era se reunir no pátio, prontos para que os oficiais viessem e os levassem.

Naquele dia, Hind decidiu que sempre dormiria sob o mesmo teto que as crianças. Também percebeu que o lugar era perigoso demais e, quando o cessar-fogo finalmente chegou, ela se preparou para transferir o orfanato para a casa de seu avô, em Sheikh Jarrah. Explosões haviam danificado o imóvel, mas ele tinha que ser consertado de qualquer modo, e agora um segundo edifício seria construído, cercando a residência principal. A antiga casa se transformaria no dormitório, enquanto o novo edifício abrigaria a escola.

Hind apelou novamente ao magnânimo governador de Jerusalém, desta vez durante uma reunião na qual ele estava recebendo alguns dos membros mais proeminentes da classe média alta da cidade. Sem perder tempo com rodeios, a jovem declarou para o grupo:

— Sei que muitos de vocês têm financiado a resistência. — O governador revirou os olhos e começou a responder, mas Hind o deteve com um gesto e continuou: — Só estou pedindo que também financiem o projeto de fundar uma casa para onde as crianças órfãs possam ser levadas. Isso também é uma forma de resistência; na verdade, é a melhor resistência. Como bem sabem, elas são a próxima geração, mas, por enquanto, precisam de nós. Não podemos abandoná-las. Quando se tornarem adultas, poderemos precisar delas, mas não se estiverem fracas e famintas. Serão necessárias pessoas tenazes, fortes e instruídas. Serão elas que irão construir a futura Palestina.

Mais uma vez, o governador consentiu com seu desejo. No final, os fundos que ele conseguiu foram insuficientes, mas Hind descobriu que podia contar com o apoio financeiro de muitos palestinos, incluindo famílias menos favorecidas.

5

Em setembro de 1948, Dar El-Tifel, a "Casa das Crianças", nasceu. Nos meses turbulentos seguintes a sua fundação, essa instituição — que combinava escola e orfanato — tornou-se essencial, um fato notado por muitos, incluindo o governador. Se a princípio ele vira o projeto de Hind com um pouco de ceticismo, agora recebia, a cada dia, um número crescente de pedidos de todo o país para ajudar crianças que haviam ficado órfãs ou sido inadvertidamente abandonadas por seus pais durante as fugas precipitadas das aldeias.

Uma tarde, Hind recebeu uma visita de al-Khatib. Bebericando chá de hortelã no pátio da escola, ele confidenciou que a situação no restante do país era mais séria do que qualquer pessoa na cidade podia imaginar. Enquanto ele passava a mão cansada pela barba branca, Hind viu que aquele homem idoso, que durante sua vida testemunhara uma longa série de tragédias, parecia estar se curvando sob o peso dos terríveis últimos meses.

— Temo que o pior esteja por vir — confessou ele.

Passeando com Hind pelo jardim malcuidado que se tornaria o exuberante parque da escola, o governador falou com absoluta franqueza a respeito das informações confidenciais sobre Deis Yassin que havia recebido naquela mesma manhã.

Evidentemente angustiado, fazendo longas pausas, ele descreveu o relato escrito pelo emissário do Comitê Internacional da Cruz Vermelha. Apesar de a história das crianças ter dado alguma ideia da brutalidade do ataque, nada o havia preparado para o que ele lera naquele relatório. Com a voz entrecortada, sem olhar Hind nos olhos, al-Khatib contou a ela que seu choque se transformara em uma mistura sufocante de raiva e tristeza enquanto ele lia quão impiedosa e sistematicamente a matança fora realizada.

— O relatório — disse ele, sua voz embargada de lágrimas — fala de 254 pessoas massacradas a sangue-frio. Não apenas homens jovens, mas velhos, mulheres e crianças que foram fuzilados pelas costas enquanto tentavam fugir. Casas foram incendiadas e mulheres estupradas. Quarenta homens foram capturados, despidos e trazidos para Jerusalém Ocidental. Eles os fizeram desfilar pelas ruas e então os executaram na frente de uma multidão. Como essas 53 crianças vão esquecer o que viram?

Hind lembrou-se dos semblantes das crianças quando as encontrara perto do *souk*. Lembrou-se dos olhares apavorados, as mãos sujas, as pernas bambas. Agora ela observava algumas delas brincando do lado de fora das tendas que serviam de abrigo temporário até o dormitório estar pronto. Viu outros sentados sozinhos, aqui e ali, e soube decisivamente que tinha que fazer algo para lhes dar uma chance. Eles nunca se esqueceriam — ela tinha certeza disso —, mas pelo menos ela podia contribuir para mostrar a eles que um futuro melhor era possível.

Enquanto isso, o governador voltara a falar, andando lentamente, olhando de tempos em tempos na direção da Cidade Velha.

— Mas o que mais me preocupa é que o Haganá não participou diretamente no massacre. Eles deixaram para grupos extremistas, como o Irgun e o Stern Gang.[2] Tenho medo de que

---

[2] Lutadores para a Liberdade de Israel, grupo armado sionista que operava clandestinamente no Mandato Britânico da Palestina, entre 1940 e 1948. (*N. da T.*)

possam estar usando Deir Yassin como uma ameaça para persuadir árabes a deixarem suas aldeias. Áreas inteiras da Galileia estão sendo despovoadas. Antigas comunidades estão se desmanchando por causa da propaganda do Haganá. A eles interessa muito divulgar a brutalidade do que aconteceu. — Al-Khatib fez uma pausa e se virou para olhar Hind nos olhos antes de continuar. — Nosso povo está se dispersando. Estamos diante do risco de uma diáspora. Temo que atos cruéis de vingança marquem o início de uma espiral fatal, como aconteceu nos ataques do monte Scopus. — O governador pronunciou as últimas palavra quase em um sussurro, como se ele próprio não quisesse ouvi-las.

Os ataques do monte Scopus ao qual se referia, também conhecidos como a retaliação palestina para Deir Yassin, aconteceram em 13 de abril de 1948, quando um comboio de dois ônibus e dois veículos militares israelenses foi emboscado na estrada para Jerusalém. Os ônibus, nos quais havia muitos civis, foram incendiados. Os ingleses acabaram chegando ao local e, após um tiroteio de seis horas, contavam-se mais de setenta judeus mortos.

Hind, que permanecera em silêncio o tempo inteiro, afundou exausta em um velho banco de madeira.

Durante os anos seguintes, as palavras do governador se provaram proféticas. Notícias sobre a matança em Deir Yassin sem dúvida ricochetearam de aldeia em aldeia, gerando um êxodo em massa de palestinos para os estados árabes vizinhos, especialmente para o Líbano e a Jordânia. Quando a parte oriental de Jerusalém foi entregue ao controle jordaniano, Hind considerou a jogada um erro, acreditando que um regime de governo palestino fosse uma solução muito mais aconselhável. No entanto, ela decidiu se envolver o mínimo possível em questões políticas.

Tendo terminado recentemente a reconstrução da velha vila de pedra branca, Hind decidiu acompanhar sua mãe no *hajj*, a peregrinação sagrada a Meca.

Quando alcançou o objetivo de sua jornada, ela ajoelhou diante da pedra negra, o local mais sagrado de Meca, encostou a testa na terra e agradeceu a Deus por todo o progresso que fizera em seu trabalho e por todo o apoio que recebera.

— Ajude-me, ajude-me, ajude-me — falou, repetindo a oração três vezes de acordo com a tradição árabe. — Ajude-me a construir um lar para aquelas crianças.

Naquele momento ela decidiu que jamais se casaria.

6

Alguns dias após voltar de Meca, Hind estava sentada à sua mesa quando recebeu uma visita inesperada, um oficial do Exército norte-americano. Era um homem por volta dos 40 anos, com cabelo louro-acinzentado e olhos intensamente azuis que a faziam lembrar do mar.

— Olá, eu sou o coronel Edward Smith — disse ele a Hind com um sorriso que ela considerou demasiadamente simpático.

— É um prazer conhecê-lo, coronel. — Hind esticou a mão para cumprimentá-lo.

Ele a ergueu gentilmente e a roçou com os lábios.

Retirando a mão, Hind tentou superar seu constrangimento.

— Por favor, sente-se, coronel, e diga-me o que posso fazer pelo senhor.

O coronel sentou-se na cadeira diante da mesa de Hind e começou imediatamente a explicar o propósito da visita.

— Srta. Husseini, há alguns anos eu era o presidente da Universidade Americana no Cairo. Seu tio e o irmão mais velho foram meus alunos. Na realidade, a senhorita e eu temos uma longa história. Nós nos conhecemos quando éramos crianças, na época em que todos me chamavam de Eddie. Mas alguns anos parecem uma diferença muito maior quando se tem aquela idade; então talvez seja por isso que não se lembra de mim.

Hind ficou surpresa com a súbita mudança do visitante para a familiaridade, mas supôs que era adequada se ele realmente fosse um amigo de infância. No entanto, não reconheceu o rosto dele, nem conseguia se lembrar de onde podia tê-lo visto. Vendo a confusão dela, ele acrescentou:

— Passamos muitas noites de Natal juntos no American Colony Hotel.

Hind começou a buscar em sua memória, enquanto vislumbrava uma imagem desbotada de um garoto alto e magro que tinha jeito para consertar os brinquedos que as crianças mais novas invariavelmente quebravam logo após ganhá-los. Ela se lembrou daqueles olhos azuis sorrindo para ela no tapete na frente da lareira, chorando por causa do vestido rasgado de sua nova boneca de pano. Ele não sabia costurar, ele lhe disse, mas faria o melhor para consertá-lo. Alguns dias depois, ele lhe devolveu a boneca, o vestido em condições quase perfeitas.

— Eddie, é claro — falou ela, subitamente, tentando esconder sua emoção. — Agora eu me lembro. — Era a primeira vez em anos que ela via um de seus amigos de infância. — Posso lhe oferecer um pouco de chá de hortelã?

Enquanto bebericava chá em uma xícara verde com borda dourada, Eddie contou a ela seus planos.

— Vou ficar em Jerusalém por alguns meses antes de voltar para os Estados Unidos. Tenho um quarto no American Colony. Hoje de manhã, olhei pela minha janela e vi todas essas crianças, brincando no meio das ruínas e muros ameaçando cair. Quando lhes perguntei o que havia do outro lado do portão, elas me disseram que era você e me contaram sobre o trabalho que está fazendo. Eu queria encontrá-la e... agora só quero perguntar se há alguma coisa que eu possa fazer por você.

Hind se sentiu muito constrangida por essa oferta inesperada de ajuda.

— Estou emocionada — disse ela sinceramente a seu convidado. — Vejo que você não mudou.

— Ah, mudei, infelizmente... mudei muito. A vida não dá opção. Mas não me esqueço de ajudar alguém que eu considere que merece. E pessoas como você são muito raras, acredite em mim.

Hind, que gastara todo o seu dinheiro e até recorrera a vender as joias do casamento de sua mãe, perguntou a seu amigo se ele podia ajudá-la a arrumar financiamento para completar as obras da escola. Ele lhe disse que usaria toda a sua influência para ajudar.

Eddie manteve sua palavra. Em poucas semanas, encontrou uma firma saudita de petróleo, a Aramco, que estava preparada para financiar a construção da escola e dos muros que cercavam o terreno. Dali em diante, após o chá quase todas as tardes, ele e Hind davam uma volta pela propriedade para ver como o trabalho estava progredindo. Conversavam sobre suas vidas, seus sonhos, suas decepções e seus sucessos e trocavam notícias recentes a respeito de amigos de infância em comum. Sua relação não era romântica, mas, durante aqueles meses, eles criaram uma amizade profunda que continuaria por carta durante muitos anos.

Em uma manhã fria de dezembro que mal suavizava os raios mornos do sol, Eddie partiu de Jerusalém para os Estados Unidos, para sempre. Ele e Hind prometeram manter contato. Nunca mais se viram.

No meio-tempo, Hind não esperou ociosamente que novas doações chegassem. A oferta de ajuda de Eddie lhe mostrou o caminho que ela tinha que seguir para obter apoio financeiro.

Para garantir maior autonomia da escola em suas escolhas educacionais, ela decidiu se concentrar em agências e organizações internacionais em vez de em entidades governamentais locais. Escreveu para um xeque do Kuwait, Muhammad bin Jassim Sabah, que algumas semanas antes declarara seu desejo de melhorar a qualidade da educação infantil nos países árabes, incluindo em seu próprio. Hind descreveu para ele a atividade de seu colégio interno e o programa que pretendia estabelecer, e logo o xeque respondeu enviando-lhe uma quantia considerável de dinheiro.

Não muito tempo depois, ela leu por acaso uma matéria em uma revista sobre os diretores de uma corporação anglo-kuwaitiana, entre eles o próprio xeque Muhammad bin Jassim Sabah, que estavam no momento em Jerusalém. Ainda que também tivessem ido visitar a Mesquita de Al-Aqsa, o principal objetivo da visita era recrutar professores, engenheiros, arquitetos e médicos palestinos que estivessem preparados para se mudar para o Kuwait. Hind trocou rapidamente de roupa, colocando seu melhor vestido e um colar de prata trabalhada à mão. Sem pensar duas vezes, dirigiu-se ao Jerusalem Hotel, onde, de acordo com o que havia lido, eles estavam hospedados.

Chegando pouco depois do almoço, Hind encontrou os diretores prestes a se retirarem para seus respectivos quartos para a tradicional sesta. Reunindo suas habilidades retóricas, tentou persuadi-los a, em vez disso, seguir para Dar El-Tifel, onde poderiam visitar sua escola e ver os resultados que ela se propunha a lhes oferecer em troca de seu apoio econômico.

Após um momento inicial de espanto, os cavalheiros concordaram em ir com ela. Ela tentou atrair o interesse deles discutindo seus projetos francamente e explicando que seu principal objetivo era dar às crianças menos favorecidas uma educação adequada. O xeque observou as crianças, viu quanto trabalho ainda precisava ser feito nos edifícios e escutou Hind com um silêncio religioso. Então, ele a chamou de lado e disse que falaria da escola aonde quer que fosse e faria o que estivesse a seu alcance para ajudá-la a terminar sua construção.

— A cada dois meses, escreva-me uma carta e diga-me em que ponto a obra está e de quanto dinheiro precisa. E, com Deus como minha testemunha, eu sempre a apoiarei.

Quando estava indo embora, o xeque pegou a mão direita de Hind na sua e falou:

— Srta. Husseini, o que a senhorita faz honra não só o seu povo, mas todo o mundo árabe.

O xeque manteve sua promessa e, em pouco tempo, cheques começaram a chegar, não apenas no nome dele, mas também dos cantos mais improváveis da comunidade árabe, de pessoas que ela nunca encontrara nem vira. Hind usou os novos recursos para terminar a construção, assim como para contratar professores qualificados.

Pouco tempo depois, o xeque a convidou para visitar seu país. Ela ficou impressionada com as riquezas do Kuwait e a rapidez com que caminhava rumo à modernização: riqueza e rapidez pareciam ser as características do país. E, ainda assim, ela sentiu que faltava alguma coisa, apesar de ser incapaz de identificar o que era.

Depois que voltou para Jerusalém, Hind percebeu que o Kuwait, com todas as suas escolas perfeitas, seus hospitais limpos e eficientes, suas autoestradas novas e seus oásis artificiais no deserto, não poderia possuir a abrangência cultural de um lugar como sua própria cidade, cuja história se estendia por milênios e cujas luminosas pedras brancas continuavam a brilhar apesar de respingadas de sangue inúmeras vezes durante os séculos. Talvez fosse esse o segredo de Jerusalém: que ela ainda parecesse pura apesar dos crimes horrendos que haviam sido cometidos dentro de seus muros.

Nessa cidade de muitas faces, toda afirmação parecia destinada a produzir contradições irreconciliáveis. Talvez seus cidadãos parecessem tão inflexíveis, tão relutantes em chegar a um acordo, precisamente porque sentiam que estavam vivendo à beira do precipício. Durante milhares de anos, incontáveis civilizações, tribos, religiões e exércitos haviam lutado para controlar a cidade — cercando-a, conquistando-a, perdendo-a e transformando-a num caldeirão no qual alegria e sofrimento estavam fatalmente ligados. Hind pensou que era por isso que os cristãos viam a cidade simultaneamente como o paraíso na Terra e a entrada para o inferno. Os habitantes de Jerusalém frequentemente se viam forçados, independentemente de sua vontade, a escolher um lado; de um dia para o outro, vizinhos que sempre haviam se cumprimentado podiam, em vez disso, se encontrar apontando rifles mutuamente. Esse comportamento tão irracional havia se manifestado com tanta frequência durante os séculos que adquirira uma lógica doentia própria.

Conforme os anos se passavam, Hind e Eddie mantinham uma correspondência regular. Durante esse tempo, ele se casou, teve dois filhos e reiterava frequentemente seu desejo de retornar a Jerusalém para visitar Hind e ver como sua escola havia evoluído.

Apesar de alguns períodos difíceis durante os quais as provisões mal eram suficientes para garantir uma única refeição frugal por dia para as crianças, Hind nunca perdeu as esperanças, continuando a defender a escola com a determinação de sempre. Com o tempo, o número de órfãos e refugiados que moravam integralmente na instituição e o número de alunos cresceram consideravelmente. Percebendo que precisaria aumentar Dar El-Tifel, Hind escreveu para o irmão mais velho, Amin, que, com seus outros quatro irmãos, era proprietário dos prédios e dos terrenos em torno da escola.

> *Querido Amin,*
>
> *Depois da morte prematura de nosso pai, nós também ficamos órfãos. Mas éramos crianças felizes; vivíamos nessas lindas casas e podíamos brincar nesses adoráveis terrenos com vista para a Cidade Velha. Por que não fazer felizes também esses órfãos, como nós éramos então?*

Amin respondeu em espécie: ele falou com os outros irmãos e eles passariam de bom grado a escritura dos prédios e terras por um preço simbólico.

Querida irmã,

Você tem toda a razão ao dizer que, quando crianças, ficamos em parte órfãos depois que nosso pai morreu. E, sim, nós éramos crianças felizes e vivíamos em casas bonitas e podíamos brincar nos campos com vista para a Cidade Velha. De bom grado cedemos a você nossas propriedades atrás da sua para que o seu instituto possa crescer e você possa continuar a fazer suas crianças felizes como nós fomos um dia. Esperamos que a vida em Jerusalém sob a autoridade jordaniana tenha ficado mais fácil. Por favor, mande meu amor para nossa mãe.

Amin

7

Em 1967, a Guerra dos Seis Dias aumentou enormemente o número de crianças refugiadas, em particular meninas abandonadas. Seguindo um acordo com as autoridades da cidade, Dar El-Tifel, que fora um orfanato misto por quase vinte anos, tornou-se, prioritariamente, um orfanato e escola para meninas. Instituições análogas exclusivamente para meninos já existiam em Jerusalém. Dar El-Tifel continuaria a aceitar meninos, mas só menores de 6 anos. Hind estava convencida de que essa era a decisão correta, pois sabia que as mulheres eram sempre vítimas mais vulneráveis em casos de abandono e que, sem uma educação decente, elas seriam marginalizadas. Mais tarde, naquele ano, a área da cidade na qual estava localizado o orfanato passou do controle jordaniano para o israelense. Hind foi usada para negociar com os jordanianos quanto a alvarás e autorizações e, especialmente, para resolver o problema dos documentos de identidade, o que muitos órfãos não tinham. Agora, tinha que lidar com as autoridades militares israelenses.

— Não gosto de soldados — disse ela à mãe. — Suas mãos são manchadas de sangue. Sempre que os encontro, não consigo deixar de imaginar quantas pessoas foram mortas por aquelas mãos.

Com o passar do tempo, Dar El-Tifel se tornou não só uma escola de prestígio como um farol para todos os árabes em Jerusalém. Sua mera existência oferecia confiança, e toda menininha palestina que sobrevivera à guerra ou fora abandonada na frente de uma mesquita, que perdera um ou ambos os pais, podia encontrar lá alguma serenidade e educação de qualidade.

Conforme a escola crescia e dois novos edifícios eram erguidos, Hınd desenvolveu seu sistema pedagógico. Depois de alguns anos, suas medidas intuitivas se amalgamaram em um método distinto que permitia às alunas ter um papel ativo na sala de aula. Estudantes mais velhas ajudavam as professoras a ensinar às pequenas, e a mais talentosa dessas meninas poderia, se desejasse, se tornar professora quando chegasse a hora.

Disciplina rígida era a ordem do dia, especialmente em relação aos horários; as meninas se levantavam todos os dias às 6 horas, e as luzes eram apagadas todas as noites às 21 horas em ponto. Atividade física era parte importante do currículo. Quando Hind observava as alunas reclamando das longas horas de exercícios de ginástica, ela gostava de repetir o provérbio, em latim, *mens sana in corpore sano*, "mente saudável em corpo saudável".

Hind desejava que suas meninas fossem cultas e poliglotas. Também queria que elas se mantivessem distantes da política, temendo que as autoridades israelenses fechassem a escola ante a menor suspeita de que propaganda anti-israelense estivesse sendo disseminada lá dentro.

Pelo bem de sua instituição, Hind continuou incansavelmente a pedir financiamento onde quer que suas habilidades de oratória pudessem ter efeito: Arábia Saudita, Líbano, Jordânia, Kuwait e Egito. Além de generosas doações anuais, esses países se comprometeram a adotar um número cada vez maior de suas alunas, as mais velhas à distância e as mais novas diretamente em famílias.

Meninas que haviam estudado na instituição, algumas das quais mais tarde residiriam no Ocidente, nunca se esqueceram de Dar El-Tifel, e algumas delas reconheceram suas lembranças calorosas de maneiras muito concretas. Nual Said, por exemplo, havia chegado à escola no final dos anos 1950, órfã de pai e mãe. Ela encontrou uma família lá, dentro dos muros e, depois de se formar em Dar El-Tifel, recebeu bolsas para estudar psicologia, primeiro na Jordânia e depois nos Estados Unidos, em Chicago, onde se casou com um pediatra de ascendência mexicana e deu à luz duas meninas. Ela nunca retornou a Jerusalém, mas um dia organizou uma surpresa para as alunas de Hind. Naquela manhã, um grande caminhão entrou na alameda que levava a Dar El-Tifel. A princípio, o zelador no portão pensou que o motorista tivesse cometido um engano, mas foi forçado a reconsiderar quando uma carta com aparência oficial declarou que Nual Said, uma ex-aluna da escola, estava doando um caminhão de sapatos, vestidos e material de escritório para as meninas atualmente matriculadas. Além de gestos tão notáveis, apesar de não tão raros, as demonstrações de gratidão de antigas alunas permitiam que a escola fizesse melhorias todos os anos.

As energias de Hind eram totalmente absorvidas pela administração da escola, suas atividades variando de solicitar fundos a aprimorar programas de estudos e até se estendendo a aconselhar as meninas a respeito de problemas cotidianos. Com o passar dos anos, ela teria que usar frequentemente seu carisma e influência pessoal para proteger a escola e suas alunas, mantendo-se calma até mesmo nas situações mais dramáticas.

Durante raros períodos de tempo livre, Hind cuidava do jardim, procurando na harmonia das plantas variadas a serenidade que era incapaz de encontrar do lado de fora dos muros de sua escola e dedicando-se ao cultivo de suas flores com a mesma atenção primorosa que dispensava a suas meninas. Convencida, como estava, de que bons frutos são acima de tudo o resultado de cuidados e carinho, ela não deixava nada ao acaso. No mês de março, quando o roseiral estava em plena floração, Hind passava as horas noturnas imersa na fragrância dos botões recém-abertos, intoxicada por suas infinitas formas e cores. Quando as meninas a viam ocupada podando as plantas ou arrancando ervas daninhas, algumas se juntavam para ajudá-la. Tais demonstrações espontâneas de carinho eram frequentes, pois as crianças de Dar El-Tifel a respeitavam e seguiam sua liderança. Na realidade, todas a chamavam de Mama Hind.

8

Durante o outono de sua vida, Hind passou por uma segunda juventude, mentalmente falando. Sua leucemia progrediu, destruindo seu corpo, mas notícias do nascimento de um governo palestino lhe deram grande alegria. Ela ficou especialmente impressionada pela enormidade de comemorações nos bairros árabes que se seguiram ao Acordo de Oslo.

Do terraço de Dar El-Tifel, perto da magnólia alta que havia resistido com Hind aos momentos mais dramáticos da história palestina, ela tinha uma vista da rua Saladin, a maior via comercial de Jerusalém Oriental, repleta de pessoas alegres que dançavam dirigindo-se ao Portão de Herodes para entrarem na Cidade Velha. Hind teria gostado de tomar as ruas com seus companheiros cidadãos, e essa visão surreal a induziu a abandonar sua prudência costumeira e pendurar a bandeira palestina da balaustrada do terraço de frente para a cidade, apesar do fato de que, na época, isso era extremamente proibido.

Mostrar a bandeira do terraço era um gesto libertador cujo significado mais profundo ela só entenderia depois. Em Dar El-Tifel, ela havia criado e educado gerações de jovens palestinas, e agora aquelas menininhas, aquelas moças e mulheres mais velhas, a ajudariam a administrar o governo recém-nascido. Seu trabalho estava terminado, ela pensou; sua jornada chegara ao fim. Agora outros teriam que arregaçar as mangas e construir a Palestina.

A filha adotiva de Hind, Hidaya, interrompeu essa linha de pensamento, trazendo um bule de chá de prata e três xícaras verdes com bordas douradas.

Hidaya fora trazida para o orfanato muitos anos antes, uma recém-nascida de três meses sem pais nem documentos de identidade. Mais tarde, Hind diria à jovem que, na primeira vez em que a pegou nos braços, sentiu uma profunda ligação com ela, um sentimento especial que nos anos que se seguiriam constituiria a base de um verdadeiro relacionamento de mãe e filha, assim como um elo profissional. Hind lhe oferecera o dedo mindinho, que o bebê imediatamente apertou forte com sua mãozinha. Era um sinal do carinho que as uniria para sempre; Hind a adotou imediatamente, dando a Hidaya seu próprio sobrenome e ensinando-a mais tarde todos os aspectos da direção da escola para que um dia ela pudesse assumir seu lugar.

Conforme Hidaya Husseini crescia, ela se distinguia pela precisão escrupulosa com a qual realizava as pequenas tarefas designadas a ela e, mais tarde, através de sua forte paixão por lecionar. Quando viu sua filha se aproximar com o chá, Hind vivenciou mais uma vez a força do elo que sentira quando a filha ainda usava fraldas; e agora, tendo chegado ao último capítulo de sua própria vida, sentia-se segura de que ela, como qualquer líder de respeito, havia preparado sua sucessora.

O chá estava quente e muito doce, do jeito que ela gostava. O aroma da hortelã penetrava por suas narinas e a enchia com uma sensação de profunda serenidade.

Pouco tempo depois, o primo de Hind, Faisal Husseini, apareceu à porta. Era um homem robusto com um ar gentil e os orgulhosos olhos verdes que herdara de seus ancestrais guerreiros. Sendo a maior autoridade civil palestina em Jerusalém, Faisal Husseini comandara a delegação palestina durante as negociações que levaram aos Acordos de Oslo.

Faisal descreveu o que estava acontecendo na Cidade Velha, os grupos de pessoas se formando em cada cruzamento, os automóveis tocando suas buzinas, a música ecoando harmoniosamente nas ruas estreitas enquanto toda a Jerusalém árabe reverberava com a alegria de seus cidadãos.

Enquanto estava de pé perto da janela, Faisal virou seu olhar na direção do bairro judeu, ficando tenso por um instante. Seu sentimento não passou despercebido a Hind, que lhe perguntou com o que estava preocupado. Seu primo encheu o copo de novo e então confessou que as comemorações daquele momento faziam com que ele se lembrasse de uma história contada por seu pai, sobre o dia em que a euforia havia se espalhado pela outra parte da cidade. Era o dia 29 de novembro de 1947, o dia em que a Resolução 181 da Assembleia Geral das Nações Unidas aprovou a divisão da palestina em dois estados. E esse também foi o dia da *nakba*, a "catástrofe", o começo da diáspora palestina.

— Naquele caso — disse ele —, houve uma transição direta dos fogos de artifício para as bombas.

Faisal se aproximou de sua prima e se sentou ao seu lado, pegando a mão direita dela.

— A classe governante palestina está no exílio há muitos anos e não sabe como as coisas mudaram ultimamente. Nunca viveram junto com os israelenses. Sinceramente, eu não confio nesse otimismo. Ele me parece falso, superficial.

Hind tentou tranquilizar o primo — e, ao mesmo tempo, a si mesma — dizendo que com certeza o pior havia passado. Mas Faisal continuou, sem se convencer.

— Acredite — falou ele —, o que eu estou dizendo não é derrotismo, é só uma análise objetiva da situação. Essas pessoas não estiveram aqui todo esse tempo e agora estão de volta para colher os frutos do trabalho dos outros. Não estou fazendo acusação alguma; estou simplesmente declarando os fatos. Eles não sabem o que significou viver sob controle israelense, coexistir com um povo que sofreu no passado e que acabou fazendo outro povo sofrer exatamente da mesma maneira. O novo Estado Palestino só existe no papel, Hind. Agora nós temos que construí-lo e, para fazer isso, é preciso não esquecer os erros do passado que a OLP cometeu na Jordânia e no Líbano. — Faisal fez uma pausa, serviu-se de mais chá e deu um longo gole. — Perdoe-me, Hind. Em um dia tão maravilhoso eu deveria pensar apenas em me regozijar com o nosso sucesso.

— Faisal, meu querido Faisal, eu entendo. Você sempre lutou para que o Estado Palestino pudesse ser estabelecido com uma base sólida, com a devida consideração para com a tradição e a história. Mas talvez a situação não seja tão negativa assim. Talvez pessoas que viveram no exterior e não têm experiência em relação ao sofrimento que nós testemunhamos achem mais fácil criar um país que funcione e respeite tanto árabes quanto judeus. Talvez a nova classe governante palestina nos surpreenda — concluiu Hind. Suas palavras, no entanto, foram mais uma tentativa de reconfortar o primo do que um reflexo fiel de seus sentimentos.

Hind pediu que Faisal a acompanhasse ao jardim, onde ele deveria ouvir seu testamento.

— Lembre-se — disse ela após ler o testamento em voz alta —, a escola deve permanecer nas mãos das alunas. Elas são as mais adequadas para dirigi-la. Hidaya supervisionará o lugar, ela é prudente e consciente, mas será necessário que você cuide delas.

Pouco depois, Hind se despediu do seu primo. Ela sabia que ele era um homem sensível e que, agora que as armas estavam finalmente sendo postas de volta nos armários, haveria necessidade de homens como ele.

Ela voltou para o terraço enquanto a luz cada vez mais fraca caía sobre as Colinas da Judeia.

"Será que vou morrer na Palestina?", ela ficou imaginando enquanto observava várias das garotas mais velhas voltarem da cidade. Entre elas, reconheceu Miral, uma de suas favoritas, e acenou para ela.

Miral terminara seus estudos em junho, e agora, como quase todas as órfãs, continuava a morar na escola enquanto planejava sua vida depois de Dar El-Tifel. Hind reconhecia em Miral muitos dos traços de sua própria adolescência. Ela admirava a coragem da menina. Desde que tomara conhecimento da atividade política de Miral, Hind a aconselhara a se lembrar de que o nascente Estado Palestino não precisava de heróis preparados para sacrificarem suas vidas em nome dele, mas de pessoas inteligentes que trabalhassem pelo seu bem, porque estava firmemente convencida de que a prudência era a virtude mais preciosa na política. Hind considerava Miral uma autêntica esperança para o futuro da Palestina. Ela sabia o quanto a menina era ligada à sua terra natal, mas também o quanto ela queria a paz e como não tinha contato com o fanatismo que dominava naquele momento. Hind queria que ela tivesse uma chance.

Miral ficou na frente de Hind, os olhos brilhando e o rosto corado de entusiasmo. Suas palavras no começo foram confusas, e suas frases, exacerbadas pela emoção. Hind lhe disse para se acalmar, sentar-se ao seu lado e começar de novo, do início. Miral confessou que frequentemente desobedecera às ordens de Hind quanto a participar da intifada e descreveu as manifestações das quais participara e as reuniões que organizara para advertir as meninas a respeito dos métodos usados pelos serviços secretos israelenses para recrutar informantes. Com uma ponta de orgulho, Miral revelou que ajudara muitas alunas a se envolverem na revolta palestina. Mas, apesar dessas revelações, Hind sentiu que Miral ainda não revelara todo o seu envolvimento.

Hind tinha todos os motivos para ficar preocupada com a extensão do ativismo de Miral. Para começar, a menina tinha sido pega não muito tempo antes, e as proibições de Hind haviam obviamente sido reiteradas em vão. Apesar de Hind sentir-se como uma mãe preocupada cuja filha estava prestes a embarcar em sua primeira viagem sozinha, ficou emocionada com a franqueza da menina.

Agora que seu período na escola estava se aproximando do fim, a aluna favorita de Hind colocou de lado a lógica que um dia governara seus respectivos papéis e demonstrou que confiava em Hind — mesmo que estivesse omitindo um pouco.

Hind não conseguiu dormir naquela noite. Ela ouviu os barulhos da rua, os gritos dos vizinhos ainda eufóricos que voltavam para casa depois de um dia de comemorações. Na manhã seguinte, Jerusalém ia acordar como todos os dias, envolta em um véu de instabilidade. Talvez fosse a posição da cidade que a tornasse ao mesmo tempo tão atraente e tão frágil, situada entre a Europa e a África, entre o Ocidente e o Oriente, entre o deserto e o mar.

Hind faleceu um ano e dois meses depois de os Acordos de Oslo terem sido assinados. No enterro, Miral estava entre os enlutados, e sua irmã, Rania, andou ao seu lado. Miral havia retornado a Dar El-Tifel pela primeira vez desde que fora embora, um ano antes. Ela observara Hind entrar em um carro e descer pela última vez a avenida que levava à cidade e, conforme fazia isso, lembrou-se de passear pela mesma avenida com sua irmã e seu pai logo que chegaram na escola.

O enterro não só foi prestigiado pelas principais autoridades civis e palestinas, mas também refletiu uma questão à qual Hind dedicara sua vida — a liberação das mulheres, nesse caso como participantes de um ritual cujos cargos importantes eram normalmente assumidos apenas pelos homens.

Hind dizia frequentemente para suas alunas que o verdadeiro líder era aquele que deixava herdeiros; como parte de sua criação, ela as ensinara a continuar seu trabalho para que o orfanato não terminasse com ela. Teria ficado feliz, naquele dia de tristeza, em ver como seus ensinamentos se concretizaram.

Conforme o caixão era carregado da mesquita, as mulheres, cujas cabeças estavam cobertas com véus brancos como sinal de pureza, levavam presentes tradicionais — arroz, farinha, sal, carne, frutas, roupas e dinheiro — para a família da falecida, o que incluía as meninas da escola. Quando a procissão fúnebre chegou ao cemitério, um grande grupo de mulheres, desafiando os preceitos do Corão e a autoridade do mufti, que ordenou que elas fossem embora imediatamente, recusou-se a deixar o local do sepultamento.

Seguiu-se uma discussão acalorada entre o mufti e uma das mulheres, uma professora mais velha de Dar El-Tifel que era muito conhecida pelo mufti. Ela fora aluna da escola em sua juventude e passara quase toda a vida ao lado de Hind.

— Zeina — falou o mufti —, por favor, não nos obrigue a usar a força. Vá embora agora.

Mas com o mesmo olhar orgulhoso que tinha nos olhos quando Hind falou com ela pela primeira vez — depois que ela e as outras 52 crianças de Deir Yassin haviam sido abandonadas perto do muro da Cidade Velha — Zeina manteve sua posição, da qual o mufti tentou levá-la a sair com uma leve cutucada. A multidão ficou muda quando Zeina respondeu dando um tapa no rosto da maior autoridade religiosa muçulmana da cidade.

No final, Zeina e as outras mulheres conseguiram o que queriam e permaneceram ao lado de Hind até o final, demonstrando como aquela mulher extraordinária havia, através de seu exemplo, lhes ensinado não apenas paciência, mas também coragem.

A comunidade árabe de Jerusalém sentiu tanta tristeza com o falecimento de Hind que o período de luto durou dez dias, em vez dos três usuais. Todas as noites, um muezim ia ao túmulo de Hind para orar. Durante várias semanas, matérias e poemas em homenagem a ela foram publicados nos jornais diários, e muitos cidadãos comuns prestavam tributo em sua sepultura, que estava sempre enfeitada com flores. As pessoas lhe levavam rosas, cravos e ramos de oliveira — as plantas que ela mais amara.

Entre as últimas coisas que sussurrou para as meninas antes de morrer — palavras que permaneceriam entalhadas em suas lembranças muito depois do fracasso do tratado — foi que a paz não só era possível, ela era vital. Para ambos os lados.

PARTE DOIS

Nadia

1

Depois de ajudar sua irmã mais nova, Tamam, a terminar seu dever de casa e sua mãe a consertar as redes de pesca, Nadia permaneceu sentada pelo resto da tarde nos degraus da pequena colina na frente de sua casa no meio do nada, uma área conhecida como Halisa. Daquele ponto, ela tinha uma vista de toda a cidade de Haifa e podia vislumbrar o mar por entre todas as casas brancas e edifícios novos que estavam crescendo a esmo em torno do cais. O pai de Nadia era um pescador que havia se afogado, alguns meses antes, durante uma tempestade. No enterro, a mãe da menina, Salwa, ficou ao lado do caixão e anunciou que estava esperando um bebê. Pouco tempo depois, Nadia, sua mãe grávida e sua irmã de 8 anos se mudaram para uma casa menor. Com a ajuda de Nadia, a mãe continuou a consertar redes de pesca depois que o bebê nasceu, e Nadia limpava escritórios duas tardes por semana, mas suas vidas ficavam cada vez mais difíceis. Nos finais de semana, elas colhiam figos-do-inferno e iam para a praia vendê-los aos passantes e aos turistas. Houve muitos dias em que Nadia e sua família comeram uma única refeição, que consistia em uma fatia de pão caseiro respingado com azeite de oliva e *zatar*, uma mistura de orégano e gergelim moídos.

Um barulho súbito distraiu Nadia de seu devaneio. Ela se virou para ver um homem baixo com a pele extremamente pálida, uma barba desgrenhada e uma barriga incipiente que pressionava seu cinto de couro preto. O homem ficou olhando para ela sem se mover ou dizer uma palavra; seus olhos eram pequenos, e Nadia não gostou do olhar que lhe lançavam. Ela estava prestes a se virar para a frente e encontrar o mar de novo quando o homem a chamou pelo nome.

Aproximando-se, ele perguntou se ela o reconhecia, aí a abraçou, beijando-a na bochecha com lábios úmidos que a fizeram estremecer de nojo. Como ela ficou sabendo mais tarde, o nome do homem era Nimer e ele trabalhava no cais do porto. Apesar de ele dizer que havia comparecido ao enterro do pai dela, Nadia não conseguia se lembrar de jamais tê-lo visto antes.

De acordo com a tradição árabe, não era bom para a reputação de uma mulher se ela e suas filhas morassem sozinhas, pela crença comum de que um marido garantia proteção social. Assim, oito meses depois do enterro, a mãe de Nadia se casou novamente, desta vez com Nimer, o homem que ficara em frente a Nadia na colina. Ele se mudou para a casa delas no bairro de Halisa.

Nimer era um comerciante astuto que amava profundamente o dinheiro e cultivava boas relações com os pescadores da cidade. Ele começou a gerenciar o trabalho de conserto de redes, guardando para si todos os lucros do trabalho, que Nadia e sua mãe continuavam a fazer sozinhas. Uma das convicções mais firmes de Nimer era a de que sua esposa e a enteada não eram suficientemente produtivas, então ele fez Nadia largar a escola quando ela tinha apenas 12 anos.

— O trabalho fortalece a mente e o corpo — ele gostava de dizer, enquanto observava sua enteada ocupada entre as redes do nascer ao pôr do sol.

A irmãzinha de Nadia, Tamam, tinha apenas 8 anos, mas Nimer decidiu que estava na hora de ela largar a escola também. Ela já era bastante habilidosa em trançar redes, e ele não via razão para ela não trançar mais.

Os esforços de sua esposa para dissuadi-lo foram em vão.

— Outro par de mãos é sempre necessário — disse ele, justificando-se ao declarar que havia pegado mais quatro bocas para alimentar. Ele lembrava constantemente às meninas que fizera sua parte; agora cabia a elas demonstrar sua gratidão.

Nadia ficava imaginando pelo que deveria ser grata, já que ela, sua mãe e sua irmã estavam ganhando dinheiro por ele, enquanto ele não fazia nada, passava o tempo jogando e as proibia de comprar qualquer coisa a não ser comidas simples e alguns artigos de vestuário de segunda mão. No entanto, observando que sua mãe não fazia qualquer objeção, e sabendo muito bem que seu padrasto, quando desejava ser especialmente convincente, usava o cinto, Nadia acabou desistindo.

Naqueles momentos, quando as costas ardiam sob a faixa de couro, as meninas olharam para sua mãe e ficavam imaginando por que ela não fazia nada para defendê-las. Ela, por sua vez, abaixando os olhos e cobrindo as orelhas para bloquear os gritos, corria para o aposento contíguo. Uma mulher com pouco estudo, que se acovardava diante da autoridade de seu marido, ela achava que fazer uma boa fachada de uma situação ruim era melhor do que correr o risco de ficar, com suas filhas, sozinha novamente. O resultado era que ela apoiava o marido em todas as circunstâncias, permanecendo fiel e dedicada a ele e sacrificando suas filhas.

O primeiro ano deles juntos se passou em um ciclo vicioso e triste de violência doméstica — pequenas situações nas quais Nimer bancava o valentão com todo mundo enquanto a mãe de Nadia se tornava cada vez menor, cada vez menos presente. As garotas se acostumaram à raiva que seu padrasto descontava sistematicamente nelas e podiam sentir quando ela estava prestes a surgir, como uma onda que cresce antes de quebrar nas pedras. Elas a reconheciam pela expressão no rosto dele quando chegava em casa, pelos olhos espremidos e lábios apertados. Nesses momentos, o menor movimento errado ou uma única palavra mal-interpretada era suficiente para liberar toda a sua fúria.

Uma manhã, Nimer entrou no banheiro por engano enquanto Nadia estava tomando banho. Surpreso, ele permaneceu imóvel no vão da porta e a observou por um período de tempo que ela considerou interminável. Em sua vergonha, Nadia tentou constrangidamente cobrir-se com os braços e as mãos. Após alguns segundos, seu padrasto se virou e foi embora.

Naquela mesma noite, ele entrou no quarto das meninas e deslizou para dentro da cama com Nadia, que havia feito 13 anos recentemente. A cama rangeu, e Nadia sentiu todo o peso do homem caindo no colchão. Um cheiro forte tomou o quarto, uma mistura de tabaco e suor que penetrou as narinas dela.

— Oi, Nadia — sussurrou ele, beijando-a na bochecha, e ela teve consciência da mesma sensação de umidade e sujeira que a enojara da primeira vez em que ele a beijara. Aí ele começou a tocá-la, e Nadia sentiu as mãos dele descerem cada vez mais para baixo. Ela permaneceu imóvel durante o episódio inteiro, tomada por uma sensação de náusea e medo de algo que não entendia, respirando apenas em intervalos, tentando não fazer o menor ruído e não pensar no odor que estava lhe tirando o ar. Finalmente, sem uma palavra, seu padrasto foi embora, fechando a porta atrás de si.

Nadia não conseguiu dormir naquela noite. Ela se sentia enjoada e de certa forma suja, sem saber por quê. Ficou deitada, esticada, as pernas duras, o corpo tremendo incessantemente, até os primeiros raios de sol iluminarem o topo do monte Carmelo. Sabia que seu padrasto sairia logo e esperou até ouvir a porta se fechar. Aí, lentamente, ela se levantou. Seus músculos doíam por causa da postura rígida que mantivera a manhã inteira.

Nadia encheu a banheira com água fumegante e imergiu nela. Instantaneamente começou a tremer de novo. Ela colocou os braços em volta das pernas junto ao corpo e caiu em prantos. Sua mãe, passando pelo banheiro a caminho da cozinha, viu a filha, mas não fez perguntas. Nadia se esfregou com uma esponja até sua pele estar vermelha e irritada. Aí a mãe reapareceu na vão da porta e a lembrou de levar os figos-do-inferno para a praia e pegar as redes com os pescadores.

Enquanto penteava o cabelo, Nadia olhou pela janela do banheiro para a parte mais baixa da cidade. O céu claro da manhã permitia que ela visse a Baía de Haifa brilhando em todos os tons possíveis de vermelho e amarelo. Alguns barulhos subiam do cais do porto, os sons de um navio atracando ou saindo para o mar, mas a vizinhança ainda estava relativamente silenciosa, apesar de o fato de na noite anterior sua adolescência ter sido despedaçada.

Às 8 horas, ela acordou suas duas irmãs menores; então fez o café da manhã para Tamam e deu ao bebê, Ruba, um pouco de leite. Naquele momento, tomou uma decisão: ela encontraria uma maneira de sair daquela casa.

Os anos se passaram, e nenhuma das mudanças com as quais Nadia havia sonhado se realizou.

Ela se tornou uma das meninas mais bonitas da cidade, e seu padrasto continuou a visitá-la à noite. Ela se deixava ser violada, nutrindo silenciosamente um ódio que mal era escondido por seus profundos olhos negros. Houve um tempo, alguns anos antes, em que ela tentara se rebelar, ameaçando seu padrasto e jurando contar tudo à sua mãe, mas uma surra de cinto foi a única resposta que ele deu a ela.

Um dia ela notou Nimer olhando fixo para sua irmã menor, Tamam. Nadia conhecia muito bem aquele olhar, e uma ira cega tomou conta dela. Reunindo coragem, ela contou à sua mãe toda a história enquanto consertavam redes juntas. Ela não esperava que sua mãe fizesse qualquer coisa para defendê-la. Talvez apenas esperasse encontrar algum consolo para o que se tornara um sofrimento intolerável. O que ela certamente não esperava é que sua mãe pulasse em defesa do homem e declarasse que com certeza era culpa de Nadia por provocá-lo e seduzi-lo.

Se havia uma coisa em relação à qual Nadia desenvolvera uma profunda intolerância enquanto estava crescendo era mulheres fracas que se submetiam humildemente às injustiças perpetradas por seus maridos e às regras de sua comunidade. Quando ouviu a reação de sua mãe, Nadia decidiu que havia chegado a hora de sair de casa.

Ela foi para a cama sentindo-se como se sentira tantos anos antes, na noite em que havia perdido não apenas sua inocência, mas também a possibilidade de algum dia ser feliz. Ficou deitada acordada durante horas, debaixo das cobertas, e então saiu da cama, tentando não acordar suas irmãs. Ficou olhando durante muito tempo para elas enquanto dormiam em paz. Pelo menos parte do motivo de ela ter suportado todos aqueles anos terríveis fora o desejo de permanecer ao lado de suas irmãs, mas não podia aguentar mais.

Ela esperou seu padrasto se levantar e então o confrontou.

— Contei tudo para a mamãe e agora eu vou embora. Mas, se você ousar botar um dedo que seja em uma das minhas irmãs, vou me assegurar de que pague caro.

O homem ficou olhando para ela por um instante, pasmo com sua autoconfiança, uma qualidade que não reconhecera nela. Aí seus olhos retomaram a crueldade de sempre, e ele respondeu com um sorriso de escárnio:

— O que você está pensando, sua putinha? Uma árvore frutífera cresce no meu jardim e eu não posso provar a fruta?

Nadia agarrou uma lâmpada de querosene e a jogou em cima dele, mas ele se desviou. Aí, ela foi para o quarto e, enquanto Nimer ria desdenhosamente do outro lado da porta, tirou algumas peças de roupa de uma gaveta, acariciou com os olhos suas irmãs ainda adormecidas, enfiou uma sacolinha debaixo do braço e se dirigiu para a porta. A mãe correu atrás dela. Ela pegou o braço de Nadia e o puxou, tentando abraçá-la, com lágrimas nos olhos.

— Por favor — disse ela —, não conte para ninguém o que aconteceu. Se contar, vai arruinar nossa reputação. Pense nas suas irmãs, a reputação delas também será destruída.

— Você me dá nojo — declarou Nadia. Seus olhos também estavam cheios de lágrimas, mas eram lágrimas de raiva.

— Você devia ter me protegido e não fez nada.

— Estou fazendo alguma coisa. Estou ficando do lado do meu marido porque este é o meu lugar, e suas irmãs são pequenas demais para irem embora com você. Tome, pegue isso.

Ela entregou à filha algum dinheiro, que Nadia arrancou de sua mão, julgando a oferta o mínimo que sua mãe podia fazer por ela. Ela considerava a mãe tão culpada quanto o padrasto, e a odiava ao mesmo tempo em que sentia pena dela. O ano era 1959, e Nadia sabia que não era nada fácil para uma mulher árabe em Israel se rebelar contra seu marido. Mas Nadia não tinha escolha; ela tinha que ir embora, porque a alternativa seria a morte. Nada no mundo poderia tê-la feito suportar o estupro, a violência e a tirania por mais um minuto.

Ela correu colina abaixo e para longe daquela casa como uma louca perseguida por fantasmas. Ela não virou para trás.

2

Quando Nadia chegou a Jaffa, uma sensação de liberdade nasceu dentro dela. Sentia a amargura de uma escolha difícil, mas estava orgulhosa de si mesma por ter tido a força de se rebelar contra tamanha crueldade.

"De agora em diante, eu faço as regras", pensou enquanto andava sem rumo. "Ninguém mais vai me fazer sofrer."

Jaffa era menor e mais organizada do que Haifa, que era, acima de tudo, um porto, onde tudo acontecia em volta da carga e descarga de mercadorias e das atividades do submundo que florescia ali. Jaffa, por outro lado, parecia ter se desenvolvido harmoniosamente, cheia de diversões públicas, restaurantes e hotéis, e cercada por parques verdes. As ruas eram ladeadas por pés de limão, de tangerina e de toranja, e as casas rosadas tinham um estilo colonial que, apesar de antiquado, era decididamente mais charmoso que os prédios modernos de Haifa.

Depois de perambular pela cidade a tarde toda, ela viu uma placa: HOTEL SHALOM. "Talvez eu encontre um pouco de paz aqui", pensou, e então atravessou a rua e entrou no saguão. A matrona russa de meia-idade no balcão da recepção ficou surpresa quando ela pediu um quarto de solteiro. Os hóspedes do hotel normalmente era turistas ou homens de negócios longe de suas esposas e procurando diversão.

Nadia pegou um quarto com um terraço com vista para o mar e adormeceu de imediato, podendo finalmente livrar-se de um pouco da tensão que se acumulara nela durante as últimas horas e sentir alívio por ter escapado de um pesadelo que havia durado anos. Depois de seu cochilo, tomou um longo banho de banheira e desceu para a recepção para perguntar se algum dos funcionários sabia de um restaurante que estivesse contratando garçonetes. A senhora russa respondeu que conhecia o dono de um restaurante, um de seus clientes frequentes, que estava mesmo procurando funcionárias, e lhe passou o endereço.

O proprietário, um judeu marroquino chamado Yossi, ficou imediatamente impressionado com a beleza da garota, que demonstrava a autoconfiança de um adulto.

Nadia mostrou ser trabalhadora, mas ela estava melancólica, e, às vezes, seus olhos eram tão tristes que Yossi ficava imaginando o que a teria ferido tão profundamente. Tirando isso, ela era perfeita. Clientes lhe deixavam gorjetas generosas, e ela estava sempre disposta a ajudar seus colegas. Um dia, ela perguntou a Yossi se conhecia alguém que tivesse um apartamento para alugar: o hotel era caro demais para que ela pensasse em continuar vivendo lá. Ele ofereceu a ela sua casa de praia, de frente para o mar, que ele e a família só usavam no verão. A princípio, Nadia ficou relutante em aceitar, mas no final pareceu uma oportunidade boa demais para dispensar.

Sua amizade com Yossi crescia dia a dia. Ele a levava para casa todas as noites, e eles conversavam longamente a respeito de suas respectivas vidas. Na verdade, era ele quem mais falava; ele lhe contou que era casado havia vinte anos, mas que o amor entre ele e a esposa desaparecera há muito tempo. Ele amava seus país natal e adorava repetir que não havia nada no mundo melhor do que perambular pela medina em Fez, atraído em uma ou outra direção pelos aromas e cores do *souk*.

Uma noite, Nadia perguntou a ele se gostaria de entrar para beber alguma coisa. Pego de surpresa, ele não soube direito como responder. Decidiu aceitar. Nadia, que sabia muito bem o que estava fazendo, pretendia mostrar a si mesma que sua sensualidade estava intacta e que superara o trauma dos abusos que sofrera. Yossi e Nadia tornaram-se amantes, e ela pediu a ele que lhe ensinasse tudo a respeito do amor.

Algum tempo depois, Nadia se ofereceu para fazer uma exibição de dança do ventre no restaurante, e Yossi aceitou de boa vontade. O show foi um sucesso tão grande que foi repetido no dia seguinte e no outro. Logo, ela se tornou a principal atração do restaurante. "Nunca serei como minha mãe", pensava Nadia, enquanto dançava, fingindo não ver os olhares de cobiça dos homens da plateia.

Um dia, Yossi chegou ao restaurante em um estado obviamente agitado. Nadia viu que ele permaneceu inquieto durante toda a noite. Depois, estando os dois em casa e deitados entre os lençóis macios de linho, ele lhe mostrou um anel e disse:

— Nadia, eu a amo e quero me casar com você.

Apesar de saber que suas amigas garçonetes dariam qualquer coisa por um pedido como aquele, Nadia ficou aterrorizada.

No dia seguinte, ela fez as malas e, sem nenhuma explicação, foi embora para Tel Aviv.

Alguns anos se passaram, e Nadia se adaptou bem à vida em Tel Aviv, que para ela era a capital do mundo. De vez em quando, sentia um pouco de nostalgia por Yossi e sua gentileza, mas se esquecia rapidamente dele. Como os salários eram mais altos do que em Jaffa, ela acalentava esperanças de um dia poder economizar dinheiro suficiente para viajar e visitar lugares distantes. Não tinha desejo de ver a mãe novamente, mas, quando soube que Tamam também fugira de casa para em seguida ser pega e trancada em uma escola cristã, Nadia decidiu ir visitá-la.

Era uma manhã de sábado em março, e os raios do sol aqueciam as janelas do ônibus. Após sair de Tel Aviv, o veículo subiu as colinas rochosas da Judeia e Samaria, chegando finalmente a Nazaré.

Tamam ficou exultante ao ver a irmã mais velha. Quando levou Nadia de volta para seu quarto, elas se olharam olhos nos olhos por um longo tempo sem falar; então Nadia quebrou o silêncio e começou a contar para Tamam sobre os últimos anos, primeiro em Jaffa e mais tarde em Tel Aviv, mencionando seu trabalho como dançarina, sua independência financeira e — principalmente — sua liberdade. Disse à irmã que se sentia renascida, longe da tirania do padrasto e da fraqueza da mãe. O que ela mais sentia falta, no entanto, era de ter alguém com quem pudesse conversar, alguém com quem pudesse partilhar suas experiências, alguém em quem pudesse confiar inteiramente. Ela sentia falta da irmã.

Por sua vez, Tamam descreveu sua vida na escola, os horários rígidos, as freiras de olhar duro e a atitude das outras meninas, que tendiam a evitá-la porque ela era muçulmana, apesar de serem todas árabes. Mas, apesar da aspereza, o lugar era basicamente tolerável, disse Tamam, comparado ao inferno de casa. Ela baixou os olhos por um instante e então pareceu fixá-los em uma parte da parede onde o reboco havia se soltado. Só naquele momento Nadia percebeu como o quarto era nu, como não possuía nada que pudesse expressar a individualidade da pessoa que morasse ali.

Aproximando-se da irmã, olhando para baixo para encontrar seu olhar, ela percebeu que Tamam estava escondendo alguma coisa. Nadia viu uma tristeza em seus olhos, o que a fez lembrar de seu próprio estado de espírito durante os primeiros dias inebriantes após sair de casa. De repente, um estremecimento a percorreu, uma dúvida passou por sua cabeça: talvez seu padrasto também tivesse abusado de Tamam. Quando Nadia lhe perguntou, a menina a princípio não quis responder, mas sua resistência era fraca, e ela precisava contar a alguém. Alguns minutos depois, apertando com força as mãos de Nadia nas suas, Tamam admitiu que o padrasto a violara pela primeira vez no mesmo dia em que Nadia saíra de casa.

Após sua visita a Tamam, Nadia desceu de novo a rua que levava à estação de ônibus, com sentimentos de raiva e culpa a lhe corroerem. Nimer havia abusado sistematicamente de Tamam, quase como se estivesse realizando algum tipo de vingança contra a irmã que ousara se rebelar e ir embora. Ela andou rápido, os braços retos ao lado do corpo, punhos cerrados, o corpo todo como um nervo contraído. Seus instintos lhe diziam para fugir novamente, apesar de ser de sua irmã que estaria fugindo desta vez. Tamam era um lembrete de que nenhuma delas jamais se livraria do passado que compartilhavam.

Em resposta à fraqueza da mãe e à opressão à qual havia sido submetida, Nadia desenvolvera um orgulho incomum, tornando-se uma moça linda e arrogante que estava magoada demais para dividir sua tristeza com qualquer outra pessoa. Ela só faria isso uma vez na vida, anos mais tarde, ao passar três meses na cadeia por ter dado um soco em uma mulher israelense que a insultara por ser árabe. Foi lá que ela conheceu Fatima.

PARTE TRÊS

Fatima

1

Fatima ergueu os olhos para o céu através das grades da janela. Eram 6h30, e a prisão ainda estava envolta em uma atmosfera abafada, de sonho. Não se ouvia som algum, não havia uma única nuvem, um único pássaro; tudo parecia congelado no lugar.

Em meia hora, os guardas abririam as portas e tudo começaria novamente, como todos os dias: os ruídos, as palavras e a contínua sensação de vazio.

Ela se espreguiçou cansada na cama, olhando para a malha de metal do beliche acima, que estava desocupado há semanas. Cinco anos haviam se passado desde sua prisão, cinco longos anos nos quais o tempo se dilatara tanto que não mais existia. Durante meses lhe prometeram que ela poderia trabalhar em um hospital próximo, mas ainda não a haviam chamado. Problemas burocráticos, ela achava.

Tinha certeza de que iriam chamá-la mais cedo ou mais tarde. Precisavam de enfermeiras, e ela era bem qualificada.

A Guerra dos Seis Dias de 1967 piorou a situação palestina. Naquela época, Fatima trabalhava no hospital em Nablus. Cuidava de soldados, crianças e civis feridos, vendo, no processo, situações que achava que ninguém deveria ver na vida real.

A guerra fora rápida, mas feroz. Mulheres e crianças chegavam ao hospital em condições desesperadoras, seus rostos frequentemente irreconhecíveis. Soldados árabes moribundos também eram levados para lá e, em seus olhos, Fatima lera confusão e medo, as mesmas emoções que ela vira nos campos de refugiados em que sua tia e seus primos haviam morado.

Ela nunca se esquecera das expressões em seus rostos, assim como ainda podia ver seus pais sendo humilhados por soldados israelenses todas as vezes que passavam por um ponto de verificação. Eles fingiam que estava tudo certo, diziam-lhe que estava tudo normal, mas mesmo assim ela conseguia ouvir as palavras não ditas — palavras de terror e de indignação por terem sido punidos por crimes que não haviam cometido. Liberdade é uma dessas coisas que você não percebe até não ter mais. Fatima sabia que em 1948 os israelenses estavam vivenciando a realização de um sonho de dois mil anos. Ela era só uma criança na época, mas ainda assim não conseguia se livrar da sensação de que fora à custa de seu povo e de sua família.

Conforme o tempo passava, ela tentava botar esses sentimentos rancorosos de lado e se concentrar em sua própria vida. Sempre que estava estudando, fazia um esforço para se distanciar dos sons da casa, que era pequena demais para sua família grande, dos gritos constantes do vizinho para a esposa, do fedor do lixo deixado para apodrecer ao sol. Ela odiava os soldados, com seu ar afetado e seus dedos sempre no gatilho. Estudara diligentemente e trabalhara longas horas para se tornar enfermeira e havia finalmente se mudado para Nablus, a 200 quilômetros de Jerusalém.

Ela andava pelos corredores claros e de luz fria do hospital em Nablus com o passo seguro, usando calça militar, tênis de ginástica, uma camiseta branca e jaleco. Não demorou muito para que sua dedicação lhe rendesse uma promoção como enfermeira-chefe.

Todas as manhãs, atravessava a pé o bairro árabe de Nablus para ir ao trabalho, seu *kaffiyeh* enrolado no pescoço, acenando ocasionalmente antes de entrar no labirinto de ruas estreitas da Cidade Velha. Ninguém que a visse teria imaginado que essa mulher inconspícua, com uma aparência tão tranquilizadora e de boa índole, logo se tornaria a primeira mulher palestina a organizar e realizar um ataque terrorista.

Ela já vinha dividindo seu tempo entre a enfermagem e seu envolvimento político. No hospital, conhecera Yasir Arafat, com quem teria uma amizade próxima no futuro.

Durante a Guerra dos Seis Dias, mulheres e crianças feridas dos campos de refugiados e corpos mutilados de jovens soldados eram trazidos para o hospital, em um fluxo de homens e mulheres golpeados tanto no corpo quanto na mente.

Muitos deles sofriam sem reclamar; talvez inconscientemente aceitassem sua sina como um destino trágico que não parava de se repetir, um jogo no qual eram peões movidos por forças mais poderosas. Conforme desinfetava, tratava e suturava aqueles corpos lacerados, Fatima dizia a si mesma que nenhum motivo jamais poderia justificar tanta dor.

Ela sentia como se fosse 1948 de novo. Podia ver seus pais mais uma vez, relembrando seus esforços para protegê-la e para fazê-la acreditar que sua vida sob a ocupação israelense era um fato imutável. Ela havia crescido convencendo-se de que crianças em outros lugares brincavam de esconde-esconde em meio a destroços e pilhas de lixo. Mas tinha 9 anos quando a grande mudança aconteceu, velha demais para não se lembrar da vida de antes, que chegara subitamente ao fim sem ninguém jamais explicar por quê.

Toda a dor, o ódio e o ressentimento que tentara sufocar por tanto tempo ferveram dentro de Fatima durante a guerra, e foi então que ela decidiu fazer alguma coisa. A equipe do hospital fora advertida de que todos os soldados feridos eram prisioneiros de guerra: quando tivessem alta, iriam para a custódia das Forças de Defesa de Israel.

Começou com um soldado do qual ela estava tratando, um jovem jordaniano de origem palestina. Com olhos que mal conseguia manter abertos, ele implorou a ela que o ajudasse a fugir do hospital. Fatima não pensou duas vezes. Se o rapaz retornara à Palestina para lutar pelo povo palestino, ela achou que o mínimo que podia fazer era ajudá-lo a voltar para casa. Deu a ele algumas roupas que pertenciam a outro funcionário do hospital, e o jovem soldado rapidamente desapareceu.

O passo seguinte foi uma consequência natural do primeiro. Se ela o havia ajudado, também podia ajudar outros.

E então ela começou a agir, destruindo fichas médicas, queimando uniformes e obtendo roupas civis para seus pacientes. A autoridade militar, perplexa, tentou descobrir o que havia acontecido com aqueles soldados. Houve bastante confusão. A operação de Fatima, no entanto, teve vida curta. A administração do hospital já havia começado a suspeitar dela quando alguns soldados árabes foram capturados enquanto tentavam fugir do hospital. Apesar de nenhum deles ter entregado o nome de Fatima, a culpa, de qualquer modo, caiu sobre ela. A administração não mandou prendê-la, mas ela foi demitida na hora.

Fatima, no entanto, não se sentia nem preocupada nem culpada. Pelo contrário, o incidente a convenceu de que devia passar do conluio para a ação. Agora que Jerusalém estava por completo sob controle israelense, o ressentimento dos habitantes árabes da cidade crescera exponencialmente. O que Fatima sentia era uma necessidade quase física de fazer algo concreto pela causa na qual acreditava, algo que deixasse uma marca. Ela considerava palavras e discursos importantes, mas estava convencida de que, sozinhos, eram insuficientes para mudar a realidade.

★ ★ ★

Alguns dias depois de ter sido demitida do hospital, Fatima voltou para a casa de sua família em Jerusalém Oriental. Foi lá que encontrou a pessoa que estava procurando, um rapaz de barba bem-aparada e cabelo curto desalinhado. Continuando a separar seus legumes, ela se aproximou gradualmente dele, atraiu sua atenção e lhe deu um sorriso inequívoco.

— Olá — disse ela. — Meu nome é Fatima.

— Oi, Fatima. É um prazer conhecê-la. Eu sou Maher — respondeu o jovem, nem um pouco surpreso com a ousadia dela. Ele sorriu como se eles se conhecessem a vida toda, mas continuou a lançar olhares em todas as direções. Como líder de um pequeno grupo de resistência que respondia à OLP, Maher conhecia e era responsável por qualquer atividade política na vizinhança de Jerusalém Oriental.

Antes que Fatima pudesse explicar o motivo de sua aproximação, o rapaz interrompeu.

— Eu soube o que aconteceu com você. Foi demitida porque tentou salvar alguns soldados palestinos.

Fatima assentiu.

Com um sorriso astuto, ele falou:

— Você é muito corajosa.

Fatima olhou para ele sem dizer uma palavra. De certa forma, cabia a ele guiar o rumo de sua conversa.

— No momento — disse ele, acariciando a barba e sorrindo, amigável mas discreto — precisamos de pessoas como você. Essa guerra ainda não acabou.

Fatima entendeu o que ele estava propondo e era exatamente o que queria. Ela sentia que tinha uma missão a cumprir, um objetivo cuja realização iria tornar sua vida digna de ser vivida. Não queria mais tratar de corpos feridos em batalha; queria evitar que eles fossem feridos. Ela queria atingir o coração do inimigo.

Fatima nunca se perguntou, nem antes nem depois do ataque, se planejar intencionalmente a morte de pessoas, como soldados israelenses aglomerados dentro de um cinema, era um meio eficaz de promover a libertação de seu povo. A única coisa que contava para ela era vingar a profunda injustiça à qual seu povo estava submetido.

Ela passou muito tempo planejando o ataque com Maher e mais outros cinco homens, todos com idades entre 20 e 26 anos. A salvo entre os muros da Cidade Velha, eles se encontraram diariamente durante várias semanas, reunindo-se no telhado de uma casa diferente a cada noite, com um deles atuando como vigia. No começo, o plano era imprimir e distribuir folhetos, mas Fatima os persuadiu de que tal ação era ineficaz e provavelmente só faria com que fossem presos. Sem pestanejar, ela disse a seus camaradas:

— A única língua que eles entendem é a violência. É o único recado que podemos mandar capaz de fazê-los ver que nós existimos e que essa luta vai continuar.

— Mas, Fatima, o que você está dizendo vai muito além da nossa atividade normal. Nós, todos nós aqui, não somos soldados. Distribuímos folhetos. — A declaração foi feita por um rapaz a quem Fatima, a única mulher no grupo, havia intimidado com sua segurança.

— Propaganda não funcionou — respondeu ela. — Divulgamos propaganda durante anos e aqui estamos nós, ainda lambendo nossas feridas. Precisamos criar pânico, não há outra maneira. Temos que atingi-los em suas atividades rotineiras, como fazem conosco.

Após algumas semanas, Fatima se tornou a líder do grupo, e longas discussões a respeito de possíveis alvos e problemas técnicos começaram para valer. Ela tinha certeza de que um ataque militar era a única resposta adequada para o ciclo de violência que estava encharcando sua terra de sangue. Sabia que a supremacia militar do Exército israelense condenaria ao fracasso qualquer revolta ou ataque a ele. Então, no final, ela escolheu um alvo civil, o cinema sionista em Jerusalém Ocidental, local frequentado quase que exclusivamente por membros das Forças Armadas israelenses, especialmente à noite. Essa decisão deu início a outro debate acalorado e, mais uma vez, Fatima ofereceu uma resposta inequívoca:

— Olhem, rapazes, pensem desta maneira: quando as bombas israelenses caem nas nossas cabeças, elas atingem civis e militares indiscriminadamente, e os tanques nos campos de refugiados quase sempre passam por cima de nossas crianças.

Levou mais de um mês para a bomba chegar do Líbano.

No dia 8 de outubro de 1967, Fatima, carregando uma bolsa cheia de explosivos, entrou no cinema sionista, misturando-se às prostitutas que o frequentavam, e saiu após 15 minutos, de forma a não levantar suspeitas. Em seu último encontro, ela dissera aos camaradas:

— Eu sei que vamos nos perguntar pelo resto de nossas vidas se essa foi ou não a atitude justa a tomar. Mas os israelenses têm que entender que, até o dia em que formos livres no nosso próprio país, eles não serão livres no deles.

A bomba não explodiu.

Fatima não fugiu para a Jordânia. Uma semana após o ataque frustrado, ela e o resto de seu grupo foram detidos como consequência do depoimento dado pelo bilheteiro do cinema. Os cinco rapazes se recusaram a apontar Fatima como líder, e ela também rejeitou todas as acusações até a polícia finalmente prender toda sua família. Então ela foi obrigada a confessar a fim de obter a liberdade de seus parentes. Seu julgamento terminou com sentença de duas prisões perpétuas mais 11 anos por se recusar a se levantar no tribunal. Ela foi a primeira mulher palestina presa por razões políticas.

Também era a única prisioneira árabe e a única prisioneira política em uma cadeia cheia de mulheres. Prostitutas, homicidas, ladras e criminosas comuns — todas a evitavam a qualquer custo. Fatima lia muito, como sempre fizera, percebendo que, ainda que um livro não pudesse mudar o mundo, tinha, ao menos, o poder de fazer os muros da prisão desaparecerem. Às vezes, à noite, ela lia Samih al-Qasim ao luar:

Da janela da minha cela pequena
Posso ver árvores sorrindo para mim,
Telhados cheios do meu povo,
Janelas chorando e orando por mim.
Da janela da minha cela pequena
Posso ver a sua cela grande.

Em seus momentos noturnos de angústia, Fatima procurava refúgio em lembranças de sua infância, quando sonhos e ilusões queridas ainda a embalavam para dormir.

2

O ônibus segue lentamente, imerso na luz ofuscante do meio-dia. Está cheio de crianças com uniformes de várias escolas e trabalhadores usando macacões manchados e sapatos gastos. Fatima está de pé, segurando-se em um dos suportes. Outras pessoas entram no ônibus na parada seguinte, e agora ele está realmente lotado. Há um odor perceptível, pungente e nauseante.

A garota sentada à sua frente adormeceu; sua boca está semiaberta e ela segura uma bolsa de mão contra o peito. O ônibus freia subitamente, jogando os passageiros para a frente e então para trás. A bolsa da menina se abre e um livro cai. Fatima se abaixa para pegá-lo; é um livro de história da arte. Ela vê uma das ilustrações. É de uma mulher linda, completamente nua, de pé em cima de uma grande concha. Sua pele é leitosa, sua cabeça está inclinada na direção de um dos ombros e uma figura alada sopra um vento que despenteia gentilmente seu cabelo louro comprido. À esquerda da mulher, uma ninfa lhe oferece um manto. Atrás dela, o horizonte do oceano se perde no azul do céu. A garota acorda. Fatima lhe entrega o livro e sorri. Por um instante, o mundo parece estar em harmonia com a imagem no livro, mesmo dentro daquele ônibus lotado, nas ruas esburacadas de Jerusalém, com suas casas brancas empilhadas e o Monte das Oliveiras ao fundo.

Então a porta da cela se abre com o som áspero de metal que a acorda todas as manhãs.

Fatima retomou a consciência devagar, sua cabeça ainda cheia do quadro com o qual havia sonhado. Após um instante, ela ergueu seu tronco um pouco para ver quem era o guarda em serviço. Mas a porta havia se fechado novamente, e Fatima se viu olhando para uma moça alta e esguia com lábios carnudos; olhos castanho-claros que quase pareciam amarelos; e cabelo negro, liso e comprido. "Mas não há espaço para Vênus nesta terra atormentada", pensou Fatima. "É aqui que o sonho acaba."

Sem muito entusiasmo, ela disse olá para sua nova colega de cela, virando-se de lado e descansando a cabeça no travesseiro.

Nadia acenou levemente com a cabeça, sua única resposta, e então escalou rapidamente para o alto do beliche. Depois de alguns segundos, no entanto, ela desceu de novo, andou até a bacia, observou seu conteúdo com um certo nojo e perguntou com que frequência eles trocavam a água.

— Depende — respondeu Fatima.

— Depende de quê?

— Dos guardas. Olhe, tudo aqui é assim, mais ou menos. O melhor que você faz é se acostumar — concluiu Fatima, sentando-se na beira da cama.

Nadia deu de ombros, mas um sorriso breve cruzou seus lábios.

Ela sentiu uma simpatia imediata por aquela mulher baixa e compacta de cabelo crespo, com calças militares verdes e um nariz achatado que dava personalidade a seu rosto.

As diferenças das duas era o que as mantinha unidas, uma amizade nascida em uma prisão onde elas eram as únicas mulheres árabes e onde, além disso, uma delas fora presa por motivos políticos. Por uma espécie de alquimia cujo funcionamento mais profundo permanecia um segredo para ambas, não habituadas, como eram, a partilhar segredos com estranhos, levou apenas alguns dias para que entendessem que podiam confiar uma na outra. Começaram rapidamente a desabafar e, quando não conseguiam encontrar palavras para explicar o que queriam dizer, um olhar ou um gesto eram suficientes. E então descobriram que, exatamente no mesmo período em que Nadia havia começado a trabalhar no restaurante em Jaffa, Fatima estava se aproximando do ativismo político. Seus mundos eram muito distantes, mas ambas haviam terminado dentro do espaço confinado de uma cela de prisão e, nos meses de coabitação forçada, a cautela que envolvera as duas existências ficou para trás. Ambas, mas especialmente Nadia, descobriram que era possível olhar para o passado sob uma nova ótica.

— Você não teve medo? — perguntou Nadia um dia, quando Fatima estava lhe contando sobre sua tentativa de ataque.

— Não, nem por um minuto. O negócio era assim, Nadia: medo não era uma emoção que eu podia sentir, porque eu basicamente não ligava para nada, incluindo minha própria vida. A única coisa que importava era o sucesso do nosso plano, e eu não conseguia ver além disso.

Nadia ficou olhando para a nova amiga, impressionada. Era a primeira vez que conhecia alguém tão envolvido na causa palestina. Nadia nunca se considerara nem árabe nem israelense, e os caprichos da política haviam causado pouca ou nenhuma impressão nela. E ali estava ela agora, na companhia de uma mulher que dera tudo o que tinha por algo cuja necessidade Nadia nem sequer conseguia ver. O que mais a fascinava em Fatima era sua coragem, especialmente sua indiferença em relação ao próprio destino. Nadia também não era tão presa à sua vida, mas a diferença era que, se fosse para arriscá-la, certamente não seria lutando por uma causa. A não ser, talvez, por sua própria causa, que era sua liberdade pessoal.

— Estava tão quente que meu cabelo grudou na testa — falou Fatima, continuando sua história.

Atraída pe.a descoberta de um mundo sobre o qual não sabia nada, Nadia mais uma vez se concentrou nas palavras de Fatima.

— O ar estava pesado com o cheiro de suor, tabaco e perfume velho. Tudo estava em mau estado, e os cheiros de sujeira e alho cortavam os outros aromas. Antes de me entregar a entrada, o bilheteiro me deu uma olhada rápida e então disse que seria uma boa noite para mim, que o lugar estava cheio de sujeitos ansiosos para gastar dinheiro. Eu falei que ficava feliz em ouvir isso e que não duvidava de que tivessem dinheiro para gastar. Eu o vi se virar e olhar para mim pelo canto do olho. Quando entrei no cinema, ninguém lá dentro notou minha presença; a atenção de todos estava fixa na tela, onde uma moça loura estava sendo molestada numa cama em seu sonho. Aqueles soldados excitados não poderiam ter imaginado que em alguns minutos seriam protagonistas de um filme totalmente diferente.

Fatima fez uma pausa breve e então começou novamente:

— Após cerca de 15 minutos, deixei minha bolsa debaixo da cadeira e saí do cinema. — Ela tomou um gole de água antes de descrever o que era um dos momentos de maior orgulho de sua vida: — Enquanto me afastava, esperei uma grande explosão. E esperei por mais 15 minutos. As pessoas começaram a sair correndo do cinema. Eu fiquei onde estava. Vi a polícia chegar e então o bilheteiro conversando com eles.

— O homem que lhe vendeu a entrada — disse Nadia.

— É, acabou que ele me viu saindo e encontrou a bomba debaixo da minha cadeira. Chamou a polícia. Deu a eles a minha descrição, e não levaram muito tempo para me identificar e me prender.

Nadia não conseguia acreditar que alguém pudesse sentir um ódio tão cego por pessoas desconhecidas. Era diferente para ela; ela sentira o mesmo ódio, nutrira os mesmos pensamentos de vingança, mas sua raiva fora dirigida a um indivíduo em particular, um que ela conhecia bem e que havia lhe roubado a infância.

— Eu não pensava mais neles como homens, Nadia. — Fatima explicou: — Eu os via como soldados. Eles simbolizavam a injustiça infligida contra nós. Sabe, Nadia, a ocupação militar é um monstro feroz. Ela extingue lentamente os seus sonhos, suas esperanças e até mesmo o seu futuro. E, gradualmente, muda quem você é.

Uma luz fraca entrava pela janela estreita da cela. A noite já devia ter se transformado em manhã. Nadia começara a contar sua história depois do almoço, sentada no beliche de baixo, ao lado de Fatima, que ouviu, com o cenho franzido o tempo todo, Nadia lhe contar dos abusos aos quais fora submetida, de sua mãe, de seu encontro com a irmã anos depois e então de sua procura por liberdade e sua recusa em manter relacionamentos com homens.

Fatima via em Nadia uma mulher forte, mas, ao mesmo tempo, frágil e delicada. Ela se sentia oprimida por seu passado, não só devido à violência física que sofrera, mas também por causa de todas as amarras que lhe haviam sido impostas. Aprendera a reagir na única linguagem que haviam lhe ensinado desde o nascimento: instinto misturado à raiva. Mesmo na prisão ela arriscara muito, em várias ocasiões, ao demonstrar intolerância com autoridade, o que não era bem-visto pelos guardas.

Nadia adormeceu, encostada contra a parede descascada da cela, sua cabeça inclinada para um lado. Fatima a observou por um momento na semiescuridão: a magreza e os músculos bem-tonificados de Nadia a faziam parecer enérgica. Sua beleza a tornava radiante, apesar das punições brutais que a vida havia lhe dado.

No dia seguinte, ela contou à Fatima o resto de sua história, começando com sua viagem para Tel Aviv.

3

Alguns meses depois de chegar a Tel Aviv, Nadia começou a se sentir à vontade. A cidade era muito animada, cheia de lojas e prédios novos. Havia restaurantes, bistrôs e cinemas em todos os lugares, e as ruas eram cheias de gente, dia e noite, tanto que ela sentia como se estivesse em uma daquelas cidades ocidentais das quais com frequência ouvia falar, lugares onde pessoas despreocupadas dançavam e se divertiam em boates e discotecas. Havia feito muitos amigos e estava saindo com vários homens. Sentia-se livre para fazer aquilo de que gostava, o que, para ela, significava uma grande vitória. Ao mesmo tempo, no entanto, ela sabia que essa fase relativamente serena em sua vida não duraria muito. Seus humores eram tão instáveis quanto a brisa na costa da cidade, que de manhã soprava do mar para terra e à tarde da terra para o mar. Nadia tinha muitos homens, mas nenhum relacionamento sério.

— Para mim, qualquer relação estável é uma fonte potencial de proibições, frustração e desprezo — disse para Fatima. Ela não queria que nenhum homem tivesse controle sobre sua vida.

Para ganhar tanto dinheiro quanto antes, Nadia começara a dar aulas de dança do ventre em sua casa. Uma amiga dela, uma velha israelense chamada Yael, sugeriu que ela se apresentasse na boate de seu marido, um dos lugares mais chiques da cidade, frequentado por ricos homens de negócios em viagem e por algumas das pessoas mais célebres do país.

Era um lugar muito acolhedor, mobiliado com bom gosto, suavemente iluminado pela luz filtrada por valiosas luminárias de metal entalhado, com um teto ornado e sofás de veludo vermelho cobertos com almofadas de seda. Logo, a beleza e a natureza rebelde de Nadia, seus olhos profundos e esquivos e seus movimentos sinuosos e seguros a transformaram no fascínio principal da boate. Enquanto dançava, andando por entre as mesas, ela gostava de sentir os olhares dos clientes nela, carregados de desejo. Muitos deles lhe deixavam gorjetas generosas, mas, se qualquer um a tocasse, mesmo que de leve, ou se alguém fizesse uma proposta que ela julgasse imprópria, ela fazia um sinal e o ofensor era imediatamente expulso da boate. O proprietário deixava que ela ditasse as regras, apesar de seus clientes serem os homens mais influentes da cidade. Ele não queria perder sua atração principal.

Uma noite, enquanto dançava, Nadia percebeu um rapaz cujos olhos permaneciam fixos nela todo o tempo. Ao final do show, ele a convidou para tomar um drinque em sua mesa e, contrariando sua política de sempre, Nadia aceitou. Talvez os fatores decisivos tenham sido seus modos gentis e seus olhos, que a faziam lembrar os de uma criança. Beni — diminutivo de Benyamin — disse a ela que era um empresário católico de Nazaré. Quando a boate fechou, eles marcaram um encontro para a noite seguinte.

Nos meses que se seguiram, ela ficou mais relaxada, abandonando sua atitude precavida, e tentou deixar para trás sua antiga falta de confiança nos homens. Parecia finalmente ter encontrado alguma paz. Depois do show, ela não ficava mais enfurnada em seu camarim ouvindo músicas trágicas e esvaziando garrafas de *arrack* até a boate fechar. Em vez disso, ela se trocava rapidamente e se juntava a Beni em sua mesa, a mesma na qual ela o vira pela primeira vez. Juntos, eles perambulavam pelos mercados da cidade ou viajavam para cidades e países desconhecidos para ela. Beni a enchia de joias, roupas e presentes, enquanto o corpo de Nadia respondia generosamente às atenções dele.

Uma noite, o dono da boate, que passara a gostar de Nadia como se fosse sua própria filha, percebeu que ela parecia deprimida. Ela negou, alegando que se sentia ótima, que não havia nada errado. Dançou até melhor do que o normal, e sua aparência era tão pungente e evasiva que os clientes ficaram sentados em silêncio por um longo instante ao final de sua apresentação, ainda intrigados por seus movimentos, que pareciam de outro mundo.

Sem nem vestir as roupas normais depois do show, Nadia foi até a mesa de Beni, onde ele estava fumando um charuto, e se sentou.

Os outros clientes os observaram com curiosidade e inveja.

— Esperei o dia todo para lhe contar, Beni. Eu estou grávida. Nós não planejamos isso, mas estou tão feliz!

Beni, que estava inalando a fumaça, começou a tossir. Por alguns momentos ele ficou olhando em silêncio para Nadia, como se tentando decifrar o que ela acabara de lhe dizer.

— E você? Também está feliz? — perguntou ela, tentando não ver a perturbação em seu rosto.

— É claro, é claro, é uma boa notícia — ele finalmente conseguiu dizer. — É só que você me pegou de surpresa, só isso. Eu não estava esperando.

O rosto de Nadia se iluminou.

— Então amanhã vamos comemorar.

Na mesma noite, Beni falou com sua família sobre seu amor por Nadia. Ele lhes contou tudo: que ela era muçulmana, que era dançarina e que estava grávida. No que dizia respeito à família de Beni, o aspecto mais perturbador da questão era a profissão da moça. Eles podiam aceitar que ela fosse muçulmana e podiam aceitar que estivesse esperando um bebê, mas uma dançarina do ventre traria desonra à família.

Aquela noite foi excessivamente longa para Beni. Dividido entre o amor por Nadia e o amor por sua família, ele tomou sua decisão e nunca voltou atrás.

Nadia esperou muito tempo por ele, em vão. Talvez ela tenha ficado mais irritada pela forma covarde como Beni foi embora do que pela separação em si. Mais uma vez, ela fora aviltada e tristemente humilhada.

Ela não sabia qual fora o fator decisivo na fuga de Beni: se por ela ser dançarina ou muçulmana, mas, fosse qual fosse o caso, pela primeira vez na vida se sentiu discriminada por seu próprio povo. Todo mundo achava que ela era israelense. Ela se considerava integrada e nunca pensara na possibilidade de ser alvo de tamanho preconceito. Até aquele momento, sua beleza e suas atitudes emancipadas haviam lhe servido como salvo-conduto para a sociedade israelense, mas, de repente, todas as suas certezas haviam sido abaladas. Depois de ter rejeitado as regras de sua própria comunidade, ela nunca havia pensado em si mesma como muçulmana. Agora, estava sendo abandonada não pelas escolhas que fizera, mas ou por uma qualidade que herdara, ou por pertencer ao mundo das boates, que ela mesma considerava absolutamente distante e estranho.

Quando sua filha nasceu, Nadia sentiu uma felicidade imensa, mas, após alguns meses, percebeu que não podia conciliar a vida irregular que levava com as horas fixas que o bebê lhe impunha ou com as obrigações que a criação da criança exigia. Assim que saía do palco, ela corria para seu camarim, onde invariavelmente encontrava a filha chorando de fome, de sede ou precisando ser trocada. Nadia amava muito a criança, mas se sentia sem jeito, e tinha medo de cometer os mesmos erros que a própria mãe cometera com ela. Quando olhava para o bebê, não podia deixar de se lembrar da inocência que ela própria perdera tão cedo.

Um dia, ela recebeu uma visita de sua irmã Tamam, que, nesse meio-tempo, deixara a escola religiosa em Nazaré e se casara com Abbas, um homem carinhoso e inteligente, dono de uma sorveteria em Haifa. Tamam disse a Nadia que a mãe delas se arrependia sinceramente do comportamento covarde que tivera no passado e que gostaria muito de ver Nadia de novo. Seu encontro só foi possível porque seu padrasto, Nimer, fora vítima de um acidente no cais do porto. Um guindaste emperrado deixara cair um carregamento de três toneladas sobre ele, achatando-o como uma mancha de tinta.

A reunião com a mãe não foi dos encontros mais tranquilos, especialmente para Nadia. Por mais que tentasse se lembrar de um bom momento com a mãe antes de Nimer entrar em suas vidas, ela não conseguia se livrar do ressentimento. A mãe, afinal de contas, era a pessoa responsável. Nadia falou um pouco sobre sua vida em Tel Aviv e sobre as dificuldades de criar sua filha. Tamam e Abbas se ofereceram para ajudá-la, mas sua mãe declarou que cuidaria ela mesma da pequena. "Por favor!", Salwa implorou à Nadia. Ela se sentia solitária agora que sua filha mais nova, Ruba, também havia se casado e mudado para Nazaré, onde seu novo marido tinha parentes.

Nadia ficou surpresa em ouvir uma oferta como aquela vinda da mesma mulher que a abandonara ao destino. Ela podia ver a sinceridade de sua mãe nos olhos, mas como podia simplesmente esquecer tudo, de uma hora para a outra, e passar uma borracha no passado? Além disso, muitos anos antes ela jurara a si mesma que conseguiria vencer sozinha, e não tinha a menor intenção de engolir as próprias palavras.

— Nadia, nós estamos aqui, vamos ficar perto dela — assegurou-lhe Abbas gentilmente. Até aquele momento, ele não dissera uma palavra.

No final, Nadia aceitou. Ela sabia que não tinha escolha e tinha certeza de que Abbas cuidaria de sua filha em Haifa.

Duplamente humilhada por ter sido abandonada e por precisar pedir ajuda, Nadia gradualmente começou a se refugiar no esquecimento que o álcool oferecia. Com frequência terminava a noite completamente bêbada. Sentada na frente do espelho no camarim, olhava para seu rosto, com a maquiagem borrada, o cabelo pesado caindo nos olhos, e se arrependia, levando-se tudo em consideração, de não ter feito nada com sua vida, nada além de ondular ritmicamente os quadris para o deleite de alguns homens de negócios suados, industriais bajuladores e oficiais locais fedorentos.

Ela sentia que a melhor parte dela não estava evidente nos movimentos sedutores de seu corpo e às vezes achava que alguns clientes podiam ler a verdade ardendo em seus olhos. Achava que podiam ver sua história, que não era tão bonita quanto seus lábios, seus seios, suas nádegas, mas era tão profunda quanto a tristeza que ela afogava em garrafas de *arrack*. Ao final de cada show, ela pedia uma garrafa de bebida em seu camarim, onde bebia sem parar, mecanicamente, até seus músculos relaxarem e os objetos a sua volta se misturarem ao fundo. Ela imaginava como seria o restante do mundo e o que havia em Israel em particular que o tornava um lugar tão difícil de se viver. Quase todas as noites chegavam ao fim com ela adormecendo desse jeito, imaginando-se passeando pelas ruas de uma cidade distante, uma das muitas que esperava acabar visitando — Paris, Londres, Tóquio...

Chegando a esse ponto de sua história, Nadia fez a observação para Fatima:

— Se você nasce em Israel, significa que você nasce árabe ou judeu, e todos os dias vai haver alguém que olha para você com desconfiança. Eu finjo não perceber, ando de cabeça erguida, mas cada vez mais sinto como se estivesse sendo examinada e julgada. Sou uma minoria dentro de uma minoria, pois não pertenço a ninguém ou a nada. Tenho pele azeitonada, cabelo preto, lábios cheios; toda a minha aparência física é um lembrete de que sou palestina. Eu me misturo com eles, vou a suas boates e a música deles é igual, a comida deles também é igual à comida que eu como. E ainda assim eu nunca me senti pertencente ao grupo deles.

Por que ela tinha que ser necessariamente árabe ou judia? Não podia ser apenas Nadia, Nadia, a rebelde, Nadia, a que era livre?

Fatima permanecera em silêncio o tempo todo, escutando a história de Nadia e observando seus olhos extasiados. Ela parecia estar em outro mundo, e Fatima não a interrompia temendo despertá-la de suas recordações e fazendo-a perceber que não eram um sonho, mas sua vida real. Fatima estava perplexa. Ela, que amara, odiara e estivera pronta para matar por seu povo, não podia e não queria entender a forma de pensar de Nadia. E, ainda assim, Fatima percebia uma origem comum em suas histórias, como se a mesma tristeza as tivesse levado a fazer escolhas diferentes.

Nadia retomou sua história novamente e contou a Fatima a última parte, a parte que a fizera acabar onde estava.

Ela estava com alguns amigos em uma boate na praia. As palmeiras balançavam, tocadas por uma brisa leve. Luminárias lançavam uma luz quente em tapetes espalhafatosamente coloridos que abafavam os passos daqueles que entravam e saíam da boate. Nadia não notou o rapaz sentado à mesa ao lado, mas ele estava olhando fixo para ela havia algum tempo. Os amigos dele, um cavalheiro de meia-idade e ombros largos com um rosto agradável e uma moça minúscula, pareciam estar conversando seriamente. Mas a garota havia descoberto que a atenção do namorado estava fixa em Nadia e de vez em quando lançava um olhar hostil na direção dela. Então, com um sorriso falso, virava-se rapidamente de volta para o homem com quem estava conversando. Nadia se levantou para dizer olá para uma velha amiga, uma mulher que estava sentada no bar. Conforme passava pela mesa ao lado, finalmente percebeu o rapaz, um israelense com quem, não muito tempo antes, tivera um caso. Ela se limitou a cumprimentá-lo com um seco aceno de cabeça.

O rapaz ficou de pé em um pulo e, com a desculpa de ir pedir outra bebida, andou até o bar e se sentou no banco ao lado de Nadia.

Alguns minutos depois, quando Nadia estava voltando para sua mesa, a namorada olhou para ela e escarneceu: "Puta árabe!" Nadia a socou com tanta força que derrubou a garota no chão. As têmporas de Nadia latejavam, enquanto uma expressão em algum ponto entre medo e surpresa surgia no rosto da garota. Sangue escorria de sua narina direita, encharcando a gola branca de sua blusa. Nadia estava de pé, as pernas ligeiramente afastadas, o braço dobrado na altura do peito, a mão ainda fechada em punho. A moça no chão agira por ciúmes, incapaz de ver seu homem, ou talvez apenas seu amigo, tão obviamente interessado em Nadia. Mas o que mais feriu Nadia foi o "árabe" ter sido jogado em cima dela como se fosse o insulto mais comum que alguém pudesse pronunciar. Se ela se considerava ou não árabe, não tinha importância; ela era o que era, ponto, e havia pessoas dispostas a insultá-la apenas por causa disso.

Um grupo heterogêneo de espectadores havia se reunido e, por vários instantes, ninguém ofereceu nenhuma ajuda para a moça baixinha que desafiara o orgulho de Nadia. Aí o homem mais velho de aparência agradável ajudou a garota a se levantar, enquanto a algazarra dos clientes da boate era coberta pelas sirenes da polícia que se aproximava. Nadia foi posta em uma patrulha, que então seguiu caminho pela costa, através das multidões de sábado à noite. Ela olhou pela janela e viu uma palmeira vergada pelo vento, inclinada na direção do mar. Nadia mordeu o lábio, e o gosto doce do anis se misturou com o amargor salgado do sangue.

Um dia depois de ouvir o relato do incidente feito por Nadia, Fatima estava pendurando a roupa limpa das prisioneiras para secar em um pequeno pátio. Ela podia ver uma fatia do céu emoldurada pelos muros cinza e pensou longamente sobre o que faria se estivesse na mesma situação de Nadia: capaz de sair da prisão em alguns meses e enfrentar sua liberdade.

Quando terminou seu trabalho, Fatima voltou para a cela e se esticou na cama, esperando que Nadia voltasse. Seus olhos fixaram-se no teto, nos pedaços de reboco prestes a cair e nas manchas de umidade que realçavam seu perímetro.

Quando Nadia retornou à cela, ela sorriu para Fatima, que sorriu de volta. Quando havia sido a última vez que sorrira?

A influência de Fatima sobre Nadia crescia diariamente. Fatima tentava especialmente persuadi-la a não voltar para a vida de antes, não voltar a dançar em Tel Aviv, mas ir para Jerusalém e procurar a sua família; os parentes de Fatima certamente ajudariam Nadia. Durante o último mês de detenção de Nadia, quando os parentes de Fatima vieram visitá-la, eles pediram para falar com Nadia também. Eram pessoas alegres e de boa índole, e Nadia começou a pensar que talvez a amiga estivesse certa.

E então, muito mais cedo do que qualquer uma das duas desejava, o momento da separação chegou. Para Fatima, a vida na prisão seguiria seu curso monótono; ela voltaria a aguentar sozinha a hostilidade das outras prisioneiras. Mas Nadia a deixava com algo a mais. As muitas perguntas que Nadia lhe fizera levaram Fatima a refletir pela primeira vez sobre suas ações do passado e sobre muitas crenças que ela jamais questionara.

Na noite anterior à sua libertação, Nadia meditou sobre as várias experiências pelas quais passara nos últimos seis meses. Contar sua história para Fatima fizera Nadia perceber que nunca tinha pensado em si mesma em termos de membro de um grupo, não até ser chamada de "puta árabe". Nadia pensou: "Talvez Fatima tenha razão quando diz que ninguém pode ser livre se seu próprio povo não é. Nenhum árabe é livre neste país." Ela nunca havia pensado nisso antes. E, se não pensara nisso, talvez fosse porque não estivera pensando, e essa conclusão fez Nadia se sentir vazia. Era uma linha de pensamento perigosa, porém, pois continha a possibilidade de viver como prisioneira em sua própria terra mesmo se não estivesse na cadeia, e de prejudicar qualquer um que pudesse procurar formas diferentes para sobreviver, que pudesse escolher se empenhar em algo além da luta por seu país.

Ao raiar do sol naquela última manhã, Nadia refletia que a prisão lhe dera o luxo de ser capaz de pensar abstratamente pela primeira vez na vida.

Mais tarde, na mesma manhã, antes de dar um último abraço em Nadia, Fatima disse a ela:

— Você vai recuperar sua liberdade, mas isso não a fará automaticamente feliz. O que quer que você faça, faça de forma que tudo o que dissemos uma para a outra continue tendo um significado. Não se esqueça; faça isso por mim.

4

Nadia logo se sentiu à vontade com os parentes de Fatima e com a vida em Jerusalém. Fatima levara sua família a acreditar que Nadia também fora presa por motivos políticos. Eles se deram bem desde o primeiro dia, e logo ela se familiarizou com as ruas e vielas estreitas da Cidade Velha. Rapidamente decidiu ficar noiva de Jamal, irmão de Fatima, que se apaixonara por ela à primeira vista, quando ela estava ainda na prisão. Algumas semanas após sua chegada, Jamal a pedira em casamento, e ela aceitou. Ela nunca disse a ele que tinha uma filha em Haifa.

Jamal Shaheen era um homem atencioso e tranquilo, e Nadia invejava sua serenidade, que era acompanhada de uma racionalidade que ela sabia lhe faltar. Ela ficou feliz em assumir a vida tranquila de uma futura noiva, preenchida por preparativos, festas e outros casamentos para ela participar. Jamal trabalhava como imame na Mesquita de Al-Aqsa, comandando a oração matutina, e também tinha um segundo emprego como vigia noturno para guardar dinheiro para o casamento. Nadia estava conquistando a todos e integrando-se sem problemas à estrutura social da cidade.

Surpreendia-a pensar que a prisão, contra todas as expectativas, lhe dera a chance de criar uma nova vida para si mesma.

Sua inquietação parecia ter se dissipado sem que ela percebesse. A notícia de que ela estivera na prisão com Fatima se espalhou rapidamente pela vizinhança e lhe conferiu um respeito infinito por parte de seus habitantes, que perdoaram suas roupas ocidentais, sua ousadia e o fato de fumar. Eles estavam convencidos de que ela fora presa por motivos políticos, e ela própria estava convencida de que sua reação por ter sido insultada como uma "puta árabe" fora, de certo modo, um ato político.

Um dia, em uma festa de casamento, ela conheceu um rapaz de Belém. O primo de Jamal os apresentou e, quando seus olhos se encontraram, foi como se eles fossem as duas únicas pessoas no mundo. Conversaram por três horas consecutivas sem que nenhum outro convidado desse muita atenção. Hilmi tinha 22 anos, era alto, de pele escura, com olhos intensos e inteligentes. Ele queria ir para Beirute e estudar na American University. Nadia disse a ele que já estava prometida a outro homem.

Apesar dessas circunstâncias adversas, a atração recíproca era tanta que decidiram se ver de novo dois dias depois. Por algum tempo depois disso, eles se encontraram secretamente em vários cafés e restaurantes em Jerusalém Ocidental e também na casa dos Shaheen. A mãe de Fatima e Jamal, uma mulher idosa e um tanto ingênua, achava que Hilmi vinha à sua casa para cortejar sua outra filha. Jamal, o noivo de Nadia, ocupado com seu trabalho na mesquita e com os preparativos para começar sua nova família, não fazia a menor ideia do que de fato estava ocorrendo.

Os encontros clandestinos de Nadia e Hilmi se tornaram cada vez mais intensos. Uma tarde, eles fizeram amor. Por volta da hora do almoço, eles se encontraram no Portão de Damasco e caminharam até um pequeno hotel. Nadia estava tensa de medo, e era óbvio que Hilmi também estava extremamente nervoso.

Quando estavam dentro do quarto grande e bonito, o casal se abraçou forte, terminando em um beijo longo e apaixonado. Nenhum dos dois jamais tivera tanta certeza do que estava fazendo como tinham naquele momento. Hilmi beijou o pescoço de Nadia e começou a despi-la lentamente. Seus movimentos eram desajeitados, mas Nadia achou que as mãos dele eram as mais delicadas que já haviam tocado seu corpo. Hilmi a deitou gentilmente na grande cama. Quando viu que ela estava tremendo, ele sorriu e lhe disse que ela devia relaxar, que ia dar tudo certo. Nadia não parou de tremer, e seus olhos ficaram mais arregalados.

— Se você quiser, eu paro — disse ele. Ele não a forçaria. A única resposta de Nadia foi pegar a mão dele e colocar em seu seio.

O tempo parou para eles.

Antes de deixarem o quarto, Nadia o abraçou e pediu que ele não fosse embora. Ela teria implorado, mas seu orgulho a impedia.

— Você pode estudar aqui, em qualquer universidade — falou ela, mas ele foi irredutível. Ele a tranquilizou dizendo que voltaria para buscá-la em breve.

— Por favor, Nadia, espere por mim. Não se case — disse ele.

Uma semana depois, Hilmi deixou Jerusalém, e foi difícil para Nadia esconder a grande tristeza que a consumia. Sua decepção com aquela partida a sobrepujava; mais uma vez ela se sentia abandonada. Tendo perdido a fé nos homens havia muito tempo, ela não confiava nas promessas de Hilmi, decidindo então ir em frente com seu casamento com Jamal.

Um mês depois, na véspera do casamento, Nadia descobriu que estava grávida. Ela chamou Jamal e chorou enquanto lhe contava a história toda. Ele ficou profundamente perturbado, já que era um homem bom que tinha uma fé incondicional nos outros. Levantou-se de sua cadeira e pareceu incrédulo. Tantas perguntas enchiam seu cérebro: Quem? E, ainda mais do que isso, como? Como ele podia não ter percebido nada?

— É melhor eu voltar para Haifa agora — falou Nadia. — Você foi muito generoso comigo e eu não fui capaz de retribuir sua confiança.

Jamal tomou sua decisão e quebrou o silêncio.

— Eu te amo, Nadia. Talvez seja em parte minha culpa, pois eu a negligenciei por causa do meu trabalho. Ainda quero me casar com você, mas tem que prometer nunca mais vê-lo.

Nadia sentiu como se o peso do mundo tivesse sido tirado dos seus ombros. Como ela podia merecer um homem tão bom?

— Ele foi embora e não vai voltar — disse, com lágrimas nos olhos.

— Eu acredito em você — afirmou Jamal, aproximando-se e passando os braços em torno dela. — Eu te amo tanto. Eu te amei desde o momento em que a vi.

O primeiro ano do casamento se passou com grande serenidade. Nadia se tornou ativa na organização de vários grupos de mulheres. Ela promovia discussões e dava festas, encorajava as mulheres a serem independentes e a exigirem respeito de seus maridos. Nesse sentido, Nadia era uma verdadeira pioneira, tão levada pelo acaso e instintiva quanto sempre, mas eficiente em oferecer um contraste em relação às mulheres árabes marginalizadas e submissas que eram suas vizinhas. Suas minissaias, a forma como perambulava pela cidade dia ou noite, sua total autonomia de seu marido, o fato de ela dirigir um carro, de ter amigos tanto palestinos quanto israelenses — tudo provocava uma agitação palpável em sua parte da cidade.

Ao final daquele primeiro ano de casamento, Hilmi veio vê-la na casa da família. Ele disse a ela que encontrara um apartamento em Beirute e se matriculara na universidade.

— A cidade é moderna e cheia de vida — falou. — Sei que você vai gostar.

Nadia recuou, o que fez Hilmi parar e olhar para ela mais atentamente. Um pouco atrás dela, ele podia ver um bebê de alguns meses de idade, aparentemente uma menininha.

— Você se casou — observou Hilmi tristemente — e teve um bebê.

Neste momento, uma dúvida súbita o tomou, uma dúvida que um rápido cálculo do tempo envolvido não fez nada para dispersar.

— Diga-me a verdade, Nadia. Esse bebê, por algum acaso, é meu?

Nadia, que nunca esperara que ele voltasse, estava tão perturbada quanto ele, mas agora era tarde demais. Ela fixou os olhos nos dele e disse, com um ar desafiador:

— Não, ela não é sua filha. O que você pensa, que é o único homem do mundo? — Ela queria magoá-lo, apesar de não ter exatamente certeza do motivo. — Eu dormi com muitos homens, antes e depois de você.

Tão inconscientemente quanto ele havia partido seu coração, ela partiu o dele.

Atingido em seu orgulho e seu coração, Hilmi ficou de pé em um pulo, determinado a ir embora para sempre. Não ficaria em Beirute de forma alguma, pensou, mas começaria de novo em algum lugar distante, talvez na Europa.

Certa tarde, durante seu segundo ano de casamento, Nadia foi ao *hammam*, permanecendo no *tepidarium* por muito tempo enquanto observava as mulheres, especialmente aquelas de sua idade, tentando adivinhar qual delas usava o véu em público. Para muitas delas, a visita ao *hammam* era a única vez na semana em que eram livres para ser quem eram por algumas horas, quer fossem de boa índole ou irascíveis, solitárias ou extrovertidas, em vez de atuarem segundo papéis sociais preestabelecidos.

Enquanto estava se vestindo novamente, Nadia se olhou no espelho. Ela era a mulher mais bonita ali e também a mais infeliz. Apesar de Jamal ser gentil e carinhoso, o casamento não lhe dera nenhum senso real de equilíbrio. Um ano após o nascimento de Miral, a filha de seu relacionamento com Hilmi,

Nadia trouxera Rania ao mundo. A maternidade lhe concedera um novo brilho e uma breve ilusão de felicidade, mas ela percebeu que nada, nem mesmo a beleza, poderia ser um antídoto para sua tristeza.

"Quando uma mulher é bonita", ela pensou, "todo mundo espera e quase exige que também seja feliz." Ela não podia suportar a noção de que seu marido, sua irmã, suas filhas e até Fátima, de certa forma, desejavam que ela fosse necessariamente, obrigatoriamente feliz, satisfeita com o que havia se tornado e com o que estava fazendo. Eles insistiam que ela devia aprender a ver a beleza ao seu redor. Nadia havia continuado a esconder suas fraquezas dos outros; ela parecia forte e segura em público, mas no fundo estava obcecada por seu passado.

Ela tentou ser uma boa mãe, mas, para ela, a serenidade era apenas um oásis distante, uma miragem inalcançável.

Nadia entrou em seu carro, sem saber exatamente aonde ia. Dirigiu lentamente pelas ruas da cidade. As lojas estavam fechando, e os fazendeiros que tinham vindo do campo para vender seus legumes voltavam para suas aldeias, misturando-se às poucas pessoas que ainda estavam na rua.

No rádio tocava uma música tradicional que a lembrava de seus dias como dançarina do ventre em Tel Aviv, quando tinha admiradores que vinham do outro lado do país para vê-la. Sentiu saudades de toda aquela atenção — as flores, os elogios, os convites para jantar — e sentiu a ansiedade aumentar dentro dela.

Ela esperou na praia pelo amanhecer, acompanhada por uma garrafa de *arrack*, e pensou que não havia continuidade em sua vida. Fatima tentara arrancá-la da espiral de masoquismo na qual ela se encontrava e fora até bem-sucedida, mas só por algum tempo. A realidade era que Nadia estava tateando no escuro, procurando uma saída.

Mergulhou os pés na água fria e transparente e tentou imaginar seu futuro: ele lhe parecia sem cor, como a última gota de bebida no fundo da garrafa. Uma onda mais alta do que as outras encharcou sua saia da bainha até acima dos joelhos. Ela sorriu e então começou a rir nervosamente enquanto percebia que se havia algo faltando em sua vida era sua infância. Não tinha lembranças felizes de si mesma quando criança — nenhuma imagem mental agradável de se divertir na praia, brincar com amigos, sorrir ou ganhar um presente. Naquele momento, sentiu um ódio profundo de sua mãe e até um pouco de seu pai, que se deixara ser engolido pelo mar sem tê-la criado, protegido ou segurado sua mão.

Ela ficou três dias com uma amiga em Jaffa, saboreando novamente a liberdade dos velhos tempos, e então voltou para casa como se nada tivesse acontecido. Jamal perdoou aquela fuga, como perdoou todas as seguintes, na esperança de que com o tempo a angústia dela diminuísse, que ela se aproximasse mais dele e das duas filhas.

Ele comprava a bebida de que ela precisava para combater seus ataques de depressão e tentava não lhe fazer perguntas demais. Para não ser reconhecido quando fazia essas aquisições, ia a um café longe de seu bairro. Mas, como era um imame, as pessoas conheciam seu rosto. O barman invariavelmente colocava a garrafa na sacola, sorria maliciosamente e dizia: "Imame, o senhor é uma pessoa maravilhosa." Seguia sua declaração com uma gargalhada alta que se espalhava entre seus clientes, de mesa em mesa. O amor que Jamal sentia por sua esposa o tornava capaz de aguentar até essas humilhações.

Nadia decidiu um dia visitar Fatima na prisão. Pareceu estranho atravessar aqueles corredores escuros novamente, inalando os odores do bolor e tabaco barato que vinham das celas. Fatima estava com a mesma aparência de sempre, alerta e com o rosto redondo. O encontro delas foi caloroso e amigável, apesar de não falarem uma com a outra com a mesma franqueza de quando dividiam uma cela. Nadia não revelou que começara a ver outros homens além de seu marido ou que bebia *arrack* até o dia amanhecer, sentada em uma poltrona com um cigarro aceso na mão. Fatima podia ver que a ex-companheira de cela não encontrara a paz pela qual ansiava, mas estimulou Nadia a continuar acreditando no que estava fazendo pelas outras mulheres da comunidade e tentou, como sempre, elevar a autoestima de sua amiga. Mas foi tudo em vão. O sorriso de Fatima se tornou amargo quando Nadia lhe disse que os três meses que ela passara na prisão constituíam o período mais feliz de sua vida.

Então Nadia fez uma pergunta que pegou Fatima desprevenida:

— Como você podia querer matar alguém que nem conhecia?

Fatima, para fazê-la entender que houvera um propósito por trás de sua ação, disse:

— Eu não os vejo como pessoas, vejo como soldados. O nosso povo está sofrendo. Eles começaram uma guerra contra nós, e nós não temos escolha. É resistir ou desaparecer. O primeiro-ministro deles, David Ben-Gurion, disse uma vez: "Somos um povo sem terra, e esta é uma terra sem povo." Se esta é uma terra sem povo, o que somos nós?

Nadia já havia se levantado. Ela se afastou na direção da porta, seu longo cabelo negro preso com uma fita vermelha, sua silhueta esguia contrastando com a cela de cimento cinza.

Fatima não sentia angústia, nem por si mesma nem pelo destino de seus inimigos. Ela tinha que admitir, no entanto, que a vida na prisão a havia apresentado a um lado do mundo israelense que ela não conhecia antes. As mulheres judias que eram suas companheiras de prisão eram todas ladras, prostitutas e miseráveis desgraçadas, basicamente vítimas, de sua própria maneira, de um sistema de poder que operava muito acima de suas cabeças.

Jamal procurou em todos os lugares por Nadia. Na casa dos parentes dela em Haifa, onde ela tinha dito que ia passar alguns dias, ele descobriu que ela não fora vista, assim como não estivera lá em outras ocasiões quando havia sumido. Ninguém sabia onde ela podia estar.

Jamal voltou para casa e ficou olhando para o telefone por muito tempo; então, tirou a rolha da garrafa que Nadia deixara na mesinha de cabeceira e despejou um pouco do líquido esbranquiçado em sua mão em concha. Ele a levantou até as narinas e, por um instante, teve a sensação de reviver o beijo que sua esposa lhe dera na manhã em que partiu.

Nadia havia voltado para a boate de Tel Aviv onde trabalhava como dançarina do ventre antes de ser presa. Parecia-lhe que ali era o único lugar onde realmente fora ela mesma. E, apesar das três vezes que ficara grávida e de alguns anos a mais, em poucas semanas ela era novamente a principal atração da boate. Ainda era muito sedutora, talvez ainda mais do que antes, mas sua beleza virara a beleza da melancolia, como uma linda cidade construída em um lugar sem alma.

Quando Jamal descobriu que Nadia voltara para sua vida anterior, achou que talvez devesse ter sido menos tolerante com ela e que seu erro fora lhe dar liberdade demais.

Nadia encontrou uma saída. Para variar, estava muito claro. Ela se sentia leve e, no momento em que percebeu isso, teve, pela primeira vez, uma sensação que reconheceu como alegria; ela podia poupar a si mesma e àqueles que amava de uma vida que era só problema.

A polícia encontrou o corpo de Nadia na praia em Jaffa. Seu rosto estava desfigurado, e sua posição não era natural. A impressão que dava era de que havia tentado alcançar o mar; seus braços estavam jogados para a frente e as ondas lambiam suas mãos. A maré estava subindo. Mais uma hora e as águas do mar teriam engolido seu corpo de novo, como haviam engolido o de seu pai. As autoridades classificaram seu caso como suicídio, mas nem seu marido nem nenhuma outra pessoa que a conhecesse bem acreditaram nisso. Nadia nunca desistira, nem quando tinha 13 anos e seu padrasto roubara seu futuro. Talvez tivesse sido vítima de um acidente. Eles se recusaram a acreditar que fora suicídio, o último capítulo terrível em uma vida vivida muito fora das normas de seu tempo e de seu país.

Jamal decidiu que suas filhas precisavam crescer em um ambiente sereno, onde estariam na companhia de outras meninas. Acima de tudo, ele queria que elas crescessem bem longe dos dramas perturbadores que haviam marcado sua família. Miral e Rania, então, foram confiadas aos cuidados de Hind Husseini, que as criaria em seu orfanato, Dar El-Tifel.

PARTE QUATRO

Miral

1

No dia em que o pai de Miral levou as filhas pela primeira vez para Dar El-Tifel, o outono ainda não havia começado, mas uma bruma fina envolvia as colinas em torno da cidade.

O pai de Miral havia deixado a porta do banheiro semiaberta. Ele estava se barbeando, mas não assoviava como sempre fazia. Em vez disso, olhava em silêncio para o próprio rosto cansado refletido no espelho. Tinha essa aparência desde a manhã do enterro de Nadia, um mês antes. Enquanto Miral observava o pai silenciosamente, ela viu uma lágrima brilhar na bochecha dele antes de desaparecer na espuma branca.

O pai de Miral e Rania era um homem alto e magro com lábios finos e grandes olhos negros. Um imame na Mesquita de Al-Aqsa, ele nascera na Nigéria e estava entre os muitos emigrantes do Senegal, de Mali e de outros países muçulmanos na África que chegaram à Palestina durante o período do Mandato Britânico. Em seu bairro, dentro dos muros de sua Cidade Velha, cuja entrada se dava através de um portão verde de ferro, quase todos os habitantes eram de origem africana. Jamal tinha uma postura refinada, uma dignidade que ficava evidente em seus modos, olhos e gestos. Possuía belas mãos, com dedos longos e magros. O distrito em que moravam era mais do que um bairro; era uma genuína comunidade na qual todas as crianças brincavam juntas e os relacionamentos, mesmo entre os adultos, eram fortes e cordiais. As pessoas se consideravam não apenas vizinhos, mas realmente irmãos e irmãs em uma espécie de família estendida. O pai de Miral era uma das pessoas mais respeitadas no bairro, um conselheiro espiritual para muitos, um amigo sábio e paciente.

Eles moravam em uma casa de dois quartos cujo batente da porta era emoldurado por jasmins perfumados e por um grande pé de romã. Dentro, dois lances íngremes de escada levavam a uma sala de estar clara e espaçosa com chão e paredes cobertos de tapetes. No meio do aposento havia um sofá-cama onde seu pai agora dormia, de frente para uma estante de madeira cheia de copos de bebida tingidos à mão que vinham de todos os cantos do Oriente Médio e haviam sido soprados pelos mestres vidraceiros de Damasco, Beirute, Amã e Cairo. Estavam sempre brilhando perfeitamente, pois Jamal os espanava todas as semanas.

O quarto também era cheio de tapetes e tinha uma cama baixa coberta de almofadas. As luminárias de ferro fundido e os vidros coloridos das janelas difundiam uma luz quente com tons azulados e avermelhados. O banheiro, apesar de pequeno, dava vista para a Cidade Velha e possuía um mosaico adorável de ladrilhos azuis e verdes. Jamal ensinara a Miral e Rania que o verde era a cor do Islã, e o azul, a cor da pureza, do céu, da água e do infinito. Uma parede era quase que inteiramente ocupada pela pia grande, que estava ligeiramente rachada de um lado como resultado de uma tentativa desastrada de Miral de subir em cima dela alguns meses antes de Nadia morrer.

Toda vez que olhava para aquele defeito quase imperceptível, Miral podia ver de novo, só por um instante, o rosto de sua mãe.

* * *

No dia em que levou suas duas filhas para o orfanato, Jamal acordou mais cedo do que o normal. Enquanto olhava da janela de seu quarto para a rua deserta ainda iluminada pela luz dos postes e para as casas com varais cheios e beirais de janelas ornados com vasos de gerânios, o primeiro chamado para a oração chegou a seus ouvidos vindo do minarete da mesquita do outro lado da rua.

Jamal era ligado às meninas de formas diferentes. Enquanto Miral havia se comportado como uma pequena adulta desde a morte da mãe, mantendo suas notas altas na escola, Rania parecia precisar mais de proteção. Sempre que a caçula não conseguia dormir, ela ia para a sala de estar, onde Jamal fizera sua cama desde a morte da esposa, e o abraçava. Só dessa maneira, deitada em silêncio ao lado do pai, a criança conseguia adormecer.

Mas Miral também preocupava Jamal, pois parecia estar sofrendo de uma profunda ansiedade. Na noite antes de levá-las para o orfanato, ela acordou banhada de suor e lhe disse que havia sonhado com a mãe de novo. No sonho, ela se viu em uma árvore cujas folhas estavam se movendo com um vento suave. Havia resolvido continuar subindo até o topo. Rania a estava observando do chão, sorrindo e erguendo as mãos acima da cabeça. Seu pai estava sentado na grama, fumando, e sua mãe andava na direção do rio. Com toda a sua força, Miral apertou as pernas em volta do tronco da árvore e enfiou os dedos em sua casca áspera, que a arranhou. Ela subiu até alcançar o galho mais alto. Então, de repente, o vento parou de soprar e tudo ficou em silêncio. Miral olhou e sorriu para o pai, que acenou de volta para ela. Ela podia ver sua irmã pulando alegremente pelo jardim, mas ficou incomodada porque não podia mais ver a mãe, nem perto do rio nem em nenhum outro lugar.

Jamal tentou consolá-la, dizendo que era normal ter pesadelos depois de perder alguém que se amava tanto. Miral lhe deu um olhar que era difícil de compreender, mas era como se a resposta dele não a tivesse satisfeito e ele precisasse oferecer mais explicações. Ele atribuiu isso ao medo dela de perder a lembrança dos traços de sua mãe.

A decisão dele de colocá-las em Dar El-Tifel fora difícil e, acima de tudo, dolorosa; ele nunca desejaria ficar separado de suas filhas, especialmente agora que sua Nadia partira. Mas, precisamente por causa de sua morte e porque o nome de sua família ainda estava maculado pela tentativa de ataque de sua irmã, alguns anos antes, ele preferia que Miral, de 5 anos, e Rania, de 4, fossem criadas em um ambiente mais protetor. Ele conhecia Hind há muito tempo e lhe levara pessoalmente várias crianças que haviam sido abandonadas do lado de fora da mesquita. Levaria agora suas próprias filhas. Hind sugeriu a ele que a escola poderia se tornar um segundo lar para as meninas. Com isso em mente, ele decidiu que seria melhor mudar o sobrenome das meninas, e Miral e Rania Shaheen se tornaram Miral e Rania Halabi.

2

Naquela manhã, os bairros árabes de Jerusalém estavam agitados com as preparações de sempre no *souk*. Um clamor abafado enchia a cabeça de Jamal quando ele saiu com suas filhas, carregando em sua mão direita uma malinha com os pertences pessoais das meninas. Rania andava agarrada ao mindinho dele daquele lado, e Miral segurava sua mão esquerda. O pai parou em uma barraca para comprar caramelos para elas. Ele sabia que as visitaria quase todas as semanas, mas, ainda assim, estava inquieto. As crianças provaram a doçura das balas. Ela se misturava à amargura da partida.

Miral olhou ao redor conforme começaram a andar. Além dos vendedores no *souk*, parecia não haver ninguém nas ruas. Depois de alguns passos, porém, uma multidão de vizinhos apareceu nas janelas, e crianças que haviam sido suas amigas de brincadeiras em tardes ensolaradas as receberam pelo caminho com flores e ainda mais doces. Miral sentiu que não iria para casa tão cedo. Seu pai sempre conseguira evitar responder à pergunta de quando ela e Rania voltariam, e Miral nunca insistira muito, em parte porque não queria alarmar a irmã. Desde que a mãe morrera, Miral passara a ver Rania com outros olhos: apesar de Miral ser apenas um ano mais velha, sentia que era sua obrigação proteger sua irmã caçula.

Depois de terem atravessado toda a Cidade Velha, eles pararam na Jafar's, a confeitaria mais antiga de Jerusalém. Lá, comeram *knafeh* em silêncio. Esse doce, feito de uma mistura de queijo, manteiga, trigo duro e pistaches que haviam sido amolecidos e adoçados com calda, fazia Miral lembrar os momentos mais felizes de sua vida, quando ela e sua mãe iam à Jafar's para comprar *knafeh* para toda a família.

Do lado de fora dos muros da Cidade Velha, eles se viram diante de um portão de ferro, no qual Miral leu, um pouco vacilante, as palavras "Dar El-Tifel, Jerusalém, 1948".

Continuando por um jardim sombreado, eles chegaram a um longo caminho ladeado por pinheiros. Além dele havia uma clareira e, mais adiante, eles podiam vislumbrar três edifícios.

— Arquitetura do estilo Mudejar — disse Jamal para as filhas, sem nunca perder uma oportunidade de lhes ensinar algo novo sobre a rica tradição histórica ou artística de sua cultura.

— Estilo Mudejar — repetiram Miral e Rania solenemente em uníssono, suas vozes tristes e sérias. Não muito longe, eles viram um gramado onde algumas menininhas jogavam vôlei.

Uma mulher de meia-idade usando um terno branco veio na direção deles, sorrindo cordialmente. Seu cabelo grisalho estava preso na nuca e havia uma camada fina de batom corde-rosa em seus lábios. Ela cumprimentou Jamal carinhosamente e então se virou para as meninas, acariciou seus rostos e disse a elas que podiam ir brincar com as outras crianças.

Miral se esticou para pegar a mão de Rania, mas a irmã estava agarrada ao braço do pai e não largava, com medo de nunca mais vê-lo de novo. Ela ficou congelada ao lado dele, fazendo bico em silêncio. Jamal então levou as duas pela mão até o gramado onde as outras meninas estavam brincando, assegurando-as de que não ia embora naquela hora e que tinha que conversar um pouco com Hind. Rania ficou olhando para o pai com olhos desconfiados por um momento, mas por fim seguiu a irmã. Pelo canto do olho, Miral viu seu pai se afastando e então se virando para olhar para elas, os olhos brilhando com as lágrimas. Ela nunca o vira tão infeliz. Jamal acenou para elas, mas a essa altura Rania estava brincando e não percebeu. Uma bola de futebol aterrissou na frente de Miral, e ela ficou simplesmente olhando, desejando poder chutá-la de volta e de alguma maneira voltar aos dias em que sua mãe ainda estava ali e eles todos ainda estavam juntos.

O prédio mais antigo da escola, localizado no ponto mais alto da colina, com vista para a Cidade Velha, abrigava as salas de aula e os escritórios da administração, incluindo o de Hind, um aposento simples com móveis antigos do período do Mandato Britânico. Do outro lado do campo para esportes ficava um prédio mais moderno que fora construído com o dinheiro do xeque Muhammad bin Jassim Sabah e era usado como dormitório. Naquela época, já havia duas mil meninas no orfanato. Lá, como nas salas de aula, Hind decidira que as meninas mais novas ficariam no primeiro andar, onde viviam em quartos com seis camas cada um. As meninas mais velhas ficavam no segundo andar, em quartos com quatro camas. Finalmente, o último andar fornecia quartos privativos para algumas meninas em seu último ano e para as professoras que moravam no campus. Do outro lado do campinho ficavam o ginásio e, um pouco mais para baixo na colina, cercada por um parque, a residência de Hind. Como estava envelhecendo, Hind decidiu que se mudaria de volta para um dos edifícios mais antigos de seu avô e o usaria como sua casa. O terraço espaçoso tinha vista para a cidade, e as paredes de pedra branca eram quase totalmente cobertas por trepadeiras.

Na primeira noite, depois do jantar no grande refeitório, uma professora magra com olhos tristes acompanhou Miral, Rania e mais quatro meninas pequenas para seu quarto. Rania deixara sua comida intocada e nunca soltava a mão de Miral.

Miral percebeu que as meninas mais velhas ajudavam as pequenas a vestir a camisola e lhes contavam contos de fada para niná-las até dormirem. Essas histórias, no entanto, tendiam a ser sobre outros órfãos, como elas próprias. Oliver Twist era um dos preferidos. Enquanto Rania escutava uma delas, as lágrimas que ela segurara o dia inteiro começaram a correr por suas bochechas. A irmã a botou na cama, mas Rania continuou chorando, dizendo entre os soluços que elas haviam perdido sua mãe, mas não sabia por que também tinham que perder o pai.

Miral colocou sua cama mais perto da cama da irmã. Desde que estivessem juntas, ela disse a Rania, estaria tudo bem. Então, acariciou os cabelos e o rosto da irmã mais nova até ela adormecer. As outras quatro menininhas também haviam empurrado suas camas junto, criando uma grande cama onde todas elas dormiram, dessa forma exorcizando seus sentimentos de solidão e abandono. Só Miral não conseguiu dormir. Ela pensou novamente em seu pai se afastando pelo caminho ladeado de árvores e nas histórias que as meninas mais velhas haviam contado naquela tarde — histórias tristes que talvez fossem verdade, iguais à história de sua própria mãe, que era feliz e então um dia parou de sorrir e morreu.

Enquanto Miral se adaptava rapidamente à sua nova situação em Dar El-Tifel, o mesmo não podia ser dito sobre sua irmã. Rania era taciturna e queria sempre estar com Miral. Depois da primeira noite, as outras meninas juntaram suas camas à cama das irmãs e todas as seis dormiam juntas, agarrando-se umas às outras. Tais gestos de afeto eram uma forma de compensar a falta de contato físico com suas mães.

O relacionamento entre Miral e Rania sempre fora intenso e era um refúgio que as ajudava a passar pelos momentos de desânimo. Rania dependia de Miral, e Miral às vezes, se sentia sufocada por essa pressão constante da irmã caçula, mas, a cada dia que passava, ela percebia com mais clareza o quanto tinha sorte em ter uma irmã por perto e um pai que as vinha visitar todas as semanas. Algumas das outras meninas eram completamente sós.

As meninas com os piores problemas eram aquelas que não sabiam nada sobre suas origens, que, além de não terem parentes, também não faziam ideia de quem seus pais poderiam ter sido ou de onde elas haviam nascido. Essas eram as mais tristes, mas também as mais agressivas: às vezes fisicamente violentas durante as horas de recreio, incapazes de aceitar uma simples derrota, normalmente discutindo por causa de coisas sem importância. Incapazes de se resignar à incerteza de seu passado, de viver com perguntas destinadas a continuar sem resposta, elas atormentavam a si mesmas e às outras.

A escola tinha um costume no qual todas as noites, antes de irem para a cama, as alunas contavam histórias umas às outras. A maioria das meninas afirmava que suas histórias eram puramente fictícias ou baseadas nas experiências de seus amigos, mas, em muitos casos, Miral podia detectar, no véu de angústia que tomava seus olhos enquanto falavam, que eram delas as próprias histórias. Assim, ela descobriu que Lamá, de 10 anos, fora encontrada pelo mufti de Jerusalém ainda recém-nascida, de cueiro, deitada no chão da mesquita. Outras meninas haviam sido recolhidas enquanto vagueavam sozinhas por aldeias em chamas, observando de olhos arregalados o espaço. Essas garotas normalmente se tornavam as mais motivadas na escola, inspiradas em afirmar uma identidade para si mesmas.

Durante o primeiro mês, Miral se acostumou ao som do despertador, que tocava às 5h45 da manhã, e se levantava lentamente, ia até a janela e puxava a cortina de lado. Esfregando os olhos, ela olhava para a Cidade Velha: a metade de cima de seus muros iluminada pelos raios do sol, a parte de baixo ainda na sombra, e as casas baixas, construídas tão juntas que escondiam as ruas que as separavam. Ela procurava sua casa, que era perto da mesquita, mas a visão estava bloqueada por um minarete. Pensava em seu pai, ainda dormindo em sua cama ou acordado como ela, com os olhos fixos no teto, imaginando por que as coisas haviam acabado assim. Ao fundo, o Monte das Oliveiras, majestoso e reconfortante, parecia proteger a cidade, a qual ela imaginava vista de cima, parecendo uma ruína imóvel e magnificente.

Gradualmente, Miral se acostumou à vida na escola e à presença constante da irmã, que a seguia para todo canto. Hind permitiu que dormissem no mesmo quarto durante o primeiro ano, mas, nos anos seguintes, mesmo quando dormiam em quartos diferentes, Rania continuaria a depender de Miral para muitas coisas. Quando o sinal das 11 horas tocava, assinalando o primeiro recesso do dia, Rania ia para o parquinho e se sentava em um banco sob um grande cedro. Enquanto isso, Miral comprava o almoço delas de uma mulher que vinha à escola todos os dias com uma cesta cheia de sanduíches, pão pita, frutas e sobremesas, e ia então se juntar à sua irmã. Preenchendo o papel maternal, Miral alimentava Rania, que, apesar de ser mais nova, tinha uma silhueta mais robusta e portanto parecia ser mais velha.

Durante seus primeiros meses em Dar El-Tifel, Rania não falou com mais ninguém, e as professoras frequentemente eram obrigadas a chamar Miral se quisessem tirar algumas palavras da boca de sua irmã.

Depois das férias de verão, a cena do ano anterior foi repetida. A diferença era que dessa vez Miral e Rania sabiam perfeitamente bem aonde seu pai as estava levando. Naquela manhã, Miral estava animada; ela sabia que ia deixar o jardim de infância para trás e entrar no 1º ano, e isso parecia um feito importante. Acima de tudo, mal podia esperar para vestir seu uniforme novo e mudar de quarto. Assim que chegaram à escola, ela correu para a sala da costureira; uma longa fila já se formara do lado de fora da porta. A costureira tirou as medidas de cada uma das meninas e fez as alterações em seus uniformes.

No início da tarde, Miral recebeu sua blusa branca, vestido verde, cardigã vermelho e sapatos pretos. Com muita solenidade, ela despiu seu shorts e tirou sua camiseta de algodão azul favorita. Então, vestiu lentamente o uniforme e engraxou os sapatos, que já estavam em seus pés, antes de admirar orgulhosamente seu reflexo no espelho e ir se pavonear para Rania.

As duas irmãs não ficavam mais no mesmo quarto, o que deixava Rania inquieta. Ela invejou o uniforme de Miral e reclamou que teria que esperar mais um ano inteiro antes de poder ter um para si. Mesmo assim, a diretora e as outras professoras acharam Rania muito menos melancólica do que no ano anterior. Jamal esperou até o uniforme de Miral ficar pronto e, quando ela apareceu vestida com ele, tirou uma foto das duas meninas, com Hind de pé no centro.

Aquele foi o ano no qual a fascinação de Miral por história começou. Maisa, uma mulher baixa e corpulenta com óculos grossos e cabelo cacheado despenteado, narrava os horrores da Revolução Francesa ou da Guerra Civil Libanesa como se estivesse lendo romances ou contos de fada. A turma inteira prendia a respiração durante suas aulas, esperando para ver como a história ia acabar. Ninguém dizia uma palavra enquanto Maisa, andando de um lado para o outro na frente da sala, desenrolava mapas e apontava para cidades distantes ou mostrava fotografias de líderes e batalhas sangrentas. Ela raramente usava o nome Palestina, falando mais frequentemente sobre o *ummah*, a grande nação pan-árabe; sobre o presidente egípcio Nasser; e sobre o Império Otomano. Miral tirou alguns princípios básicos das explicações de sua professora, mas acima de tudo aprendeu a questionar os "se" e "mas" da história.

3

Duas vezes por mês, Miral e Rania passavam o final de semana em casa. Elas esperavam ansiosamente por aquelas manhãs de sexta-feira, quando viam seu pai andando rapidamente pela longa alameda.

Antes de voltar para a cidade com as meninas, Jamal tinha uma longa conversa com Hind. Os tópicos que eles discutiam iam das filhas de Jamal e da escola até o futuro da Palestina. Jamal sempre deixava a sala de Hind com um sorriso grudado no rosto, e mais de uma vez, enquanto pegava as meninas pelas mãos e começava a andar na direção do portão, Miral o ouviu murmurar: "Que mulher incrível ela é."

Jamal havia pendurado a foto de suas filhas e da diretora em sua sala de estar, acima da televisão. Ele ficava olhando para ela por longos períodos durante as noites intermináveis em que era assaltado pela tristeza, pois aquele retrato lhe transmitia uma grande sensação de paz. O olhar orgulhoso de Miral, que fazia com que ele se lembrasse da mãe dela, o ligeiro bico de Rania e a expressão serena e tranquilizadora de Hind lhe mostravam que ele havia tomado a decisão correta ao confiar suas filhas a ela.

Assim que chegavam em casa, as meninas tomavam um banho. Jamal sabia o quanto Miral adorava esse momento e observava enquanto ela esquentava a água no fogo e então a despejava na banheira de cobre. O vapor que subia embaçava os azulejos do banheiro e deixava o espelho e os vidros da janela opacos. Tudo parecia indistinto e abafado, quente e nevoento, como em momentos felizes no mais agradável dos sonhos.

Rania sempre ficava meio relutante em partilhar da alegria desse ritual, mas logo entrava na banheira com a irmã, e as duas passavam um longo tempo imersas na água quente, que gradualmente ficava morna e então fria. Jamal sugeria repetidamente que elas saíssem da banheira. Então, tentava passar um pente pelo cabelo emaranhado e cacheado de suas filhas, cobrindo-o com uma grossa camada de creme, mas, apesar desses esforços carinhosos e desajeitados, Miral e Rania frequentemente voltavam para a escola com nós nos cabelos, que as garotas mais velhas as ajudavam a desfazer. Depois do banho, Jamal ia à mesquita para a oração do meio-dia, e, quando voltava, eles almoçavam juntos, sentados à pequena mesa de cobre entalhada com flores e plantas, em otomanas de couro colorido.

Jamal normalmente preparava frango assado com curry, arroz basmati e legumes da estação. Ele era bom cozinheiro, criativo e paciente, e suas filhas passavam as duas semanas entre as visitas antecipando o sabor daquela refeição. Na manhã seguinte, eles iam à feira e então ao *souk* de tapetes à tarde.

No *souk* de vegetais, Jamal ensinava suas filhas como escolher as melhores alfaces, que quase sempre ficavam perto da parte de baixo da pilha. As meninas aprenderam a avaliar o cheiro, a cor e a textura de legumes e frutas. Jamal sabia dizer se um tomate crescera com fertilizante natural ou não e sabia se o gosto de uma laranja seria doce ou azedo. Depois de fazer suas compras, ele oferecia às filhas lições objetivas sobre a antiga arte de pechinchar com seus praticantes mais talentosos, os vendedores do mercado de tapetes. Jamal adorava tapetes persas e tornara a casa da família especialmente acolhedora enchendo-a com eles. Muitos anos depois, após a sua morte, Miral contou não menos que 33 tapetes espalhados pelo chão ou pendurados nas paredes dos três aposentos da casa.

De sua parte, as filhas de Jamal também tinham algo para ensinar a seu pai. Tendo sido influenciadas pelas regras rígidas de Dar El-Tifel, Miral e Rania orgulhosamente mostraram a Jamal como dobrar suas roupas, que haviam sido lavadas e passadas por uma mulher da vizinhança, e empilhá-las no armário.

As tardes de domingo em casa eram dedicadas à conversa. Pai e filhas discutiam sobre os problemas das meninas e da importância de sua educação. Acariciando suavemente as meninas enquanto falava, ele dizia:

— A insegurança de nossa condição nos coloca em uma posição em que tudo é mais difícil, em que tudo precisa ser superado com grande esforço, e uma vida de liberdade é ainda mais difícil para uma mulher sem instrução. Vocês duas devem estudar e aprender o máximo que puderem. É a única forma de serem livres.

Em outros momentos, as meninas saíam ansiosamente para a Esplanada das Mesquitas, onde seu pai passava um tempo considerável todos os dias molhando suas rosas, buganvílias e oliveiras ou lendo debaixo da sombra de um grande pinheiro.

Às sextas-feiras, os fiéis chegavam de todo o país para rezar na Mesquita de Al-Aqsa e na Cúpula da Rocha. Miral e Rania se juntavam ao fluxo de pessoas que entravam pelos portões de Damasco ou Jaffa, tendo atravessado a Cidade Velha para chegar ao que os árabes chamam de Haram esh-Sharif, o Nobre Santuário, o terceiro local mais sagrado do Islã, depois de Meca e Medina. O contraste entre as ruas estreitas da Cidade Velha, tornadas ainda mais estreitas pelas cestas de legumes que mulheres dos territórios ocupados traziam diariamente, e a vista esplêndida de Jerusalém e das colinas de Hebron que podiam ser apreciadas daquele local era tão lindo que frequentemente dominava os fiéis, que se deixavam ficar nos jardins depois das orações, comendo pão pita e homus enquanto seus filhos brincavam alegremente, contra o fundo solene do Monte das Oliveiras.

Aos sábados, as pessoas que atravessavam a Cidade Velha eram na maioria judeus de Jerusalém Ocidental, que passavam pelo Portão de Herodes ou pelo Portão de Damasco a caminho da oração no Muro das Lamentações. Miral e Rania ficavam particularmente fascinadas pelos judeus ortodoxos, com seus longos cachos de cabelo negro, camisas brancas e sobretudos curtos e calças de tecido preto pesado, que usavam mesmo nos dias mais quentes dos verões do Oriente Médio.

O caminho usado pelos dois grupos de fiéis, judeus e muçulmanos, era o mesmo até chegarem a uma bifurcação na rua. Ali, os muçulmanos viravam para subir até a Esplanada das Mesquitas enquanto os judeus continuavam na direção da entrada para o ha-Kotel ha-Ma'aravi, o Muro das Lamentações, o único fragmento que restava do templo construído por Herodes, o Grande.

Jamal sentia que sua religião e a dos judeus tinham muitos pontos em comum, mas uma diferença grande e fundamental. O islã parecia ser uma religião que adorava se exibir e se esconder ao mesmo tempo. O esplêndido Qubbet es-Sakhra, a Cúpula da Rocha, com seu telhado de ouro visível de qualquer ponto da cidade e os azulejos extravagantemente coloridos que cobriam suas seis paredes, junto com os vários minaretes espalhados por Jerusalém Oriental, pareciam comprovar o aspecto demonstrativo do islã. Os pátios internos dos palácios e das mesquitas, por outro lado, com suas fontes e seus *mihrabs*, eram emblemáticos de uma religião que também adorava esconder sua beleza mágica.

A religião judaica, por outro lado, parecia ser fascinada pelo mistério — ou pelo menos foi a essa conclusão que Jamal havia chegado durante longas noites de reflexão. Nenhum outro lugar no mundo era tão sagrado para os judeus. O Monte do Templo — a sinagoga a céu aberto com o Muro das Lamentações e o clamor constante vindo das escolas religiosas, as *yeshivas* — tornava Jerusalém o território e o destino de intermináveis peregrinações de judeus de todo o mundo. Muitos que moravam ali estavam convencidos de que os galhos das oliveiras da cidade eram movidos não pelo vento, mas pela respiração do próprio Deus.

Peregrinos cristãos andavam toda a extensão da Via Crucis — também conhecida como Via Dolorosa — que atravessava a Cidade Velha. Eles paravam em cada estação pelo caminho antes de chegarem à Igreja do Santo Sepulcro, onde eram envoltos pelas nuvens pungentes e intoxicantes de incenso.

Em uma tarde de verão, quando Jamal e as meninas estavam no *souk* de legumes, Miral estava olhando para as galinhas penduradas nos açougues, os cortes de carne pingando sangue na rua, os cafés onde homens velhos fumavam seus narguilés e bebiam chá de hortelã ou de sálvia ou café de cardamomo. Então ela se virou, atraída por um grupo de pessoas que estava passando na frente deles.

— Papai, aonde esses turistas estão indo? — perguntou ela.

Jamal, que estava concentrado comprando folhas de parreira de uma velha sentada no chão com uma grande cesta de vime aos seus pés, ergueu a vista e olhou na direção que Miral apontava.

— Eles não são turistas — respondeu ele com um sorriso. — São peregrinos cristãos a caminho da Igreja do Santo Sepulcro.

Jamal e as meninas fizeram então uma parada na Jafar's, onde honraram sua pequena tradição comendo um *knafeh* cada um. O tempo inteiro Jamal estivera pensando que, se sua cidade era realmente um caldeirão de culturas e religiões, não era certo conhecer apenas uma parte dela.

— Se vocês quiserem, podemos ir visitar o Santo Sepulcro — declarou.

Animadas com a novidade, as meninas aceitaram entusiasticamente. Os três subiram a última parte da Via Dolorosa.

Quando estavam na frente de um portão de ferro com uma placa onde estava escrito "Santo Sepulcro", Jamal disse:

— Durante séculos antes do conflito com os judeus pelo domínio da cidade, nós tivemos que lutar por ela com os cristãos.

As meninas e seu pai decidiram fazer uma pausa por um minuto. O calor estava sufocante, e Rania queria um copo d'água. À sua esquerda havia uma lojinha de souvenires. Muitos dos itens vendidos ali pareciam misteriosos para Miral e Rania, especialmente os crucifixos de madeira e as coroas de espinhos. Um velho sentado em um banco de palha ergueu os olhos da cópia do *Al-Quds* que estivera lendo atentamente, fez um sinal para Jamal se aproximar e lhe deu uma garrafa de água. Os dois homens começaram a conversar, enquanto as crianças observavam os grupos de peregrinos que se aglomeravam na entrada para a basílica. Após alguns minutos, o velho se levantou, e ele e Jamal andaram na direção da igreja. Miral e Rania, ainda fascinadas pelos vários souvenirs da loja, ficaram para trás e tiveram que correr para alcançar os homens logo antes de eles se misturarem ao fluxo de peregrinos. As meninas seguiram Jamal e o comerciante e permaneceram caladas.

Quando estavam dentro da igreja, o velho parava de vez em quando, apoiava-se em sua bengala e falava sobre o significado de uma pedra ou de uma luminária. Miral não conseguiu entender muito do discurso dele — ela não sabia quem eram os coptos ou os siríacos ortodoxos jacobitas ou os armênios ou os gregos ortodoxos —, mas viu padres com barbas compridas e chapéus engraçados. Eles passavam por ela, balançando lanternas com incenso e entoando litanias incompreensíveis. Tudo isso, combinado ao ar acre, cheio de mirra e incenso e aos gases das lamparinas de óleo, fez Miral se sentir perturbada e exausta quando saiu novamente para a luz do sol. Então o velho ergueu sua bengala e apontou para um minarete a alguns passos de distância.

— Aquela é a Mesquita de Omar — disse ele. — Omar foi o segundo califa. O patriarca ortodoxo de Jerusalém o convidou para vir receber a chave da cidade. Omar chegou ao meio-dia, na hora da oração, ε o patriarca o convidou para entrar na Igreja do Santo Sepulcro e rezar. Mas o califa não quis fazer isso, por medo de que um dia os muçulmanos da cidade alegassem o direito de construir uma mesquita no local em que ele havia rezado. Ele era um homem sábio e faria tudo o que pudesse para proteger o equilíbrio das várias comunidades religiosas. Este é o verdadeiro espírito do islã.

A caminho de casa, Miral pensou que sua cidade era sem dúvida uma cidade complexa; um mistério se revelava em cada esquina ou pelo menos na próxima vez em que se encontrasse um lugar de culto com um nome obscuro.

No final, a voz zangada de uma mulher interrompeu o transe de Miral. A mulher era loura, carregava uma criança pequena em um dos braços e estava envolvida em uma discussão acalorada com um vendedor de roupas. Na verdade, o que eles estavam tendo não era bem uma discussão, já que só a mulher falava, enquanto o homem olhava para ela impassível.

A mulher viu as meninas e o pai delas e se dirigiu a eles, falando em inglês:

— Ele é um homem horrível. Não vou gastar 35 dólares em um vestido.

Depois que a mulher foi embora, o vendedor finalmente abriu a boca, revelando um conjunto incompleto de dentes amarelos.

— Ela estava fingindo ser uma turista inglesa, mas eu a ouvi falando hebraico com a criança. Por isso lhe pedi 35 dólares, em vez de 35 *shekels* — falou ele, rindo com satisfação.

Era difícil para Jamal explicar para suas filhas a origem desse antagonismo sem influenciar a visão de mundo delas. Ele queria que elas crescessem com respeito pelos povos de outras raças. Mas sabia que teria que lhes explicar um dia que a situação era o resultado de muitas batalhas travadas por fanáticos religiosos pela posse de Jerusalém, ano após ano, século após século. Os caminhos que os faziam diferentes às vezes haviam sido meramente por conveniências políticas ou econômicas ou por motivos que há muito já haviam sido esquecidos. Muitos acreditavam que o seu caminho era o único, enquanto outros tinham esperanças de que esses mesmos caminhos, manchados por tanto sangue inocente, convergissem novamente. Enquanto encomendava um frango em uma rotisseria, Jamal pensou que o último grupo certamente o incluía.

Na noite antes de voltarem para Dar El-Tifel, as meninas sempre se deitavam ao lado de Jamal e falavam sem parar. Elas tentavam falar em turnos, mas na maior parte só tagarelavam ao mesmo tempo até pegarem no sono. Então Jamal as levantava cuidadosamente e carregava uma e então a outra para a cama que dividiam. Com frequência, Rania, sabendo que tinha que voltar para a escola, ficava em um torpor na manhã seguinte. Então Jamal tinha que usar suas habilidades de oratória, auxiliado por Miral, que adorava inventar novas formas mágicas de convencer a irmã a voltar para a escola.

4

Após alguns anos na escola, Miral se tornou uma criança vivaz, tendo deixado para trás a melancolia de seus primeiros dias em Dar El-Tifel.

Duas vezes por ano, Hind e a diretora da escola primária visitavam as turmas para entregar boletins. Esta era uma verdadeira cerimônia, na qual as dez meninas com as maiores notas da turma eram chamadas, uma a uma, para a frente da sala, onde ficavam em fila enquanto todas as suas colegas aplaudiam. Um dia, quando Miral estava no 3º ano, ela ouviu, para sua grande surpresa, seu nome ser chamado primeiro e foi incapaz de se mover. Hind acenou para que ela se aproximasse da mesa da professora, e as outras meninas irromperam em aplausos.

Quando soube do feito de sua filha, Jamal ficou emocionado e quis lhe comprar um presente. Miral pediu que Rania o escolhesse para ela, e sua irmã disse que escolheria um vestido novo e uma boneca com cabelos negros e pele escura. E então Jamal e suas duas filhas foram até o mercado de brinquedos, mas todas as bonecas em Jerusalém tinham cabelo louro e pele muito clara. Rania não cedeu, e Miral também começou a ficar irritada, pois não conseguia entender por que não havia nenhuma boneca que se parecesse com ela. Seu pai lhes disse que não ficassem chateadas, pois bonecas tão lindas quanto elas, ele falou, eram raras e quanto mais tempo passassem procurando por uma, mais adorável ela seria.

No final, sua tia em Haifa conseguiu encontrar uma boneca com feições do Oriente Médio, e ela realmente acabou sendo a boneca mais linda que as duas meninas jamais tinham visto.

Conforme os anos se passaram, Miral ficou amiga de muitas garotas de sua idade, embora, mais do que qualquer outra coisa, adorasse ouvir os relatos das meninas mais velhas sobre suas vidas fora da escola. Felizmente, algumas dessas histórias tinham finais felizes, mas quase todas elas, especialmente as histórias de Aziza e Sahar, confirmavam sua sensação de que o mundo lá fora era um lugar horrível.

Aziza tinha 11 anos quando voltou a Gaza pela primeira vez para passar as férias de verão. Sua avó a esperava. O pai de Aziza fora morto, como muitos outros fedayin, na sangrenta Guerra Civil do Líbano. Sua mãe se casara novamente, abandonando as três filhas com a família do primeiro marido, uma tradição árabe. A avó de Aziza era muito pobre, e morava em um casebre úmido em um campo de refugiados na periferia da cidade de Gaza. Todos os verões, desde a abertura da fronteira, o tio de Aziza, que morava no Egito, vinha visitar a mãe, trazendo com ele alguns presentes e um pouco de dinheiro.

Aziza sabia que seu tio pretendia casá-la com o filho dele e estava apenas esperando que ela atingisse a idade adequada. Logo após seu décimo quinto aniversário, o tio e o primo chegaram a Gaza. Aziza conhecia o primo e conversou um pouco com ele, considerando-o tão repulsivo quanto o pai, com seu cabelo oleoso e mau hálito.

No outono seguinte, o tio foi à Dar El-Tifel para pedir a autorização de Hind para que Aziza deixasse a escola. Hind mandou que o levassem até seu escritório, onde o homem se sentou pesadamente na cadeira e cruzou as pernas. O olhar duro no rosto de Hind fez com que ele ficasse ereto imediatamente e posicionasse as pernas com mais decoro.

Depois de limpar a garganta, ele anunciou:

— Quero levar minha sobrinha para o Egito comigo.

— Ah, é? — foi a única resposta de Hind.

— Ela é uma mulher agora e quero casá-la com meu filho. Por favor, entenda a minha posição, Srta. Husseini. Isso é uma sorte para a menina. Meu filho é um ótimo partido, e logo ela vai ter que se casar de qualquer modo, então é melhor fazermos isso logo e manter tudo em família, não concorda?

Hind ignorou a pergunta e pediu a Hidaya para ir chamar Aziza. Quando a garota chegou, Hind mandou acompanharem o tio até o corredor, dizendo a ele para esperar lá.

A entrevista com Aziza foi breve. A garota estava irredutível: ela não tinha o menor desejo de se casar com o primo. Hind sorriu e não insistiu, pois para ela a vontade da menina era a única coisa que contava. Depois de dispensá-la, Hind pediu a Hidaya para ir buscar o tio e trazê-lo de volta ao escritório.

— Sinto muito — disse ela, tentando disfarçar o nojo que sentia por ele —, Aziza é contra esse casamento. Agora o senhor deve entender a minha posição — continuou, usando as mesmas palavras e tom que o homem utilizara um pouco antes. — Não posso forçar uma das minhas meninas a dar um passo desses se ela não deseja fazê-lo.

O tio teve um acesso de fúria, ficando de pé num pulo e fechando o punho direito enquanto ameaçava denunciá-la às autoridades. Hind, sem se impressionar, permaneceu irredutível. Na verdade, a reputação e a fama que ela possuía tornavam fútil a recriminação do homem. Ele foi guiado para a saída no mesmo instante.

Depois disso, Aziza nunca mais voltou a Gaza. De vez em quando ela sentia remorso por não poder mais ver a avó, que era velha e fraca demais para visitá-la. Em um dia tórrido de junho, no entanto, Aziza soube que sua avó morrera a caminho de Jerusalém.

* * *

Sahar era uma menina linda que adorava se arrumar. De manhã, antes de descer para o café, ela passava um longo tempo escovando os cabelos e à noite repetia a mesma operação, admirando orgulhosamente seu reflexo no espelho. Ela não usava cosméticos, pois as regras da escola os proibiam, mas mantinha uma caixa escondida debaixo de um dos azulejos do chão. Ali havia uma bolsinha minúscula de maquiagem que ela recebera de uma das cozinheiras em troca de algumas lições de inglês. Sempre que alguém lhe perguntava sobre sua família, ela dizia que sua mãe morrera durante um ataque israelense à sua cidade e que nunca conhecera o pai. Mas as colegas de colégio sabiam que seu pai abandonara sua mãe e a filha recém-nascida pouco tempo depois que Sahar nasceu. Alguns anos mais tarde, a mulher se apaixonou por outro homem. Este prometeu se casar com ela, mas — como ele explicou — já tinha muitos filhos e não havia lugar em sua casa para uma criança que não fosse dele. A mãe de Sahar não hesitou; no dia seguinte de manhã ela abandonou a filha de 4 anos no barraco em que moravam e foi para Jaffa, o lar de seu novo marido.

Sahar ficou o dia inteiro no barraco, esperando que a mãe voltasse. Ela encontrou um pouco de leite e um pedaço de pão na mesa. Esperou e esperou e, depois que a noite caiu, deixou o barraco e foi procurar a mãe. Ela gritou seu nome repetidas vezes, mas o barulho da rua abafava a voz da criança. Depois de algum tempo, ela ficou com fome e com sono e decidiu voltar. Mas não conseguiu mais achar o caminho de casa. Cansada e derrotada, teve uma crise de choro e então adormeceu na calçada.

Ela acordou em uma cama estranha e estava prestes a chorar quando seu olhar foi atraído para uma pessoa sentada em uma poltrona. Depois de lhe desejar bom-dia, Hind perguntou qual era o nome dela e se ela se lembrava do que havia acontecido na noite anterior. Sahar chorou enquanto recontava o que sabia, o que ela havia entendido. Miriam abraçara a criança enquanto Sahar dizia:

— Tenho certeza de que mamãe se perdeu no caminho. Ela não consegue encontrar a nossa rua, como eu.

Então Hind disse a ela:

— Você pode ficar aqui conosco até ela encontrar.

Em Dar El-Tifel, Sahar se tornou famosa entre suas colegas de colégio pelo ar altivo que assumia sempre que sentia que estava sendo observada. Ela estava sempre sozinha e, quando falava com alguém, era apenas para descrever a vida de princesa que levava antes de sua mãe morrer. As outras meninas a encaravam com irritação, mas sua beleza as intimidava, apesar de saberem que ela estava mentindo. E então a escutavam em silêncio, fingindo acreditar nela. E a observavam de longe, esperando pelo momento em que o castelo de areia que ela construíra para si mesma começaria a desmoronar e a verdadeira Sahar finalmente aparecesse.

Em 1982, 3 mil palestinos foram mortos nos campos de refugiados de Sabra e Shatila, no Líbano. Depois que a notícia sobre o massacre se espalhou, a atmosfera tranquila de Dar El-Tifel foi alterada. As meninas do último ano queriam participar da passeata que estava sendo organizada conjuntamente por pacifistas palestinos e israelenses, mas Hind estava indecisa e dividida a respeito da participação das garotas. Por um lado, ela estava chocada com a crueldade do massacre, que superou em ferocidade o de Deir Yassin. E entendia a indignação das meninas, que a fazia lembrar de suas próprias reações quando era jovem. Mas, por outro lado, Hind temia por sua escola. No último minuto, ela decidiu não permitir que as meninas fossem. Recentemente, ela havia começado a sentir que as autoridades israelenses estavam de olho nela e em Dar El-Tifel. Sempre fora obrigada a obter permissões dos israelenses quando queria viajar, mas o que ela mais precisava era de documentos para as crianças que haviam sido coletadas das ruas e que não tinham parentes conhecidos. Já havia vários meses, as autoridades israelenses haviam bloqueado a emissão de documentos para qualquer um que não tivesse uma certidão de nascimento. Hind mesmo assim conseguira obter certidões de nascimento, já assinadas e feitas por amigos dela que trabalhavam no hospital da cidade. Ela achava que precisava dar a esses órfãos uma identidade para que no futuro eles pudessem tirar uma carteira de motorista e trabalhar dentro de um sistema legalizado. Mas a natureza honesta de Hind a fez temer que esse método discreto pudesse ser descoberto um dia.

No final, até as meninas mais resolutas foram persuadidas a desistir, em grande parte graças à intervenção dos professores mais autoritários da escola, entre eles Abdullah, o professor de ginástica.

Se, para muitas das meninas na escola, Hind era como uma mãe, Abdullah era um pai. Baixo e atarracado, era um homem forte e afável, orgulhoso de seu corpo atlético. Quando as aulas de ginástica acabavam, ele sempre recompensava as meninas mais novas com balas e caramelos e encorajava as mais velhas a se dedicarem aos exercícios tanto quanto se dedicavam aos estudos. Era o professor favorito de Miral, e ela encontrou nele uma pessoa disposta a dialogar e a debater. Ele era uma força provocadora e subversiva na comunidade basicamente conservadora da escola, e Miral o admirava por isso.

Quando correu a prova dos 400 metros, Miral se sentiu feliz, em harmonia consigo mesma e com o mundo. Ela viu apenas a terra vermelha passando velozmente debaixo de seus pés e não pensou em absolutamente nada até ver Abdullah, com seu cronômetro na mão, instigando-a a continuar. Alguns anos depois, enquanto corria da polícia israelense durante uma passeata, ela se lembrou com gratidão da voz de seu treinador: "Saber correr é sempre útil na vida."

Além de ser excelente professor, Abdullah era um dos maiores especialistas da cidade em história da Palestina. Os boatos mais discrepantes circulavam a respeito dele, transformando-o em uma figura misteriosa muito antes de as irmãs Halabi entrarem para a escola. Miral sabia que ele cumprira pena na prisão por motivos políticos antes de Hind contratá-lo. As unhas que faltavam na maioria dos dedos de sua mão esquerda pareciam confirmar o rumor de que ele fora torturado enquanto estava preso. Boatos contraditórios explicavam por que ele acabara na cadeia: alguns diziam que fora soldado na Frente Popular de Libertação da Palestina, uma organização ilegal, enquanto outros afirmavam que tinha uma posição proeminente no mais alto escalão do movimento de resistência palestino. O que parecia certo era que ele se recusara a fornecer informações sob tortura e isso lhe rendera a estima da comunidade árabe de Jerusalém.

Na primavera, quando o calor estava começando a se fazer sentir, Miral adorava passar as tardes lendo livros que Abdullah lhe emprestava. Dessa forma, ela descobriu os mais lindos romances da literatura palestina, incluindo *Men in the Sun* e *Return to Haifa*, de Ghassan Kanafani, e começou a entender acontecimentos importantes na história do aflito povo palestino. Os livros eram cativantes, e as histórias, quase sempre trágicas. Debaixo da grande magnólia no lado leste do jardim, Miral teve seu primeiro vislumbre das conexões sutis e ligações invisíveis que a história oficial não registra.

Um dia, Abdullah foi até ela e disse cerimoniosamente:

— Agora você já leu o suficiente para saber o que é *nakba*. — Ele olhou para sua mão esquerda por um instante, respirou fundo e continuou: — A catástrofe, o desastre, o apocalipse. A criação do Estado de Israel na Palestina infelizmente causou a dispersão do nosso povo, nossa própria diáspora. É difícil explicar, é algo que todo palestino sente dentro de si, como uma ferida incurável, como um curto-circuito em nossa história. O que estamos vivendo é um terrível paradoxo histórico.

Miral não entendeu completamente as palavras do professor, mas compreendeu que tinha, talvez, encontrado um nome para a aflição que às vezes sentia.

Nos anos que se seguiram, depois de Miral visitar os campos de refugiados e haver participado na Primeira Intifada, a revolução popular da Palestina em 1987, aquela aflição seria transformada em um desejo de fazer algo tangível, não importando o quão pequeno fosse, para seu povo, que ainda estava esperando.

5

Na primeira vez em que foi a um bairro judeu em Jerusalém, Miral tinha 13 anos.

Na tarde do dia anterior, uma quinta-feira, Jamal fora a Dar El-Tifel para buscar as filhas. Miral observara a professora de inglês, uma mulher pequena com cabelo curto, e seu pai conversarem longamente. Seu pai parecia constrangido, tocando frequentemente a cabeça com a palma da mão sem nunca olhar a professora nos olhos. Então ele se virou para Miral, que acabara de ouvi-lo dizer:

— Parece que foi ontem que eu a segurei nos braços pela primeira vez.

Os últimos anos com certeza haviam passado em um piscar de olhos, mas, a não ser pelo surgimento de uma grande televisão em cores no lugar da antiga em preto e branco e alguns novos tapetes persas, a casa de seu pai permanecera praticamente igual. O arbusto de jasmim havia se tornado uma árvore, e agora seus galhos quase chegavam ao telhado. O pé de romã se tornara mais alto e denso e, nos dias mais quentes do verão, dava uma sombra agradável. E, nessa mesma época, Miral e Rania haviam se transformado em duas moças esguias e graciosas. Miral lembrava a mãe, com traços exóticos do Oriente Médio, angulosos e suaves ao mesmo tempo; Rania tinha uma linda pele escura e lábios mais cheios do que sua irmã. Até aquele momento, Jamal não percebera, ou não quisera perceber, as recentes mudanças em suas filhas. Sua mente se recusava a aceitar a passagem inexorável do tempo, e ele não podia acreditar que tantos anos haviam se passado desde a morte da esposa.

Suas filhas, ele percebeu de repente naquela tarde de outono, estavam realmente crescidas. Miral, na verdade, precisava de um sutiã.

Na manhã seguinte, Jamal foi chamar Nur, uma vizinha simpática que celebrara recentemente seu quadragésimo aniversário. Ela ficara viúva jovem e não tinha filhos, mas possuía um instinto maternal agudo. Por isso, Jamal a consultava sempre que seu instinto paternal era insuficiente para lidar com a criação de duas meninas.

Apesar de Jamal considerar Nur uma mulher inteligente, ela não era especialmente bem-vista na vizinhança porque falava hebraico perfeitamente, tendo trabalhado em uma loja israelense, e começara recentemente um relacionamento com um homem israelense, um druso. Jamal sempre saíra em defesa da mulher, em um esforço para contra-atacar a crescente animosidade em relação a ela, uma antipatia alimentada por uma série de boatos que, ao serem passados de boca em boca, se tornavam ainda mais cruéis. Essa ligação peculiar vinha na maior parte do fato de Nur e Nadia terem sido boas amigas, mas também da admiração de Jamal pelo comportamento independente de Nur.

No ano anterior, Jamal cobrira a mesma distância pequena e, com o rosto roxo de vergonha, batera na porta de madeira de Nur. Assim que ela a abriu, ele soltou tudo, mas quase em um sussurro:

— Miral teve sua primeira menstruação. O que eu devo fazer?

O sorriso largo de Nur fez com que ele percebesse que não havia motivos para preocupação.

— Desta vez — falou ele assim que a porta pesada se abriu —, só preciso de conselhos sobre como comprar um sutiã para Miral.

Naquela tarde, Jamal levou Nur e Miral de carro pela rua que margeava os muros da Cidade Velha. Eles estavam indo para a área comercial da Jerusalém judia, onde uma miríade de lojas de roupas, uma ao lado da outra, podia ser encontrada. Muito curiosa, Miral olhava para as ruas desconhecidas.

— Como são diferentes os prédios, mais altos e mais modernos! — exclamou ela maravilhada. — E tantos carros!

Depois que seu automóvel atravessou Jerusalém Ocidental, ela pensou: "Todo mundo parece estar correndo, não andando. É como se estivessem todos com muita pressa de chegar a algum lugar."

A rua Ben Yehuda fez Miral se lembrar um pouco de Haifa, a cidade onde sua mãe havia nascido e para onde eles iam todos os verões para visitar sua tia. Miral ficou impressionada com as garotas de minissaia e salto alto, pelos cafés ao ar livre, onde homens e mulheres conversavam alegremente juntos. As vitrines iluminadas das lojas contrastavam fluorescentemente com a escuridão das ruas estreitas do bairro árabe, onde os prédios às vezes eram tão apertados uns contra os outros que os raios do sol mal podiam penetrar.

A área pela qual estavam passando era como ela havia imaginado que as cidades da Europa seriam, mas nunca imaginara que um lugar assim existisse a apenas alguns quarteirões de onde ela morava. Ela vira ocasionalmente as partes ocidentais da cidade do alto do Monte das Oliveiras, mas com outros olhos, deplorando os hotéis altos construídos contra os muros da Cidade Velha e os edifícios enormes que pareciam cercar os baluartes brancos de Jerusalém.

De repente, Jamal diminuiu a velocidade do carro e, a um sinal de Nur, parou em frente a uma vitrine cheia de lingeries coloridas. Nur acompanhou Miral para dentro da loja enquanto Jamal esperava do lado de fora; ele entraria depois, mas só para pagar. Miral optou por um modelo simples feito de algodão macio e escolheu três cores diferentes: um branco, um cor-de-rosa e um vermelho. Seu pai se opôs veementemente ao vermelho, então Miral e Nur chegaram a um meio-termo com um branco e dois cor-de-rosa.

Nur jantou com eles naquela noite e, depois de fazer o café, ela foi para casa. Miral observou seu pai enquanto ele esperava o café coar e então perguntou à queima-roupa:

— Diga, papai, por que você e Nur não se casam? Vocês fariam um belo par.

Jamal pareceu agitado e tentou engolir, mas sua saliva entrou pelo lugar errado e Miral foi obrigada a bater em suas costas para impedir que ele engasgasse. Eles começaram a rir, mas acabaram conseguindo retomar um tom mais sério, quando o pai de Miral respondeu:

— Porque eu não a amo. Ela é muito querida para mim como amiga, mas na minha vida eu só amei a sua mãe. E ainda a amo.

6

Miral ficou muito amiga de Amal, uma colega de turma que era um ano mais nova do que ela. Durante as noites quentes de primavera, as duas tinham longas conversas no quarto que dividiam, iluminado apenas por uma vela e pelo luar pálido entrando pela janela.

Diferentemente de Miral, Amal não se interessava por política e permanecia encharcada da cultura campesina de sua família. Uma menina inteligente e sensível, ela era a única capaz de contrabalançar a inquietação de sua amiga. Amal, que também tinha uma irmã mais nova na escola, não gostava muito de ir para casa durante as férias de verão, o que significava deixar suas colegas de colégio e a atmosfera tranquila de Dar El-Tifel para trabalhar nos campos da família.

Amal nascera em uma aldeia palestina perto de Ramallah e fora batizada com a palavra árabe para "esperança". Seu pai morreu quando ela tinha 6 anos, e sua mãe se casou novamente. Esse segundo marido era um homem que possuía e cultivava vários campos perto da aldeia. Apesar de a família estar bem financeiramente, os pais de Amal pediram a Hind para cuidar de suas filhas para que pudessem ter mais tempo para dedicar às lavouras e ovelhas. Hind aceitou. Ela gostava das meninas.

No começo de cada verão, a mãe de Amal vinha buscar suas filhas em Dar El-Tifel e as trazia de volta pontualmente no primeiro dia de aula, entregando a Hind um cheque para o sustento delas, junto com uma cesta de frutas e legumes de presente.

Ao retornar das férias de verão um dia, Amal estava subitamente distante. Miral correra para lhe contar que elas dividiriam o quarto mais uma vez; então, deu a Amal a camiseta que comprara em Haifa por seu décimo terceiro aniversário, que caía no começo de setembro. Na camiseta estava escrito: "Seja feliz. Não se preocupe." Amal não olhou para ela, mal agradeceu e logo foi deitar-se. Miral sentiu que ela estava escondendo alguma coisa, mas, independentemente do quanto Miral insistisse, a amiga não dizia qual era o problema.

A vivacidade de Amal parecia ter desaparecido. Seus professores notaram um declínio em seu desempenho escolar; ela frequentemente adormecia em aula e passava muito tempo no banheiro. Após ter sido informada sobre a situação, Hind decidiu mandar Amal ser examinada pelo médico da escola, seu primo Amir. Quando Amal apareceu na porta da enfermaria, Amir a recebeu com um grande sorriso, em uma tentativa de tranquilizá-la enquanto tentava esconder seu próprio nervosismo. Os sintomas que haviam sido relatados a ele não deixavam, na verdade, muito espaço para dúvida.

Os testes confirmaram que a menina estava grávida. Quando perguntada, Amal respondeu que conhecera um garoto, mas que nunca revelaria seu nome, e então entrou em um silêncio absoluto.

Amir foi bater na porta do escritório de Hind, consciente de que ia confrontá-la com uma das decisões mais difíceis de sua vida. Naquele meio-tempo, Hind estivera andando nervosamente de um lado para o outro havia mais de uma hora, fazendo uma pausa na janela de vez em quando para observar um grupo das meninas mais novas brincando do lado de fora.

— Ela é só uma criança! — exclamou Amir enquanto abria a porta. O semblante de seu primo foi o suficiente para fazer Hind entender que sua pior previsão se provara verdadeira.

Antes que o primo pudesse dizer mais uma palavra, Hind começou a gritar.

— Quem foi? *Quem foi?*

Amir nunca a vira tão furiosa. Ele se sentou em uma das poltronas de couro antes de responder.

— Ela não quis me dar nenhum detalhe — falou com uma voz grave, dizendo as palavras lentamente, como se tivesse que fazer um esforço para pronunciá-las. — Falou em termos vagos sobre um garoto, mas não quis me dizer seu nome nem qualquer informação a respeito dele.

Hind afundou na outra poltrona e perguntou:

— Quantos meses?

— Dois. Ainda temos tempo, se é isso que você pretende fazer.

Enquanto isso, Amal voltara para seu quarto, os olhos inchados de choro. Apesar de o sol estar alto no céu, ela se despiu e foi para a cama. Só o que ela queria fazer era dormir, dormir e não pensar. A lembrança de Mustafa a obcecava. De todas as suas lembranças, a mais terna era a do dia em que ela o conhecera.

Ela estava voltando do trabalho nas lavouras e carregando uma grande cesta de berinjelas na cabeça. Nos últimos meses, seu corpo, apesar de ainda imaturo, começara a tomar formas, arredondando, de pouco em pouco, os ângulos da infância. Apesar de o sol estar se pondo, o ar ainda estava abafado. O verde intenso das colinas em torno de Ramallah estava ficando amarelo cor de palha, e a paisagem ficava cada vez mais nua a cada dia que passava.

Amal fez uma curva na estrada e sua aldeia ficou à vista. De onde estava, ela parecia precariamente empoleirada no topo da colina, quase prestes a despencar. A aldeia parecia desabitada; o único sinal de vida era a fumaça subindo das cha-

136

minés das casas brancas. Ela parou para descansar por um momento. O ar estava parado e quente e o suor colava seu cabelo negro na testa.

Amal ouviu o barulho de um motor se aproximando: primeiro, um zumbido quase imperceptível e então mais e mais insistente. Um garoto em uma motoneta fez uma curva um pouco abaixo na colina. Ele estava indo bastante devagar, ziguezagueando habilmente em uma tentativa de evitar as pedras e os buracos da estrada, deixando atrás de si uma nuvem de poeira escura. Quando estava a alguns metros dela, ele diminuiu a velocidade até parar. Usava um boné e uma camiseta manchada de óleo e, quando sorriu, revelou duas fileiras de dentes brancos perfeitos. Amal o conhecia de vista: era Mustafa, o filho do mecânico da aldeia, um adolescente dois ou três anos mais velho do que ela.

— Quer uma carona? Estou indo para a aldeia — perguntou ele, sorrindo o tempo inteiro.

Exausta por causa do sol e encorajada pelo sorriso largo dele, Amal não viu mal em aceitar o convite e acenou afirmativamente para o garoto. Mustafa amarrou a cesta no veículo e deu partida novamente. Amal subiu atrás dele e, depois de alguns metros, a fim de não cair, passou os braços em torno da sua cintura.

Subitamente, Amal esqueceu o calor e seu cansaço e desejou que a estrada fosse muito, muito mais longa. Quando Mustafa sentiu os braços dela em torno de seu corpo e o peso dela pressionando de leve suas costas, uma sensação de prazer como ele nunca sentira antes o percorreu.

Nos dias que se seguiram, a mãe e o padrasto dela ficaram estupefatos ao ver Amal, que normalmente ficava relutante em ir trabalhar, sair cedo para a lavoura com um sorriso no rosto. Todas as tardes Mustafa se oferecia para ir até Ramallah para comprar alguma peça necessária na oficina de seu pai. Sem nunca marcarem um encontro, os dois jovens acabavam se encontrando na mesma curva no final de cada dia.

Um dia Mustafa chegou cedo. Ele estacionou sua motoneta na beira da estrada e desceu a ribanceira que levava à lavoura da família de Amal. Ele a viu colhendo uvas atarefadamente enquanto um vento suave despenteava seu cabelo comprido. Ele sabia que ela normalmente amarrava o cabelo com um lenço vermelho quando estava trabalhando, mas percebeu que, toda vez que vinha pegá-la, ela desamarrava o cabelo e o deixava cair solto nos ombros.

Ele gostava dela tanto com o lenço quanto sem, mas quando a viu naquele dia, com gotas de suor na testa, e muito provavelmente também entre os seios, que ele mal podia distinguir através da camiseta que ela usava, o coração dele bateu mais forte. Enquanto ela estava de costas para ele, ele se aproximou lentamente, sem fazer nenhum barulho, e fez cócegas em seu braço direito com uma folha de grama. Amal se virou de imediato e ficou surpresa ao ver Mustafa. Ele se aproximou mais dela e logo eles estavam olhando nos olhos um do outro a apenas alguns centímetros de distância. De repente, Mustafa a abraçou, e os braços de Amal caíram naturalmente em volta da cintura dele. Mustafa sentiu as têmporas latejarem da forma que faziam quando ele atingia a velocidade máxima ao descer correndo o último trecho de estrada antes de entrar na cidade.

Seus corpos nus se uniram debaixo da sombra de uma árvore, a experiência dando um novo significado à profunda atração que sentiam um pelo outro. No caminho de volta para a motoneta, Mustafa colheu dois figos e ofereceu um para Amal, afastando uma mecha de cabelo dela e prendendo-a atrás da orelha para poder ter uma boa visão de seu rosto. Ela diminuiu a velocidade e olhou para ele, saboreando a polpa vermelha e doce da fruta. Enquanto iam para casa, nenhum dos dois disse uma palavra. Amal apertava o peito de Mustafa com tanta força que ele tinha que fazer esforço para manter o controle de sua motocicleta. Eles se despediram, como sempre, com um "até logo" e um simples aceno de mão. Mas seus olhos ainda estavam abraçados em um beijo.

Na noite seguinte, Amal esperou em vão por mais de uma hora, sentada no muro baixo de pedra ao lado da estrada, esperando ver Mustafa fazer a curva a qualquer minuto, seus olhos fixos na estrada abaixo. No silêncio interrompido apenas pelo barulho dos grilos, ela escutava atentamente à espera do som do motor, que aprendera a reconhecer quando ainda estava muito longe.

Quando o sol desapareceu definitivamente atrás da colina, Amal pegou sua cesta cheia de uvas e se dirigiu para a aldeia no escuro, lágrimas correndo por seu rosto.

Ela ouvira as meninas mais velhas da escola contarem histórias assim, sobre garotos que sumiam depois de conseguir o que queriam. Apesar de ela e Mustafa nunca terem conversado por muito tempo, ela não podia imaginar que ele fosse alguém assim. Tentando ao máximo olhar para a frente, ela foi até a oficina mecânica em que ele trabalhava e perguntou onde poderia encontrá-lo.

O pai de Mustafa saiu, limpando a graxa das mãos.

— Ele não lhe deu carona para casa esta noite? — perguntou ele, sorrindo sem jeito. — Ele foi para Ramallah hoje de manhã e ainda não voltou. Achei que estivesse com você.

A cesta que Amal estava segurando caiu no chão, e uvas se espalharam pela rua poeirenta.

Mustafa chegara a Ramallah antes do meio-dia. Ele descera correndo os 10 quilômetros que separavam sua aldeia da cidade, atingindo tamanha velocidade que, na última descida, seu boné voara e ele fora obrigado a voltar e pegá-lo. Quanto mais cedo trouxesse o *manifold* que seu pai queria, mais cedo seria capaz de ir ver Amal. Mas a loja de peças estava fechada. Uma passeata estava acontecendo, e as portas das lojas estavam todas fechadas. Resignado em esperar, ele fora a uma barraca e pedira um suco de laranja. Depois de ter passado meia hora e ninguém ter aparecido na loja, decidiu andar até o centro da cidade. Ao longe, ele ouviu tiros e os gritos dos manifestantes, entre os quais Mustafa tinha certeza de que encontraria o menino que trabalhava na loja de peças, pois ele era um dos líderes da resistência em Ramallah.

Mustafa nunca participara de uma manifestação. Nunca houvera nenhuma em sua aldeia, e ele preferia consertar motores a jogar pedras. Ele desceu uma via estreita que levava à rua principal. Sentiu os olhos arderem com o gás lacrimogêneo e, enquanto sua respiração ficava cada vez mais curta, ele olhou para a direita e viu, a 100 metros de distância, um grupo de garotos, alguns deles muito jovens. Entre o grupo que se afastava lentamente ainda segurando pedras nas mãos, Mustafa reconheceu o menino da loja de peças. Os movimentos dele eram seguros e ágeis, e o nariz e a boca estavam cobertos por um lenço. Mustafa acenou para ele, mas o jovem foi envolto em uma nuvem de fumaça e não o viu. Por um momento, Mustafa pensou que o melhor a fazer era desistir, voltar para a barraca de sucos e esperar que a manifestação acabasse. Mas a ideia de não ver Amal era insuportável, e só o que ele queria de seu amigo era a chave da loja de peças. Mustafa pegaria a peça que queria e, cedo na manhã seguinte, voltaria para Ramallah com a chave e o dinheiro que devia.

Mustafa olhou para o jovem comerciante, que ainda não o vira. Ele decidiu que estava perto demais para ir embora. Começou a andar na direção do garoto, tomando o cuidado de avançar apoiando-se nas paredes dos prédios pelo caminho. O ar se tornara irrespirável, e a distância que ainda devia percorrer parecia imensa. Ele viu uma rua lateral estreita e decidiu entrar nela, mas uma lata de gás lacrimogêneo atingiu a persiana atrás dele. Ele ficou imóvel, paralisado pelo medo, subitamente consciente do perigo em que estava. Após alguns segundos, não conseguiu mais enxergar, e respirar se tornou difícil. Os soldados haviam chegado mais perto. Um de cada vez, os garotos avançaram na direção deles, jogaram pedras ou coquetéis molotov e então correram de volta para onde haviam saído. A menos de 10 metros de distância, no meio da fumaça e da poeira, Mustafa vislumbrou o menino da loja de peças novamente.

Mustafa começou a correr, determinado, apesar de todos os chiados e tosses, a atravessar a rua, mas percorrera apenas alguns metros antes de cair no chão com uma lata de gás lacrimogêneo encaixada entre suas escápulas. Um fio de sangue saiu de sua boca e se misturou à poeira da rua. Dois garotos correram até ele, extraíram desajeitadamente a lata e o arrastaram pelos pés por mais de 50 metros. Junto com os outros feridos, ele foi colocado em um carro que saiu a toda, cantando pneus, em meio aos gritos da multidão. Quando finalmente chegaram ao posto de primeiros socorros, ele estava morto. O banco do automóvel que o transportara estava encharcado com seu sangue. Os médicos disseram aos meninos que o levaram até lá que, se não tivessem arrancado a lata de gás lacrimogêneo, ele não teria perdido tanto sangue e que talvez tivesse sido possível salvá-lo.

No dia seguinte, Mustafa foi enrolado em uma mortalha, e alguém abriu uma bandeira palestina por cima de seu corpo sem vida. A procissão fúnebre atravessou a aldeia, e havia muitos presentes de Ramallah também. A multidão aplaudiu, homenageando Mustafa como herói. O garoto da loja de peças pediu para carregar o caixão junto com os parentes de Mustafa e disparou vários tiros de rifle para o ar em homenagem ao menino morto.

Amal seguiu com a procissão, do começo ao fim, sem força suficiente para erguer os olhos do chão.

Ela não queria sair da cama no dia seguinte, mas seus pais, que não sabiam nada do que havia acontecido, a fizeram ir para a lavoura, como ela sempre ia.

— As frutas e legumes têm que ser colhidos todos os dias — disseram a ela. — Você não pode esperar até amanhã.

E então ela saiu e trabalhou o dia inteiro, mas era impossível para ela não pensar em Mustafa.

Tirando vantagem de sua solidão na lavoura, ela se entregou ao choro incessante. No final do dia, tirou o lenço da cabeça e se sentou no muro de sempre, perto da curva da estrada. Ela esperou até a escuridão tornar impossível distinguir a linha do horizonte da silhueta das montanhas. Só então percebeu que Mustafa havia realmente partido.

Quando as férias de verão chegaram ao fim e Amal voltou para Jerusalém, sua vida não podia mais ser o que era antes. Ela se viu incapaz de falar sobre o que havia acontecido, nem mesmo com suas melhores amigas, nem mesmo com Miral. Queria esquecer toda a história. Em outros momentos, no entanto, ela se enfiava na cama, escondida debaixo das cobertas, e, de olhos abertos, tentava se lembrar de tudo, até os mínimos detalhes. Jurou a si mesma que nunca contaria nada para ninguém, que o que havia acontecido seria seu segredo.

Durante suas tardes insones, ela frequentemente sentia a mão de Miral acariciando seu cabelo. Amal fingia pegar no sono e, depois de algum tempo, sua amiga se levantava, fechava as cortinas e saía silenciosamente do quarto. Amal teria gostado de conversar com ela, de explicar, mas não conseguia.

Após Amir deixar seu escritório, Hind mandou alguém buscar a mãe de Amal e trazê-la à Dar El-Tifel. Não havia tempo a perder.

A conversa entre essas mulheres absolutamente diferentes foi uma das experiências mais difíceis da vida de Hind.

Nenhuma das duas nunca gostara muito da outra. A mãe de Amal respeitava Hind, mas achava que o pagamento anual das taxas de ensino e moradia a eximia da necessidade de se preocupar com suas filhas enquanto durasse o ano letivo. Agora ela fora convocada a Dar El-Tifel e, portanto, obrigada a perder pelo menos um dia de trabalho. De sua parte, Hind estava certa de que a mulher matriculara suas filhas na escola do orfanato porque considerava uma forma bastante econômica de se livrar das meninas, ao passo que, se ficassem em casa, ela teria que tomar conta delas.

Hind começou a conversa sem rodeios.

— Sua filha deve ter tido relações com um rapaz neste verão e agora está grávida. — Ela observou os olhos e o rosto castigado pelo sol da mulher sentada à sua frente.

— Isso é impossível, ela é só uma criança. Deve haver algum engano.

— Senhora, nós tomamos todas as medidas para verificar a condição dela, e infelizmente não houve engano algum. Por acaso sabe quem pode ser o garoto?

— Pensando bem, ela estava estranha este verão. Era como se estivesse... bem, feliz. É isso, feliz. — Ela pareceu prestes a acrescentar alguma coisa, mas aí parou de falar com a boca semiaberta.

— E então?

— E então, eu não sei. De repente, ela ficou triste. Não queria mais ir para a lavoura e se escondia debaixo dos lençóis e chorava.

— E a senhora não perguntou a ela o motivo dessa tristeza súbita?

— Olhe, as mudanças de humor da minha filha não me dizem respeito. Já tenho muita coisa em que pensar, com o trabalho e minha outra filha, sem falar no meu marido.

Hind se enrijeceu, mas se forçou a permanecer calma.

— Em outras palavras, a senhora não percebeu nada. Nenhum menino na companhia de Amal, nada desse tipo.

— Não. No entanto, se quer realmente saber, alguém me disse que sempre a via voltando da lavoura para casa de carona em uma motoneta, e o motorista era um garoto da aldeia. Talvez tenha sido ele. Mas com certeza não vamos poder lhe perguntar.

— Por que não? — inquiriu Hind, cada vez mais surpresa e ofendida pela postura da mulher.

— Porque ele está morto. Ele foi a uma manifestação e acabou morto. O tipo de coisa que acontece com gente que não cuida do próprio nariz.

— Entendo. Agora, em relação à sua filha, nós temos que...

— Eu não tenho que fazer nada. Nunca mais quero ver essa minha filha. Ela nos desonrou! — exclamou a mãe de Amal, enquanto se levantava de um pulo.

Hind não podia mais tolerar a situação paradoxal. Ela se levantou e se serviu de um copo d'água.

— Está bem — falou. — Então certamente a senhora não terá nenhuma dificuldade em assinar este documento autorizando o aborto.

A mãe só deu de ombros e assinou o papel com a mão trêmula.

— E agora, por favor, vá embora. Não quero mais vê-la — disse Hind, dirigindo-se à mulher com o máximo de firmeza possível.

A mãe de Amal olhou para a diretora com algo como súplica nos olhos.

— Tente entender — declarou ela. — Não quero arruinar minha reputação por alguém como ela. E, se o garoto está morto, nós moramos em uma aldeiazinha e...

— Uma criança — falou Hind, interrompendo-a. — Sua filha ainda é uma criança. Ela nem sabe o que fez. E a senhora quer puni-la e tirar o carinho de que ela precisa agora mais do que nunca. Isso é imperdoável. É preciso pensar um pouco no futuro dela. E agora, por favor, vá embora e não se incomode em voltar para pegar Amal no verão que vem.

E então a mulher abandonou a filha ao próprio destino e Hind decidiu que Amal deveria abortar. Essa não fora uma decisão fácil, para começar, e se tornou mais difícil porque vários membros do conselho da escola se opunham a ela. No final, Hind conseguiu impor sua vontade e ordenou que o assunto fosse mantido em sigilo absoluto.

— A reputação da menina depende de nós. Ninguém mais deve saber o que aconteceu. Acreditem em mim quando lhes digo que esta é uma decisão dolorosa para mim também, mas não temos alternativa — disse ela ao final da reunião.

Quando Miral acordou na manhã seguinte, percebeu que Amal já estava de pé, botando roupas em uma malinha. Hind entrou no quarto e disse:

— Está pronta, Amal? O carro a está esperando no pátio.

Miral observou o automóvel desaparecer lentamente pelo caminho. Sua amiga estava lá dentro, assim como o Dr. Amir.

Alguns dias depois, Amal voltou para a escola. Seu rosto estava cavado, e seus olhos, ainda mais fundos. Ela não recuperara nem um pouco de sua alegria anterior. Miral, a quem fora dito que sua amiga fora para uma clínica porque não estava bem, frequentemente a via botar a mão na barriga, e um dia lhe perguntou por que ela tivera que ser levada a uma clínica e o que haviam feito com ela lá. Amal disse que fora apendicite.

Nas semanas seguintes, ela se tornou cada vez mais esquiva, como se quisesse se distanciar de todas as pessoas da escola. Quando o inverno finalmente estava se aproximando, as duas amigas estavam trocando apenas olhares rápidos. Em janeiro, Amal viajou para a Alemanha, onde completou seus estudos graças a uma bolsa de estudos que Hind conseguiu para ela.

Miral só conheceria a história de Amal muitos anos depois, quando tornou a encontrá-la em Berlim. Amal era professora de arquitetura em uma universidade. Lá, ela conhecera seu marido, que também era arquiteto. Eles tinham três filhos, e ela havia batizado seu primogênito de Mustafa.

Aquele inverno foi um dos mais frios em anos. Uma noite, começou a nevar e não parou até a tarde do dia seguinte. Miral olhou para Jerusalém, totalmente coberta de branco; a neve suavizara os contrastes entre a Cidade Velha e os edifícios nas partes modernas da cidade e a distância entre os quarteirões árabes e judeus parecia ter diminuído.

Miral continuava a se preocupar com Amal. As únicas notícias que tinha de sua amiga vinham através de Hind. "Deve estar nevando muito na Alemanha também", ela pensou; talvez isso as aproximasse mais. Rania estava obcecada pelo medo de que, por causa da neve, seu pai não pudesse vir no dia seguinte e ainda assim também estava com os cotovelos apoiados no beiral da janela, olhando sonhadoramente, como sua irmã, para o magnífico cobertor branco sobre a cidade.

Na tarde seguinte, o saguão de seu prédio, que àquela hora normalmente estaria lotado de parentes das alunas, permanecia silencioso e deserto. Muitas das meninas, depois de esperarem mais de meia hora, voltaram tristemente para seus quartos, pois ninguém passara pelo portão no final do caminho.

Miral e Rania decidiram esperar um pouco mais. Afinal de contas, pensaram, seu pai não morava tão longe assim. Sua paciência foi recompensada, pois, apesar de a neve ter começado a cair de novo, Jamal apareceu no portão um pouco antes de o vigia fechá-lo. O cabelo de seu pai estava branco de neve, e ele estava envolto em um sobretudo preto. Suas filhas observaram enquanto ele subia o caminho com passos inseguros, seus sapatos pretos afundando na neve recém-caída.

A felicidade de Miral e Ranïa foi irrefreável. Elas começaram a pular de um lado para o outro do aposento, e o barulho que faziam podia ser ouvido nos dormitórios. O pai delas fora o único que enfrentara a tempestade para visitar as filhas.

PARTE CINCO

Hani

1

Três vezes por semana, um grupo de meninas de Dar El-Tifel viajava para o campo de refugiados de Kalandia, na periferia de Ramallah, onde distribuíam comida para as crianças e lhes faziam companhia durante a tarde. Algumas das meninas davam aulas de árabe ou matemática, enquanto outras organizavam atividades em grupo como desenho ou esportes.

Assim que as crianças do campo de refugiados viam o ônibus fazer a curva da estrada, levantando uma nuvem de poeira vermelha, elas abandonavam o campo de futebol, que era cheio de buracos e poças, e iam encontrar suas visitas. Miral sempre levava doces e caramelos, e os distribuía cuidadosamente, assegurando-se de que ninguém ficasse sem. Sua tarefa era ensinar noções de inglês para crianças entre 4 e 12 anos.

Um quadro-negro rachado fora colocado em uma estrutura de madeira caindo aos pedaços que ficava dentro de um semicírculo formado por pedras, tijolos e galões de gasolina. Lá, as crianças tomavam seus lugares com uma compostura que parecia fora de lugar, comparada ao entorno.

Um dos meninos na primeira fileira era Hassan, uma criança esquálida de 8 anos, sorrindo apesar do gesso nos dois braços. Soldados israelenses o haviam pegado e quebrado os dois braços do menino, pressionando-os para baixo com suas botas pesadas. Hassan mal podia esperar pelo dia em que tiraria o gesso e poderia começar a jogar pedras de novo, apesar de seu pai tê-lo avisado para ficar longe dos soldados e de sua mãe desesperada ter corrido atrás dele para trazê-lo de volta para casa sempre que havia uma manifestação.

Ao lado dele se sentava Said, 9 anos, com grandes olhos negros e o cabelo coberto, como o resto de seu corpo, de lama. Ele também estava sempre com os que jogavam pedras, apesar das surras que recebera de seu pai, que já havia perdido um filho dessa maneira.

Apesar dos barracos de folhas de metal enferrujadas, das choupanas de terra e palha, do esgoto a céu aberto e das pilhas de lixo que formavam o cenário em torno da escola improvisada, as crianças repetiam obedientemente as palavras que Miral escrevia no quadro-negro e sorriam alegremente. "Parecem quase serenas", Miral pensava espantada.

As meninas de Jerusalém eram o único contato das crianças com o mundo exterior — um mundo que, de outra forma, parecia ter se esquecido deles. Sem dúvida, os únicos visitantes regulares do campo eram os soldados israelenses, cuja recepção era completamente diferente. As crianças, não importava o quanto fossem pequenas, catavam pedras e as jogavam neles incessantemente, enquanto homens mais velhos e rapazes miravam estilingues nos veículos blindados e nos jipes. Eles conheciam cada rota de fuga e, quando perseguidos, mostravam uma agilidade notável.

As crianças contaram à Miral que, quando os soldados vinham à noite para prender alguém, o campo inteiro acordava e os refugiados faziam tudo o que podiam para frustrar os esforços dos soldados e não deixar que pegassem a pessoa que procuravam. "Esse é o tipo de jogo com que brincam as crianças do campo", Miral pensou. Brincadeiras brutais que deixavam muitos jogadores estirados no chão.

As mulheres no campo também faziam sua parte. Frequentemente, durante as ações noturnas dos israelenses, elas desafiavam o senso rígido de modéstia muçulmano saindo de suas casas semivestidas para distrair os soldados e ganhar alguns segundos preciosos para quem quer que estivesse tentando fugir correndo por cima de telhados até chegar às lavouras.

Um dia, ao final da aula, Miral foi até um menino que sempre ficava separado dos outros, apoiado em um tambor de gasolina. Aos 13 anos, ele era um dos mais velhos do grupo, com ombros largos e um chumaço de cabelo preto e comprido que cobria completamente sua testa. Quando a aula acabava, ele sempre permanecia imóvel por alguns instantes, olhando para Miral enquanto os outros meninos corriam para o terreno lamacento que usavam como campo de futebol e continuavam o jogo que havia sido interrompido pela chegada da professora de inglês.

O garoto usava uma calça militar amarrotada vários tamanhos acima do dele. Enquanto observava Miral se aproximar, ele tirou uma guimba de cigarro de um bolso lateral e a acendeu.

— É de mim que você não gosta ou é da língua inglesa? — perguntou Miral com um sorriso.

O menino deu uma longa tragada no cigarro. Seus olhos estavam semicerrados, e pequenas rugas haviam se formado nos cantos de sua boca.

— Não é sua culpa — falou ele, mudando repetidamente o peso do corpo de um pé para o outro. — Você é ótima, mas não quero aprender inglês. Sou eu quem tem problemas, não você.

— Se quiser, nós podemos conversar sobre eles.

— Não, é uma longa história. Além do mais, você tem que voltar para Jerusalém.

Miral ficou intrigada com o tom seguro da resposta do menino e pela expressão de desafio que ela podia ler no rosto dele, o olhar de alguém cujos olhos já tinham visto sofrimento demais. Ela sabia muito pouco sobre ele — apenas que se recusava a estudar inglês e que rejeitara uma bolsa de estudos que Hind conseguira para ele e outros quatro meninos do campo para uma escola em Damasco.

— Eu tenho um tempinho — disse ela, sustentando o olhar dele. Para sublinhar a seriedade de suas palavras, ela se sentou bem na frente de Khaldun, em um bloco de cimento que já fora parte da parede de uma casa demolida. Ele apagou calmamente sua guimba de cigarro e contemplou os outros meninos, que corriam atrás de uma bola de futebol feita de trapos. Então olhou dentro dos olhos de Miral, deu um longo suspiro e contou sua história para ela, do começo ao fim, quase sem pausar para respirar e sem nunca abaixar o olhar.

— Meu bisavô morreu em uma prisão britânica, onde foi colocado por ter participado da revolução árabe de 1936. Meu avô e minha avó morreram na Jordânia durante o Setembro Negro, em 1970, quando, como você deve saber, muitos palestinos foram mortos pelos soldados beduínos a serviço do rei Hussein. Os palestinos eram oprimidos em todos os lugares pelos regimes árabes. Eles nos mataram no Líbano, na Jordânia, na Síria e aqui na nossa terra. Meu pai era um fedayin da Frente Popular de Libertação da Palestina. Ele conheceu minha mãe em um campo de refugiados na Jordânia, onde estavam lutando contra os jordanianos. Então, eles foram para o Líbano, onde eu nasci e onde meu pai foi morto durante um dos embates entre soldados palestinos e israelenses na invasão do Líbano. Só o que me sobrou do meu pai foram essa calça que estou usando e um livrinho vermelho com os ensinamentos de Mao Tsé-tung. Meu pai sublinhou um deles: "O poder político nasce do cano de uma arma." Também tenho uma foto dele de pé ao lado de George Habash, um de nossos líderes, segurando uma arma automática e sorrindo. Meu pai era um homem corajoso. Agora eu moro neste lugar há três anos, em um barraco de zinco com a minha mãe, a irmã dela e a família da irmã. Por que eu deveria aprender inglês ou ir estudar em Damasco? Não preciso disso. Adoro escrever histórias, mas preciso mesmo é de um rifle, para poder lutar e ajudar a reconquistar a terra que os meus ancestrais cultivaram com oliveiras durante séculos.

Um instante depois, eles ouviram um som abafado, uma espécie de batida aguda, e Miral viu a silhueta de um menino de não mais de 10 anos emergir de uma nuvem de poeira. O garoto havia escalado a lateral de um barraco feito com alguns tijolos secos e folhas de metal enferrujado. Enquanto Miral e Khaldun corriam para o barraco, eles ouviram gritos e xingamentos vindos de dentro; o barraco era habitado. A porta se abriu e um velho apareceu, gritando:

— Por que não me avisou que queria me enterrar vivo?

Khaldun caiu na gargalhada, enquanto Miral olhava em volta procurando alguma explicação.

Depois que o velho se acalmou, Khaldun gritou para ele:

— Não se preocupe, Yassir. Os israelenses não estão demolindo seu barraco. Era só o idiota do Said tentando subir no seu telhado novamente.

Então, Khaldun começou a rir de novo, com toda a jovialidade de seus 13 anos, enquanto apontava para Said, que ainda estava gemendo e ofegando em meio aos destroços e à poeira, afastando tijolos. Enquanto ajudava Said a ficar de pé, Miral não pôde deixar de sorrir.

O velho Yassir, no entanto, tendo percebido o que acontecera, não mostrava qualquer inclinação para achar graça. Ele deu alguns passos penosos na direção do menino, levantando sua bengala com a intenção de atingi-lo. Mas, sem o apoio do galho nodoso de oliveira, ele balançou e parecia estar a ponto de cair de costas. A sequência se repetiu a cada passo que o velho dava: ele brandia a bengala e cambaleava, e Said mancava para longe de sua ira. Enquanto isso, Khaldun estava segurando os lados do corpo e se acabando de rir. Uma densa multidão de crianças, mulheres e velhos se formou, e logo a risada se tornou contagiosa. Yassir, a pele encarquilhada pela idade e pelo sol, continuava sua perseguição improvável, e Said continuava tentando fugir, mas os outros meninos o impediam de sair do círculo de espectadores, jogando-o de volta cada vez que ele tentava escapar.

A pequena comédia chegou ao fim quando Yassir finalmente conseguiu dar um golpe na cabeça de Said e então caiu para trás. Algumas pessoas correram em direção ao velho, ajudando-o a se levantar e o colocando em uma cadeira de palha. Outros foram pegar alguns baldes d'água, que jogaram em cima da cabeça de Said em uma tentativa de tirar a poeira que o cobria tão completamente que ele parecia enfarinhado. Quando ficou determinado que o menino sobrevivera à provação com apenas um hematoma na panturrilha e um galo na testa, a maior parte dos curiosos voltou para seus barracos. O velho permaneceu sentado, ainda reclamando alto a respeito de sua casa. Essa ladainha foi interrompida por Khaldun.

— Não se preocupe, Yassir. Esta noite você vai dormir na casa de sua neta Fatima e, amanhã, eu, Said e alguns outros meninos consertaremos a parede para você, de forma que ficará melhor do que era antes. Pelo menos vai nos dar alguma coisa para fazer.

— Obrigado, meu garoto, obrigado. Você é um verdadeiro príncipe, como seu pai. Sempre pensa nos outros primeiro — falou Yassir, dando-lhe um tapinha na bochecha, quando Khaldun se virou para Miral, seus olhos cheios de orgulho.

Ela sorriu para ele com sincera admiração.

— Tenho que ir agora. Já estou atrasada — disse ela. — Senão serei punida e não me deixarão sair da escola por uma semana.

No ônibus para Jerusalém, Miral se virou para olhar o campo de refugiados e pensou em Khaldun. A fumaça das fogueiras das cozinhas nas quais as mulheres estavam preparando falafel ou cuscuz subia preguiçosamente para o céu. A atitude do menino era a de um prisioneiro trancado em uma cela pequena que, com a passagem do tempo, ficara tão acostumado a reduzir o ritmo de sua vida que reagia aos estímulos externos apenas com respostas automáticas. Mais do que qualquer outra coisa, Miral ficou perplexa com a falta de retórica, a absoluta lucidez com a qual ele resumiu os dramas que afligiram sua família. Não houvera o menor traço de fatalismo em suas palavras. Seu rosto orgulhoso expressava força moral e um foco na redenção que Miral nunca havia visto em mais ninguém. O maior medo de Khaldun não era a possibilidade de morrer em um enfrentamento com o Exército israelense, mas a possibilidade de não conseguir fazer sua parte na batalha centenária de sua família contra as forças de ocupação. Ele desenhara — talvez inconscientemente — o projeto de sua vida, espelhado em cada detalhe no modelo de seu pai, seu avô e seu bisavô, e focado no esforço para expulsar os ocupantes estrangeiros da Palestina, fossem eles ingleses, jordanianos ou israelenses.

"A inteligência dele é uma arma mais eficaz do que um rifle", Miral pensou.

Khaldun também pensou em Miral depois que ela havia partido. Ele a seguiu com os olhos enquanto ela entrava no ônibus para Jerusalém e ficou imaginando por que uma menina tão bonita e inteligente perderia tempo ensinando inglês para crianças que provavelmente nunca o usariam. Ele ficara impressionado com a forma como ela olhara para ele enquanto contava sua história. Ficara olhando para ele sem a pena que ele normalmente via nos olhos das garotas que vinham dar aulas no campo. Khaldun se sentira à vontade conversando com ela, e essa era uma sensação que ele raramente sentia quando não estava com uma pedra na mão e um tanque israelense ao alcance.

Na manhã da segunda-feira seguinte, Miral voltou correndo para a escola após um final de semana em casa, chegando bem a tempo para a aula de história. Naquela tarde, o micro-ônibus a levou de volta ao campo de refugiados. Miral encarava seu trabalho ali de uma forma diferente agora. No ônibus, ela viu Muna, uma das garotas novas, uma adolescente robusta, um ano mais nova que ela, que tinha cabelo cacheado comprido e olhos castanhos alegres e tranquilos. Ela cantarolava continuamente e, quando não o estava fazendo, falava sobre qualquer assunto e fazia muitas perguntas, tantas que as outras meninas reclamavam. Mas Miral gostava dela.

— O que a fez decidir se inscrever para trabalhar no campo de refugiados? — perguntou Miral a Muna.

— Quer saber a verdade? Há um garoto de quem eu gosto muito. Eu o conheci em Dar El-Tifel, e ele mora naquele campo. Então eu posso vê-lo e ser um pouco útil ao mesmo tempo.

— Que motivo nobre! — disse Miral, rindo.

Muna retrucou:

— Você tem que ser capaz de levar as coisas menos a sério na vida. É tudo sério demais. Estou cansada disso. Eu quero viver, quero me divertir, e você deveria fazer o mesmo.

— Bem, aqui está a sua chance de se divertir. Chegamos!

As meninas trocaram olhares cúmplices, mas o sorriso de Muna desapareceu com a visão do campo de refugiados.

— Uau, que lugar horrendo, esquecido por Deus e pelos homens.

Miral observou:

— É um verdadeiro milagre ser capaz de sorrir e se divertir aqui. Acha que pode entreter algumas dessas crianças? Nós trouxemos cartolina e lápis de cor. Pegue alguns, ande, e tente fazê-los desenhar.

As crianças já estavam correndo para o ônibus de Dar El-Tifel para abraçar as meninas e dar as boas-vindas. Miral pegou um grupo de cinco ou seis e começou a escrever frases em inglês no quadro-negro, enquanto Muna, superando seu choque inicial, reuniu cerca de dez pequenos e os levou até um eucalipto. Lá, ela abriu um pano no chão, espalhou o papel branco e os lápis coloridos e os convidou a desenhar o que quisessem.

Miral testou sua imaginação, tentando dar às crianças uma fuga temporária e fazê-las se concentrarem em algo além do que ela via: casas de metal ondulado, onde famílias de sete pessoas viviam em quartos de apenas alguns metros quadrados e calhas de esgoto abertas cujo conteúdo se misturava à água da chuva. As visitas das meninas eram os únicos momentos de normalidade nos dias intermináveis das crianças refugiadas.

Miral observou Khaldun, que estava sentado em uma pedra grande, com um cigarro que havia se apagado entre os lábios. Ele parecia estar prestando atenção na aula; o sorriso zombeteiro de sempre desaparecera de seu rosto. Pouco depois, o ruído dos tanques se tornou audível.

— Soldados! Os soldados estão vindo! — gritou um menino.

— Eles só estão passando, fiquem calmos — retrucou Miral. No entanto, ela logo descobriu que eles estavam ali para demolir a casa de um dos líderes da intifada.

— Não vamos deixá-los fazer isso — observou Khaldun.

— Não vai ser fácil para eles derrubarem aquela casa.

Ele pegou uma pedra e começou a correr na direção dos tanques. Um sinal de alarme estremeceu pelo campo todo, transmitido de barraco para barraco. Mulheres vieram correndo, procurando seus filhos; homens se reuniam em grupos. Gritos partiam de todos os cantos: "Vão embora, seus desgraçados! Deixem-nos em paz!" Algumas crianças em pânico começaram a correr para casa; outras se escondiam atrás das estudantes, cobrindo os rostos com suas roupas e gritando de medo.

Miral e Muna tentaram acalmar as crianças mais novas, que haviam começado a tremer e a se agarrar com mais força às meninas. Cada incursão dos soldados israelenses traumatizava os pequenos e fazia com que ficassem semanas sem sorrir novamente.

As primeiras explosões agudas podiam ser ouvidas. Latas de gás lacrimogêneo começaram a cair em todos os lugares. Algumas eram atiradas para o alto e caíam em parábolas lentas; outras voavam horizontalmente, alguns metros acima do chão. Os habitantes do campo começaram a atirar pedras nos tanques, e os soldados responderam com balas de borracha e gás lacrimogêneo. Mas, depois de pouco tempo, as balas de borracha deram lugar às de verdade. Só o que faltava para produzir um massacre era um soldado assustado. Logo o ar se tornou irrespirável. Miral e Muna pegaram as crianças menores no colo e começaram a correr, procurando um esconderijo. Khaldun voltou para ajudar as meninas a conseguirem um lugar seguro.

Ainda que não tenha durado muito, a batalha foi extremamente violenta. Antes de baterem em retirada, os tanques dispararam algumas rajadas do topo da colina que dominava o campo. Depois que a casa do líder da resistência foi posta abaixo, uma nuvem de poeira misturada a gás lacrimogêneo se assentou em cima de tudo. Miral e Muna, junto a um grupo de crianças menores, estavam correndo para se refugiar dentro de um grande lixão. Antes de o alcançarem, no entanto, uma granada de gás lacrimogêneo roçou Miral e explodiu a alguns centímetros de distância. O gás fez seus olhos arderem, e as crianças assustadas continuaram a gritar. Miral não conseguiu acalmá-las. Ela ficou imaginando que tipo de adulto essas crianças se tornariam depois de sofrerem tanto terror e violência.

Quando o fogo de barragem acabou, os habitantes do campo começaram a cavar nos destroços, usando as mãos e ferramentas improvisadas. Dois corpos surgiram de sob as ruínas.

Após uma espera interminável, uma ambulância finalmente chegou. As duas pessoas retiradas dos escombros estavam gravemente feridas, ambas com vários ossos quebrados, mas pelo menos estavam vivas. Miral gritou quando viu Khaldun por perto, segurando uma das crianças menores. Ele salvara a criança protegendo-a com seu corpo. Um velho tivera menos sorte; seu cadáver jazia, imóvel na poeira. As mulheres choravam e se desesperavam; seus gritos se perdiam no silêncio surreal que caíra no campo. Miral viu um de seus alunos pequenos, um menino de 7 anos, sentado em uma pilha de destroços, olhando para o local com um ar resignado no rosto.

Mais tarde, ainda abaladas, Miral e Muna partiram para Jerusalém. Naquela noite, Hind decidiu suspender a iniciativa das aulas no campo de refugiados por alguns dias.

Pouco a pouco, Miral sentiu a raiva dentro de si aumentar. Ela não conseguia tirar da cabeça a lembrança de uma família que vira. Depois que sua moradia foi destruída diante de seus olhos, eles haviam tentado recuperar das ruínas suas poucas posses intactas — alguns livros infantis, brinquedos, fotografias.

"Que tipo de guerra é essa?", Miral pensou enquanto o sol escarlate se punha atrás do Monte das Oliveiras. "Qual é o sentido de ensinar inglês para crianças que talvez nunca se tornem adultas?"

Algumas semanas mais tarde, o carro que mais uma vez levava as meninas de Dar El-Tifel para o campo de refugiados foi parado em um posto de verificação do Exército. Os soldados israelenses não estavam deixando ninguém passar porque houvera enfrentamentos no campo naquela manhã. Miral ainda queria ir; ela temia por Khaldun, Said e pelas outras crianças e queria se assegurar de que eles estavam bem. Saiu do carro e abordou um soldado que estava encostado em um jipe. Ele tinha por volta de 20 anos, cabelo preto, olhos castanho-escuros, pele ligeiramente azeitonada e lábios carnudos. Ele poderia passar por árabe. Tinha um odor forte de água-de-colônia e a olhou de cima abaixo, da cabeça aos pés, hesitando aqui e ali pelo caminho, atraído pelos encantos que estavam começando a desabrochar no corpo dela. Finalmente, ele acendeu um cigarro e disse:

— Se você me der um beijo, eu a deixo passar.

Miral o observou inalar uma boa quantidade de fumaça de seu cigarro norte-americano. Suas mãos eram lisas e perfeitamente bem-tratadas. Ela o olhou nos olhos e disse não antes de se afastar.

Então, ela se lembrou de um caminho que as crianças do campo haviam lhe mostrado uma noite, quando ficara além da hora. Ela levaria pelo menos duas horas para ir por lá, mas pelo menos chegaria sem ter que beijar nenhum soldado. Abrindo caminho por um aterro coberto de mato, ela se viu olhando para Ramallah e sentiu como se a estivesse olhando pela primeira vez. Tudo parecia comprimido, o espaço habitável reduzido ao mínimo. "Como alguém pode viver em um lugar assim?", ficou imaginando, tropeçando em uma lata amassada de Coca-Cola.

Naquela manhã, Khaldun tomara parte nos confrontos com os soldados israelenses e chegara mais perto dos tanques do que qualquer um. Ao contrário do que fazia durante as aulas de inglês, ele sempre estava nas primeiras fileiras durante as batalhas. A chuva de pedras fora intensa e continuara por várias horas. Said subiu no telhado do barraco de Yassir — ele oferecia a melhor vista — para poder seguir a movimentação dos soldados e comunicá-la aos outros meninos por meio de uma série de assovios codificados. Ele notou Khaldun rastejar na direção de um tanque até estar a alguns metros dele, esconder-se atrás de um monte de lixo e erguer seu estilingue, que era feito de um galho de oliveira e a câmara de ar de um pneu de bicicleta.

Khaldun estava tão perto que poderia ter olhado nos olhos do soldado de pé na torre do tanque. Em sua terceira tentativa, Khaldun acertou o capacete do soldado, amassando-o ligeiramente no lado esquerdo. Os movimentos do menino eram casuais, quase insolentes, e, apesar de estar rastejando pela poeira e pelo lixo, ele quase parecia elegante, como se fosse outro combatente em uma das muitas guerras que haviam deixado uma marca em livros de história durante o curso do século XX.

Em resposta à saraivada pesada de pedras, os soldados lançaram vários mísseis de gás lacrimogêneo e então deram vários tiros para o ar; mas, quando essas medidas persuadiram poucos meninos do campo a pararem de lutar, os israelenses baixaram a vista e atiraram em seus adversários. A alguns metros da posição de Khaldun, Hassan foi derrubado, tendo sido tolo o bastante para se levantar e tentar correr até uma pilha de pedras enquanto estava exposto ao fogo israelense. Dois outros meninos ficaram feridos, um no braço e um na perna. Said teve que rastejar pelo metal enferrujado do telhado de Yassir porque um franco-atirador postado na colina na frente do campo o vira. Uma bala errou sua perna direita por alguns centímetros, a mesma perna que ainda estava doendo devido à queda que ele sofrera na semana anterior. Enquanto isso, Khaldun jogou todas as pedras que tinha e esperou que os tanques completassem a operação de retirada do campo; então ele ficou de pé e começou a andar lentamente de volta para casa.

Um silêncio austero havia caído sobre o campo. Khaldun se aproximou cautelosamente da clareira que separava Kalandia da cidade de Ramallah e ficou surpreso ao ver a coluna de veículos blindados subindo mais uma vez pela estrada de terra. Naquele instante, ele percebeu que os israelenses haviam feito uma armadilha para ele e seus camaradas. Sinalizando para os outros meninos, que ainda estavam se acotovelando no chão, ele começou a correr na direção dos barracos.

Primeiro, ouviu o rugido do motor de um jipe e então viu o veículo sair de detrás de uma parede descascada que marcava a fronteira do campo. Amaldiçoou sua própria estupidez, que o havia levado à posição atual: exposto, com sua linha de fuga descoberta e 100 metros entre ele e o primeiro barraco — um alvo fácil para as balas israelenses. Ele ziguezagueou enquanto corria, tentando evitar as pilhas de lixo, e não se virou ao ouvir o som dos tiros. Os soldados israelenses conseguiram capturar pelo menos cinco dos meninos mais novos, mas não pareciam satisfeitos.

Khaldun sabia o que lhe aconteceria caso caísse nas mãos dos soldados. Como era menor, eles não poderiam levá-lo a julgamento, mas, na melhor das hipóteses, quebrariam suas mãos e seus pulsos — se não seus braços — para torná-lo incapaz de atirar uma pedra por muito tempo.

Um soldado em um jipe o viu quando ele não estava a mais de 20 metros do barraco e apontou o rifle na sua direção, mas o veículo passou por um buraco e ele errou o tiro. À beira da exaustão, o menino disparou pela ruazinha formada por duas fileiras de barracos, mas o motorista do jipe aparentemente não tinha intenção de deixá-lo fugir. Khaldun estava sem fôlego. Fazia horas desde que tomara o último gole de água, e o calor se tornara insuportável. Ele diminuiu o ritmo de sua corrida para uma caminhada rápida. De repente, um braço o agarrou e o puxou. Cansado demais para resistir, Khaldun se viu dentro de um barraco. Seus olhos levaram vários segundos para se adaptar à escuridão do pequeno aposento, que tinha alguns poucos metros quadrados e não possuía janela. Havia um colchão em um canto e uma tina no meio do chão; algumas roupas estavam penduradas para secar em uma corda que atravessava o quarto diagonalmente. A única cadeira estava encostada na parede. Uma mulher estava de pé na sua frente, não muito mais alta do que ele e vestida com roupas tradicionais que deviam ter sido azuis um dia, mas agora estavam desbotadas e esfarrapadas. Ela podia ter 40 ou 60 anos.

— Tire a roupa e entre na tina — falou ela decididamente. Seus olhos, acostumados à escuridão, eram duas fendas. Khaldun não entendia o que estava acontecendo, mas obedeceu, guiado pelo instinto. Ele sentiu que podia confiar naquela mulher, e, de qualquer maneira, não tinha nada a perder.

Quando os soldados israelenses entraram no barraco, só encontraram uma mãe dando banho em seu filho.

Enquanto isso, com as mãos nos bolsos, Said andava, assoviando na direção do campo de batalha onde tudo havia acabado àquela altura. Ele queria pedir a Khaldun para ensiná-lo a usar um estilingue. De repente, tomou consciência do jipe que se aproximava e ouviu o inequívoco som de tiros. Ele se virou e correu, mancando na direção de casa. Depois de algum tempo, parou e, colando o corpo a uma parede de tijolo e barro, colocou cautelosamente a cabeça para fora. Tudo parecia calmo, mas, assim que se recolheu, ouviu o jipe novamente, seguido pelo que reconheceu como o som de um tanque que avançava.

Ele espiou e viu um enorme tanque vindo em direção a seu esconderijo.

Quando Miral finalmente chegou ao topo da colina acima de Kalandia, nuvens densas de fumaça e poeira estavam subindo do campo de refugiados e se espalhando pelo céu.

A chuva do dia anterior fizera um monte de flores amarelas desabrochar, formando uma fileira que corria pelo topo da colina e então descia por um lado, por entre os pedregulhos e carcaças de automóveis espalhados pela encosta. Miral se apressou pela trilha florida, um caminho triste que parecia ter sido criado só para ela, que inclusive fora batizada em homenagem a uma flor — amarela por fora e vermelha no centro — que floresce no deserto após a chuva. Seu aroma é doce e delicado, mas se intensifica com o calor do sol.

Quando finalmente chegou ao espaço aberto onde aconteciam as aulas, ela não viu ninguém. Dirigindo seus passos para o centro do campo de refugiados, ela logo viu um grande grupo de pessoas de pé diante de uma pilha de pedregulhos e metal retorcido. Conforme chegou mais perto, reconheceu Said e Khaldun, que estavam ocupados revirando os destroços, os quais, Miral percebia agora, eram o que restava da casa de Yassir. Khaldun a viu chegando e foi ao seu encontro. Seus olhos estavam mais alertas do que o normal, como se iluminados por dentro por uma forte emoção.

— O que houve? — perguntou ela.

— Uma grande luta hoje de manhã: um morto, dez feridos e seis presos. Quase me pegaram também — respondeu ele, apontando para as cápsulas de bala espalhadas pelo chão.

— E quanto a Yassir? — Miral indagou, enquanto observava a multidão escavar os restos de seu barraco.

— Infelizmente, desta vez ele foi realmente enterrado debaixo de seu telhado. Pense só, ontem mesmo nós terminamos de reconstruir sua parede. Said está se sentindo culpado — ele usava frequentemente o telhado de Yassir como posto de observação e acha que foi por isso que derrubaram a casa. Talvez ele tenha razão, talvez não. Mas que diferença isso faz agora?

Olhando para Khaldun enquanto ele acendia um cigarro, Miral ficou imaginando como ele podia ser tão fatalista, mas aí considerou a probabilidade de que abraçar o fatalismo fosse a única forma de sobreviver quando a morte e o sofrimento eram uma parte tão constante do dia a dia.

— Por que você não aceita a bolsa para estudar em Damasco? Sei que já venho lhe fazendo essa pergunta há algum tempo, mas devia pensar em aceitar. Pode ser a alternativa para você — declarou Miral firmemente, certa de que tinha razão; ela não tinha dúvidas de que eles todos teriam vidas mais felizes se vivessem em qualquer outro lugar que não fosse o campo de refugiados. — Ontem, eu falei com uma menina de Dar El-Tifel que estudou em Damasco durante um ano — continuou Miral. — Ela disse que é uma cidade muito bonita. E, depois que completar seus estudos, você terá muitas oportunidades. Pode voltar para cá e lecionar. — Ela tinha certeza de que era esse o ponto fraco de Khaldun: seu desejo de ser útil.

— Não, Miral — disse ele. — Essa alternativa é para você. O meu lugar é aqui, no meio do meu povo. Eu acabaria botando uma gravata todas as manhãs e, lenta mas certamente, dia após dia, me esqueceria do campo de refugiados. Eu me esqueceria até de que eles existem. Não quero que isso aconteça, e, além disso, prefiro ficar aqui e jogar pedras.

— Mula idiota — falou Miral baixinho. Khaldun era muito teimoso e tinha sua própria lógica implacável. Ela jogou sua última carta. — Eu também luto minhas batalhas. Vou a manifestações em Jerusalém e Ramallah. Mas isso não é motivo para eu cogitar nem por um momento parar de estudar. Escute-me, Khaldun. Nós nascemos no lugar errado na hora errada, mas não devemos desistir de tentar ter uma vida aqui, de conquistá-la um pouco mais a cada dia através do trabalho e do sacrifício. Uma pessoa que não pode ver um futuro para si mesma e seus filhos já perdeu.

Khaldun não parecia estar escutando. Ele estava olhando em volta. Viu que os pedregulhos estavam prestes a cair em cima dos restos de Yassir; ele viu a roupa pendurada para secar, os pedacinhos minúsculos de terra cultivados, a bola de futebol feita de trapos; e eles todos evocavam a natureza miserável da vida cotidiana que todo mundo no campo de refugiados perseguia tão avidamente. "Talvez", Khaldun pensou, "não seja um ato de covardia deixar este lugar e ir para Damasco."

Mas não era isso o que ele queria. Como podia pensar em estudar matemática se o que sentia por dentro era ódio? O que o impelia era uma raiva ao mesmo tempo direcionada e cega, um ódio que o fazia sonhar toda noite em ser um herói e acordar todas as manhãs com a esperança de que aquele fosse o dia. Era difícil explicar isso para uma garota privilegiada da cidade. Ele se virou para Miral e falou:

— Está vendo? Afinal, você também arrisca sua vida todos os dias e acha que está fazendo a coisa certa. Ninguém a força a participar das manifestações ou se esgueirar por trás de um bloqueio do exército para poder vir aqui. É simplesmente o que você acha que tem que fazer. É o mesmo para mim.

Os outros meninos o chamaram: eles precisavam de ajuda para tirar o corpo de Yassir dos destroços. Khaldun olhou para ela e, um instante antes de deixá-la, seu rosto se iluminou novamente com um sorriso que a surpreendeu. Como alguém podia ser capaz de sorrir em um lugar como aquele? Um pensamento permaneceu fixo na mente de Miral: "Eu tenho que salvar esse menino."

2

Nas tardes em que visitava o campo, Miral se encontrava depois com outros jovens em Ramallah ou Jerusalém. Era 1987, e a Primeira Intifada, uma revolta palestina contra o governo israelense, havia começado. Teve início quando quatro trabalhadores de Gaza foram atropelados por um comboio militar. Toda a população árabe em Jerusalém, a Cisjordânia e os territórios ocupados, incensada por esse acontecimento e anos de ocupação militar, tomou as ruas em um protesto que se transformou em luta armada, pedras e coquetéis molotov contra tanques. Isso criou uma solidariedade revolucionária entre os jovens ativistas.

Ocasionalmente, ela pedia a uma de suas colegas de Dar El-Tifel para tomar seu lugar na aula de inglês das crianças para que pudesse participar de alguma manifestação importante. Em seu primeiro ano de ginásio, quando a intifada começou, só ela e duas outras meninas da sua sala participaram. Dois anos depois, a intifada continuava, e então sete garotas de Dar El-Tifel estavam participando.

Em várias ocasiões, ela e suas colegas contornavam as proibições de Hind e saíam da escola escondidas, misturando-se às alunas que não moravam na escola e voltavam para casa todas as tardes para ficar com suas famílias. Na maioria das vezes, o zelador estava lendo um jornal e não as via ou fingia não ver. Quando voltavam, as meninas pulavam o muro em seu ponto mais baixo, nos fundos do terreno da escola, na frente do American Colony Hotel. Miral ajudava as garotas mais hesitantes e então se içava agilmente para o alto do muro e pulava para o outro lado. Depois de se assegurarem de que não havia ninguém por perto, as meninas corriam para o dormitório, geralmente chegando alguns minutos antes da hora do jantar. Uma noite, uma das meninas mais velhas, que estava correndo no escuro com a cabeça abaixada, colidiu com a professora de matemática e, como castigo, ficou restrita ao terreno da escola por um mês. Mas ganhou a estima de suas colegas ao se recusar a entregar os nomes das outras meninas que também haviam participado da manifestação daquele dia.

As manifestações, organizadas de um dia para o outro a fim de não alertar as autoridades israelenses, começavam com o canto de canções patrióticas e o bradar de slogans que lenta mas certamente abafavam os sons dos *souks* e praças em várias cidades da Cisjordânia. Os jovens manifestantes levavam a bandeira palestina, que era estritamente proibida, enquanto enfrentavam o Exército israelense que atacava, imaginando-se como fedayin nas florestas jordanianas. Quando a polícia e os soldados começavam a lançar granadas de gás lacrimogêneo ou a atirar balas de borracha, os manifestantes, por sua vez, atiravam pedras, protegendo-se em ruas estreitas. Alguns usavam lixões para improvisar barricadas e atrasar o avanço do exército; outros lançavam pedras com estilingues ou acendiam coquetéis molotov e os atiravam na direção dos jipes israelenses e dos veículos blindados.

Com frequência alguns dos meninos mais corajosos, os que chegavam a poucos metros dos tanques, eram derrubados por rajadas de metralhadoras ou tinham os miolos estourados por franco-atiradores postados no topo dos edifícios mais altos. Os mais intrépidos eram normalmente — e infelizmente — os mais jovens, garotos cujas aulas tinham acabado apenas algumas horas antes e cujas mochilas ainda estavam nas costas enquanto eles permaneciam caídos em poças do próprio sangue.

Os habitantes dos bairros onde os confrontos de guerrilha começavam, assim como os comerciantes, artesãos e vendedores de rua, faziam o possível para ajudar os manifestantes, escondendo-os em suas casas, prestando os primeiros socorros aos feridos, mostrando-lhes rotas de fuga e inventando formas de impedir os soldados de prenderem jovens manifestantes, muitos dos quais desafiavam o gás lacrimogêneo asfixiante com rostos descobertos, impelidos pela adrenalina, os olhos queimando de ódio.

Alguns soldados israelenses ficavam preocupados e constrangidos com a ideia de apontar suas armas para alvos tão jovens, conscientes de que suas vítimas tinham mais ou menos a mesma idade de seus filhos ou, em alguns casos, de seus próprios colegas. Outros, no entanto, apertavam seus gatilhos sem pensar duas vezes, obedecendo ordens e esmagando qualquer escrúpulo na convicção de que dizer *mors tua, vita mia*, "a sua morte é a minha vida", era a melhor filosofia, especialmente nos territórios ocupados, onde as leis do Estado de Israel não eram minimamente levadas em consideração.

Depois de correrem por uma rua estreita, Miral e algumas outras meninas de Dar El-Tifel pararam em uma pracinha tranquila. O som do tiroteio aos poucos diminuiu.

— Meu Deus — disse ela a suas colegas, todas as quais eram mais novas e menos experientes do que ela. — Está ficando cada vez mais difícil não ser atingida por um porrete ou por uma bala, principalmente quando se está em uma nuvem de gás lacrimogêneo. Esses loucos estão ficando mais violentos para nos impedir de protestar! Mas eles não entendem que a raiva do nosso povo é alimentada pela injustiça, pela marginalização. É como se eles fossem surdos e cegos; não querem ver nem ouvir.

Miral fez uma pausa por um momento e então acrescentou uma advertência:

— Correr pelas ruas não é fácil, mas ficar de pé se você está em uma multidão é ainda mais difícil. Nunca fiquem no centro de uma manifestação e permaneçam perto umas das outras. Não confiem em mais ninguém e, assim que a polícia chegar, sejam as primeiras a fugir.

Naquela tarde, antes de começar seu dever de casa, Miral parou em um café para tomar um copo d'água e viu em uma tela de TV imagens que não sairiam de sua cabeça.

A fúria deformava os rostos de dois soldados israelenses enquanto eles quebravam os braços de um garoto tão naturalmente quanto se estivessem passando óleo em seus rifles. Um dos soldados tinha três palavras em inglês escritas no capacete: "Nascido para matar." Os ossos de adolescentes palestinos, jogadores de pedras, estalavam e se quebravam com as pancadas fortes dadas por soldados apenas alguns anos mais velhos do que eles. No instante antes de as vítimas começarem a gritar, dois sonhos foram despedaçados: a de um estado pacífico, que fora desejado e sonhado por dois mil anos, e o de um povo que vira seu futuro e suas expectativas serem destruídos.

Quando a Primeira Intifada começou, os soldados israelenses se viram despreparados para lidar com uma revolta popular. Como regra geral, durante as várias guerras travadas pelo Estado de Israel, os exércitos nunca eram vistos nas ruas, mas naquele momento, em seu esforço para reprimir os protestos, o governo israelense, pego de surpresa, acionou o Exército para fazer o papel da polícia. Conforme os meses se passaram e os protestos, em vez de diminuírem, se intensificavam progressivamente, as autoridades começaram a reagir de forma mais violenta, dispersando multidões de manifestantes com gás lacrimogêneo e balas de borracha. As saraivadas de pedras mudaram das praças abertas para as ruas mais estreitas, onde residentes com frequência abriam suas portas da frente para meninos correndo a toda velocidade e então os deixavam fugir por uma saída nos fundos e desaparecer pelos pátios.

Na primeira vez em que foi perseguida, Miral, no pânico da fuga, se perdeu. Sem encontrar alternativa melhor, ela se jogou em um lixão cheio e ficou lá, enterrada no lixo, por várias horas, até os tiros, os gritos e as sirenes se tornarem distantes e finalmente se transformarem em silêncio.

Na vez seguinte, ela não teve tanta sorte. Deu de cara com um soldado israelense, que agarrou seu braço com uma pegada forte e a arrastou para o *souk* de legumes, onde aguardaram a chegada do jipe que a levaria para a delegacia. Mas as mulheres do *souk* abandonaram suas barracas — seus arranjos de hortelã, cenouras e tomates — e abordaram Miral e o soldado. Em poucos instantes, elas o cercaram e puxaram a menina para fora do círculo. Surpresa e inesperadamente livre, com o coração na garganta, ela começou a correr na direção de Dar El-Tifel. Só então, enquanto corria, ela entendeu totalmente o que ser presa teria significado para ela e se sentiu abalada, mas aliviada. Mal havia atravessado o portão da escola quando viu sua irmã, Rania, vindo em sua direção, os olhos inchados de lágrimas. Uma de suas colegas de classe havia lhe contado que vira um soldado capturar Miral e levá-la embora. Rania deu um abraço desesperado em Miral. Já tendo perdido a mãe, ela temia perder também a irmã. Após uma pequena hesitação, Rania declarou que, se Miral não parasse de participar das manifestações, contaria tudo a seu pai.

3

A chegada da primavera em Jerusalém era mágica. As colinas ficavam cobertas de verde, as árvores floresciam e os mercados exalavam fragrâncias de ervas selvagens e frutas exóticas. Os árabes comparam a primavera a uma noiva, vestida de verde e cor-de-rosa, que acordou de seu torpor de inverno e chega à cidade. Quando voltava para a escola depois de um final de semana em casa, Miral sempre trazia alguma coisa para suas amigas. Nos primeiros dias da estação, trouxe amêndoas doces e cerejas e, durante o recreio, as distribuiu entre o grupo de alunas sentadas em um banco ao sol. Hadil era uma delas, uma menina baixinha com traços delicados e belos e um sorriso com covinhas, que Miral conhecia desde que ambas tinham 6 anos. Elas com frequência trocavam livros e faziam piadas sobre alguns de seus professores. Hadil era especialmente boa em imitar a professora de matemática, com seus "r" franceses e seus espirros contínuos.

Miral fez um sinal para que Hadil fosse para um lugar mais discreto, onde pudessem conversar sozinhas. Uma manifestação estudantil estava planejada para aquela tarde, e Miral estava ansiosa para participar. Ela pediu a Hadil para ir com ela, já tendo combinado com cerca de outras vinte garotas da escola. Elas sairiam uma a uma para não chamar atenção, e então, por volta das 15h, se encontrariam no Portão de Damasco. Mas, desde que uma das meninas de Dar El-Tifel fora presa — na primeira manifestação à qual comparecera —, as idas e vindas das meninas haviam se tornado sujeitas a um controle muito mais rígido. Miral sabia que muitos professores suspeitavam que ela fosse uma das instigadoras dentro da escola, mas nunca haviam conseguido provas. Nem mesmo sua colega de classe Nissrin, quando foi presa, revelou o nome de Miral.

Elas tinham ido juntas a uma manifestação, mas Miral a perdera de vista. Mais tarde, soube que Nissrin conhecera um garoto durante a passeata. Com sorrisos simpáticos e modos elegantes, ele a convencera a segui-lo, apesar das advertências anteriores de Miral de que ela não devia se meter com quem não conhecia. Com a desculpa de que iria levá-la a um lugar seguro, o garoto levara Nissrin pela mão e a guiara a uma van da polícia. Ele era, como acabou se mostrando, da polícia secreta. Seu árabe fluente e sem sotaque era tão falso quanto seu sorriso. Eles colocaram Nissrin na van, algemaram-na e a levaram embora. Ela tentou permanecer imóvel, mesmo quando as arrancadas e solavancos se tornaram mais fortes e duros, provavelmente porque estavam indo cada vez mais para longe das ruas da cidade. Após cerca de vinte minutos, o que pareceu uma eternidade para Nissrin, o veículo parou. Ela podia ver que estavam no campo, mas não a deixaram sair. Em vez disso, o motorista da van foi para trás e agora havia seis homens sentados na frente dela.

O interrogatório começou. Quem era ela? Era estudante? Se sim, de onde? O que ela estava fazendo na manifestação? Com quem viera? E, acima de tudo, quem era o líder do grupo?

Nissrin estava assustada. O medo apertou seu estômago, fez com que suas pernas ficassem fracas e disparou um zumbido em sua cabeça que tornava impossível pensar. Ela começou a responder com uma voz insegura, dando seus detalhes pessoais e declarando que era aluna da escola Dar El-Tifel em

Jerusalém. Naquele ponto, os cinco homens se encararam com um olhar de interrogação, e o jovem que a levara à cilada olhou nos olhos do homem mais velho e fez um breve sinal de cumplicidade misteriosa.

Quando viu isso, Nissrin ficou imaginando o que exatamente eles queriam dela. Houvera tantas meninas na manifestação — por que eles a haviam escolhido? Fora uma coincidência, mas ela foi tomada por uma profunda sensação de ansiedade e paranoia. Seu coração continuava batendo forte e, enquanto vomitava tudo o que havia em seu estômago, um pensamento martelava sua cabeça: eles a haviam levado para lá por um motivo, para o meio do nada. Se não falasse, ela disse para si mesma, provavelmente nunca voltaria para casa. Nissrin estava disposta a morrer ali mesmo e não daria nenhuma informação sobre as outras meninas. Talvez fosse a menção à Dar El-Tifel, mas algo levou aquela van de volta para Jerusalém, apesar de Nissrin passar três meses na cadeia.

Nissrin era filha de um comerciante de especiarias. Sua mãe morrera quando ela tinha 10 anos e seu pai a matriculara na escola de Hind Husseini de acordo com o último desejo da esposa. Não se podia dizer que Nissrin fosse amiga de Miral. Apesar de terem a mesma idade e assistirem às mesmas aulas, Miral só a conhecera recentemente, no dia em que Nissrin expressou seu desejo em participar das manifestações estudantis.

Havia uma ligação estreita entre as meninas do orfanato, que se sentiam como irmãs. Apesar das brigas sem importância, Hind conseguira fazer com que todas elas se sentissem como membros de uma família unidos por algo mais do que ter o mesmo sangue. Miral era uma das meninas mais ativas e admiradas, sobressaindo-se tanto nos estudos quanto na organização de atividades extracurriculares, mas acima de sua dedicação aos refugiados nos campos era seu coração bondoso e paixão política que faziam com que as outras meninas a considerassem líder. Apesar de muitas das meninas lhe pedirem conselhos sobre seus problemas, a própria Miral dava grande valor às opiniões de Hadil, cuja calma e serenidade contrastavam com ela própria. Hadil era capaz de acalmar e tranquilizar Miral em seus momentos de ansiedade e sempre encontrava as palavras certas para dizer, mas fora isso preferia permanecer calada. Miral gostava muito de Hadil e queria que ela se envolvesse politicamente; então convenceu-a a participar da manifestação.

Normalmente, os protestos começavam pequenos e cresciam apenas gradualmente, conforme os manifestantes marchavam por vários bairros e as pessoas se juntavam espontaneamente a eles. Mas, naquele dia, a polícia soube o lugar do encontro com antecedência, já que a manifestação havia sido organizada expressamente em memória do intelectual Ghassan Kanafani. Quando a manifestação começou, tanques israelenses cercaram a Praça al-Manara em Ramallah, onde estudantes de todas as escolas e universidades da Cisjordânia haviam se reunido.

Franco-atiradores haviam sido colocados nos telhados dos prédios em volta e, ao verem os soldados, os jovens manifestantes começaram a jogar pedras e a clamar "Libertem a Palestina! Saiam da nossa terra!". Imediatamente, uma nuvem de gás lacrimogêneo envolveu tudo; gritos, urros, tiros disparados, e o protesto se transformou em caos. Miral começou instintivamente a correr, disparando para longe para não ser presa e, ao mesmo tempo, tentando segurar a mão de sua amiga Hadil. Mas, depois de cerca de 300 metros correndo, ela foi derrubada por alguém. Ela descobriu que Hadil caíra em cima dela. Miral tentou levantá-la e percebeu que suas mãos estavam cobertas com um líquido denso. Ela não sabia de onde vinha aquilo ou se ela ou a amiga estavam feridas, mas então suas mãos encontraram um buraco na cabeça de Hadil. Miral tentou gritar, mas a voz não saiu; estava presa na garganta, como em um pesadelo. Ninguém jamais saberia se Hadil fora derrubada intencionalmente ou atingida por uma bala que seria destinada a um dos líderes da intifada.

O corpo de Hadil estava deitado inerte, seus braços esticados acima da cabeça como se em um esforço desesperado para fugir da bala que era tão mais rápida do que ela, antes que acabasse com sua vida.

Miral podia ouvir as sirenes das ambulâncias que se aproximavam e os passos dos soldados enquanto vasculhavam as ruas vizinhas, mas ainda não tinha forças para se mover; ela se sentia acorrentada àquele lugar e ao corpo de Hadil. A morte fizera uma entrada violenta na vida de Miral, e suas lágrimas caíam sem parar, uma mistura de desespero, raiva, impotência e — principalmente — culpa.

Uma mão quente segurou seu ombro, e ela não sentiu medo. Mesmo que eles a prendessem, ela não ofereceria resistência. Mas a voz que falou com ela não era a de um soldado israelense. E, dito e feito, quando ela se virou, viu um homem de cerca de 30 anos, alto, atlético e de pele clara, com olhos escuros, intensos e bondosos. Com movimentos decididos, ele a levantou, passou os braços em volta dela e a arrastou para longe da praça. Miral tentou resistir, mas ele lhe disse que tinham que sair imediatamente dali e que homens da Cruz Vermelha voltariam para buscar o corpo da amiga dela. Mas Miral ainda resistiu:

— Por favor, me solte, por favor! Não posso abandoná-la! Por favor, me deixe ficar aqui!

— Temos que sair daqui. Vou levar você para um lugar onde estará segura — disse o homem convincentemente. Miral reconheceu seu sotaque de Jerusalém e percebeu que não tinha escolha.

Ela não conseguia mais sentir o próprio corpo, era como se estivesse paralisada, mas o homem a segurou perto de si. Eles atravessaram a praça e entraram em um carro que os levou diretamente a Jerusalém e os deixou na Cidade Velha, em frente ao Portão de Jaffa. O homem, ainda a segurando com força, andava a passos rápidos, como se conhecesse de cor a sequência misteriosa de vielas estreitas e íngremes. Eles deviam ter entrado no bairro armênio, porque Miral, antes de desmaiar, teve um vislumbre da Catedral de São Tiago.

Quando recobrou a consciência, já estava escuro, mas uma luz rosada entrava por uma janelinha. Depois que seus olhos se acostumaram à escuridão, ela pôde ver que havia outra pessoa no quarto, um homem, que estava sentado em uma poltrona baixa, lendo.

— Onde estou? Quem é você? — perguntou ela, tentando se levantar.

— Você finalmente acordou! Agora, vá com calma, você está a salvo — respondeu o homem, largando o livro.

— Ah, meu Deus, está tarde. É quase noite! Tenho que voltar para a escola. Vão ficar furiosos comigo! Desta vez vão me expulsar, com certeza! — reclamou Miral, mais uma vez tentando ficar de pé, mas caindo imediatamente de volta no sofá. Ela ainda estava fraca demais.

Naquele instante, no espelho diante de si, ela viu seu rosto roxo, seu cabelo desgrenhado e seu uniforme escolar empoeirado e manchado de sangue, e entendeu imediatamente o que havia acontecido. Foi tomada por uma forte angústia e pânico quando se lembrou de que fora ela quem convencera Hadil a ir à manifestação. Agora ela teria que encarar a todos: a família e os amigos zangados de Hadil e os professores zangados da escola. E então, chorando, tomada pelo desespero e sem nem olhar para o homem, ela disse:

— Eu tenho que ir. Tenho que ir agora... Ah, meu Deus, o que foi que eu fiz? Hadil! Hadil!

— Acalme-se, Miral. Não se preocupe com a sua escola. Eu já os avisei — respondeu o homem.

— O que você sabe sobre a minha escola? Quem é você? É um espião? — gritou Miral histericamente, erguendo a voz e tentando arrumar coragem. Nesse exato momento, uma mulher de meia-idade entrou no quarto, carregando algumas xícaras e uma chaleira fumegante. O aroma de chá de hortelã encheu o aposento.

— Não me insulte! — falou o homem, aproximando-se dela. — Mas você tem razão, nós ainda não nos apresentamos. Meu nome é Hani. Eu a vi na manifestação. Fui eu quem a trouxe aqui.

— Ele, um espião? — disse a mulher. — Era só do que precisávamos. — Ela serviu o chá e disse a Miral: — Beba um pouco. Vai fazer com que se sinta melhor... Você está na nossa casa agora.

— Tomei a liberdade de verificar seus documentos e foi assim que vi que você morava em Dar El-Tifel. Liguei para a escola e lhes contei o que aconteceu. Pareceu a coisa certa a fazer — falou Hani, bebericando o chá quente. Ele tinha uma voz profunda e gentil.

Em uma tentativa de desculpa, Miral disse:

— Não, sim, era o certo... sem problema. Você fez o que era certo.

Assim que ela havia se recuperado um pouco, Hani chamou um táxi e a acompanhou até a porta principal da escola. No caminho para lá, nenhum dos dois pronunciou uma palavra. Miral ainda estava na manifestação, pensando em Hadil e em sua morte absurda; Hani olhava para os muros da Cidade Velha e então para as elegantes casas de pedra branca e cor-de-rosa no bairro de Sheikh Jarrah, que contrastava tanto com a atmosfera de violência que as pessoas respiravam a apenas alguns quilômetros de distância.

Quando o táxi parou, Miral saltou, sem conseguir dizer mais do que "obrigada" antes de Hani desaparecer.

No curso dos dias que se seguiram, Miral caiu em um estado de profunda frustração e depressão. Ela se sentia responsável pela morte de Hadil. Algumas meninas, entre elas Aziza, tentaram consolá-la, mas outras mantinham distância, evitando-a como uma forma de demonstrar a decepção e o medo que sentiam.

O corpo docente da escola estava agitado enquanto a administração discutia que medidas seriam tomadas para o caso de Miral. Havia uma boa chance de que fosse ser expulsa: ela quebrara todas as regras e colocara a escola em risco. Para Miral, a pior possibilidade era ser mandada para viver com sua tia em Haifa, o que significaria abandonar seu ativismo político, deixar de lecionar no campo de refugiados de Kalandia e deixar suas amigas. A morte de Hadil não diminuíra, pelo contrário, fortalecera seu desejo crescente de ter um papel ativo na luta de seu povo. Era difícil para ela dar uma explicação racional para seus professores. Ela tinha a sensação de pertencer àquela porção da humanidade que não se resigna e se submete às circunstâncias, mas, em vez disso, resolve mudá-las. E, apesar de saber que daquele dia em diante seria cada vez mais difícil sair da escola para lecionar nos campos de refugiados e ajudar as crianças a sonhar, seus pensamentos voltavam continuamente para Khaldun. O menino era inquieto demais, imprudentemente corajoso demais para sobreviver neste mundo.

Miral também entendeu o que Abdullah, seu antigo professor de ginástica, dissera a ela anos antes:

— Se quiser compreender este conflito em toda a sua extensão, perceber suas implicações locais e regionais e entender quais são suas verdadeiras motivações, tem que conhecê-lo inteiramente, de cima a baixo.

Na época, pareciam ser palavras totalmente abstratas e distantes, mas agora se mostravam proféticas.

Enquanto esperava pela decisão da escola, Miral passava os dias esticada em sua cama, olhando para o espaço. Era uma luta para que ela fosse tomar banho ou comer. Aziza lhe trouxe iogurte e o deu na boca de Miral, tentou abraçá-la e acariciá-la como faziam quando eram crianças, como se tentassem compensar o carinho físico que não estavam recebendo de seus pais. As mãos familiares de Aziza relaxavam e reconfortavam Miral, mas uma sensação de constrangimento misturado a vergonha frequentemente a tomava quando olhava a amiga nos olhos, por medo de que ela pudesse ver sua firme intenção de continuar o ativismo político. Ela perguntava constantemente a Aziza sobre as crianças no campo de refugiados e principalmente sobre Khaldun — como ele estava, o que estava fazendo — e, quando Aziza revelou que ele estava muito preocupado com ela, Miral percebeu que havia chegado a hora de agir. Ela já decidira quem seria a pessoa que, mais do que qualquer um, seria capaz de ajudá-la nesse caminho: Hani.

Nesse ínterim, uma reunião de emergência foi feita na escola, e lá, Miriam, a vice-diretora, e os outros membros do conselho escolar votaram unanimemente pela expulsão de Miral. Ela foi considerada diretamente responsável pela inquietação na escola, o que havia levado várias alunas a faltarem às aulas para participar de manifestações, pondo em risco a segurança geral. O episódio de Hadil fora a gota d'água.

Hind interveio para impedir essa decisão, explicando para o grupo que aquele era o momento em que as alunas, todas elas, mais necessitavam do apoio e da compreensão do conselho. Manteve a posição de que as meninas não deviam ser punidas por sua paixão cívica, que ela própria era a pessoa diretamente responsável pelo que havia acontecido e que, assim sendo, a decisão final seria só sua. A vice-diretora, Miriam, tentou refutar, observando que Hind estava doente, que seria difícil lidar com Miral e controlá-la e que havia uma grande possibilidade de que sua presença comprometesse a escola. Hind retrucou que conversaria com Miral imediatamente.

E então ela chamou a garota em seu escritório.

— Miral, você sabe como eu consegui manter este lugar aberto? — começou Hind. — Eu convenci todo mundo de que a educação é o melhor meio de resistência do nosso povo. Você faz ideia de quantas vezes tive que começar de novo, do zero? Quando encontrei os primeiros órfãos na rua, eu só tinha 128 dinares. Quanto a mim, vocês são todos meus filhos, e amo muito vocês todos, principalmente você. A diferença entre vocês e as crianças nos campos de refugiados é que vocês têm possibilidades para o futuro, enquanto elas não têm. Investi muito em seu futuro, e seu pai fez o mesmo. Não jogue fora essa oportunidade.

Então, Hind informou a Miral que duas opções permaneciam abertas para ela: podia assinar um termo de compromisso de jamais sair do terreno da escola sem autorização específica ou podia fazer as malas e partir imediatamente para Haifa, para onde seu pai concordara em levá-la. Se permanecesse na escola, a menor violação das regras resultaria em sua expulsão imediata.

Miral assentiu sua aquiescência com lágrimas nos olhos; ela entendeu que realmente não tinha escolha, mas ao mesmo tempo tentou explicar para Hind que a raiva e a sensação de injustiça fermentando dentro dela a compeliam a fazer alguma coisa.

— Não podemos ficar de braços cruzados, esperando ser liberados por outra pessoa. Não é justo delegar a luta aos jovens dos campos de refugiados, temos que fazer nossa parte também — declarou ela.

— Você tem razão, Miral — respondeu Hind. — Cada um de nós está fazendo algo pela Palestina. Eu sou responsável por garantir que esta escola permaneça aberta. Milhares de famílias dependem de mim. Muitas meninas estariam nas ruas se não fosse assim, e isso é algo que não podemos permitir que aconteça. Você precisa ter em mente que o envolvimento político por parte de qualquer uma de vocês poderia comprometer seriamente este lugar. Aos poucos, você vai ver que haverá formas de fazer a sua parte. Nosso futuro Estado vai precisar de moças sagazes e inteligentes, não de mártires.

Elas ficaram se encarando por muito tempo. Os olhos sérios de Hind deixavam escapar o amor que ela sentia por sua "filha" rebelde, enquanto os de Miral brilhavam com um orgulho impaciente.

4

Miral ficara chocada e confusa demais com a morte da amiga para se lembrar da exata localização da casa para onde Hani a levara após a manifestação, mas tinha certeza de que poderia encontrar alguém que lhe mostrasse onde ele morava. Foi então para o bairro armênio — um dos mais fascinantes na Cidade Velha, apesar dos danos sofridos durante a luta pesada em 1948 — e tentou conseguir alguma informação com um grupo de crianças que jogavam bola em uma praça sob o sol morno da manhã.

— Claro, nós o conhecemos — respondeu o mais velho do grupo. — Mas quem é você? E o que quer com ele?

— Diga-lhe que Miral o procura. Ele me conhece.

O menino chutou a bola, que foi jogada para longe por cima da pedra lisa. Então, avaliou Miral com o que era, apesar da sua pouca idade, o escrutínio de um adulto.

— Espere-me aqui, eu vou chamá-lo — falou, afastando-se com as mãos nos bolsos. Suas calças grandes demais lhe davam uma aparência cômica.

Deixada à espera, Miral olhou para os telhados brancos de Jerusalém, que faziam uma espécie de contraste com sua história sangrenta. "Deus, como eu amo este lugar", ela pensou. Talvez um dia a cidade se tornasse a capital de dois Estados, um israelense e um palestino. Apesar de sua terra natal ser Haifa, enquanto contemplava a Cúpula da Rocha, brilhando com os raios de sol, ela ansiava se fundir com sua cidade de adoção.

Após alguns minutos, o menino voltou com Hani, que parecia mais magro e muito mais alto do que Miral se lembrava. Ele tinha cabelos castanhos despenteados e estava usando jeans e um suéter cinza. Apesar dos olhos melancólicos, possuía um sorriso radiante.

— Vejo que se recuperou muito bem — disse ele, apertando a mão dela. — Que bom. Já tomou café da manhã? Venha comigo, eu conheço um lugar perto do Portão de Damasco onde há um homus excelente.

— Não, obrigada, não quero incomodá-lo. Só preciso de cinco minutos do seu tempo para falar com você sobre algo importante — respondeu Miral.

— Então vamos dar uma voltinha. Teremos uma conversa melhor de barriga cheia — falou ele.

A Cidade Velha estava fervilhando, cheia de turistas vindos para a Páscoa. A temperatura estava amena e uma brisa fresca e agradável acariciava as colinas da Judeia.

— Então, que assunto importante é esse? — perguntou Hani.

— Bem, é sobre uma pessoa que eu conheço, um menino que mora no campo de refugiados de Kalandia. Ele me pareceu muito inteligente e articulado. Li uma de suas histórias, que revela muito talento a ser desenvolvido, se tiver a chance de fazer algo com ele. Ganhou uma bolsa para estudar em Damasco, mas acho que não vai aceitar. Ele não quer abandonar a intifada. É sempre o primeiro a jogar pedras ou usar seu estilingue contra os tanques israelenses e temo que tenha um final triste. — Miral parou, e eles se entreolharam por alguns segundos. Hani parecia ter a habilidade de ler as pessoas por dentro, entender o que estavam sentindo. Ele começou a andar de novo, lentamente.

— O que a faz pensar que posso ajudar seu amigo? — perguntou em uma voz baixa, quase um sussurro.

— Eu vi a forma como você se movia. Mesmo quando a luta estava ocorrendo, você parecia seguro de si mesmo. Por favor, pode conversar com ele? Ele precisa de uma figura paterna. Seu pai foi morto há muitos anos.

— Você o ama?

— Não, não, de onde tirou essa ideia? — retrucou ela, corando de vergonha.

— Qual é o nome desse menino? — perguntou Hani.

— Khaldun.

Hani sorriu e ergueu os olhos para o céu.

— O que está acontecendo? Você o conhece?

— Miral, temos que confiar um no outro. E se você quer continuar a conversar seriamente sobre essas coisas, temos que nos conhecer um pouco melhor. Venha comigo, eu a levarei a um lugar mais seguro do que este — falou Hani, entrando em uma rua estreita onde as casas eram tão próximas que só um raio de luz oblíquo era capaz de passar entre duas delas. Eles entraram em um café que ficava na esquina de um prédio baixo e consistia em um único aposento grande e enfumaçado até o teto. Alguns velhos inalavam lenta e interminavelmente de seus narguilés, enquanto os frequentadores mais jovens do estabelecimento bebiam café de cardamomo ou chá de hortelã. Havia um grande balcão coberto de azulejos de cerâmica colorida em vermelho, verde e amarelo, e sobre ele uma grande bandeja de prata repleta de doces orientais. Atrás do balcão, dois rapazes preparavam as infusões e outras bebidas. Hani aparentemente era bastante conhecido nesse lugar, porque todos o cumprimentavam com um aceno ou um sorriso, e o proprietário apertou sua mão.

Miral e Hani se sentaram a uma mesa um pouco afastada das demais.

— Vejo que você é muito conhecido aqui. Não seria melhor conversar lá fora, ao ar livre? — perguntou Miral.

— Como você é desconfiada! É bom ser assim em tempos como este, mas pode relaxar agora — respondeu Hani ironicamente, continuando a sorrir enquanto colocava a mão sobre a dela. — Essas pessoas aqui são de confiança. São meus amigos e camaradas — acrescentou.

— Você pertence à Frente Popular para a Libertação da Palestina? — perguntou Miral, falando bem baixo.

Ele olhou diretamente nos olhos dela.

— Sim, Miral, eu sou o oficial da FPLP responsável por Jerusalém, sou o secretário, e conheço bem Khaldun. O pai dele foi um dos melhores homens que já tivemos e ele estaria muito orgulhoso de seu filho. Não sabia que ele gostava de escrever. Eu o vi em ação uma vez, durante uma batida israelense no campo.

Miral sorriu. Ela tivera sorte em encontrar Hani.

— Ótimo! — disse ela. — De que parte da Palestina você vem? Seu sotaque é um misto de Jerusalém e outros lugares.

Ele pensou por um momento, como se Miral tivesse feito uma pergunta difícil.

— Eu nasci no Líbano. Minha família e eu somos cristãos. Meus pais foram refugiados palestinos em 1948, forçados a deixar suas terras e sua casa em Jaffa. Conseguimos entrar de novo em Jerusalém pela Jordânia alguns meses antes da guerra de 1967; então pelo menos somos refugiados aqui, na nossa terra natal. Agora eu acredito apenas na causa, em uma revolta popular. Sabe o que *intifada* significa, Miral?

— Claro. Significa erguer a cabeça, se rebelar para preservar sua dignidade.

— Isso mesmo — falou ele.

Ele ostentava o mesmo olhar melancólico que a impressionara na primeira vez em que o vira. Miral acrescentou:

— Fico com medo ao pensar que muito mais sangue vai ser derramado e, ainda depois disso, sabe lá Deus quantos sacrifícios mais ainda vamos ter que fazer.

Desde a morte de sua amiga Hadil, Miral sentia uma imensa necessidade de conversar sobre política com um adulto. Na verdade, Hani era só dez anos mais velho do que ela, mas ela sentia que ele tinha muita autoridade no assunto.

— É claro que não vai ser fácil, Miral, nem para nós nem para eles. Eles construíram sua felicidade em cima da nossa infelicidade, da nossa diáspora, e isso não pode levá-los a lugar algum. Agora nossos destinos estão entrelaçados. Muitos de nós se sentirão compelidos a deixar o país e alguns de nós irão morrer, mas no final a comunidade internacional forçará os israelenses a se sentarem e negociarem conosco.

Era exatamente isso que ela queria ouvir.

— Eu gostaria de fazer algo mais do que estou fazendo agora. É frustrante, o que vejo todos os dias nos campos de refugiados e nas aldeias, as humilhações contínuas nos postos de controle. Eu me sinto extremamente impotente diante disso tudo. Não é mais suficiente para mim ir a um campo de refugiados três vezes por semana e ensinar um pouco de inglês para as crianças. Eu estou com raiva. Quero que o mundo inteiro saiba o que está acontecendo aqui.

Antes de falar, Hani passou a mão pelo cabelo, afastou a franja da testa e respirou fundo.

— Miral, você é jovem, mas essa luta está fazendo sua geração crescer muito rápido. Tem que pensar cuidadosamente em uma decisão como essa antes de tomá-la. Você está falando em trilhar um caminho que não tem volta. Além disso, o que você vai fazer em relação à escola?

Miral também pareceu pesar sua resposta por algum tempo, refletindo do fundo do coração.

— Sei que não vai ser simples, e depois que eu me formar será ainda mais difícil. Nem sei se vou poder ficar em Jerusalém, mas, neste momento, acho que nossa luta é crucial e quero fazer parte dela.

Hani avaliou as palavras de Miral e as considerou genuínas, sem retórica, e podia ver que ela não estava apenas desabafando apaixonadamente. Ao mesmo tempo, porém, ele tinha medo de oferecer a ela esperança demais. Já vira muitos jovens serem mortos no confronto ou acabarem nas prisões israelenses.

— Está bem. Como deve saber, você vai ter que ser muito bem-informada sobre política; então eu gostaria que pensasse nisso, pelo menos por enquanto. Quando tiver tomado sua decisão, me avise. No que diz respeito a Khaldun, deixe-me falar com a organização. Vamos tentar tirá-lo do campo de refugiados. Vamos nos encontrar de novo, você e eu, em uma semana, está bem? Entrarei em contato com você por meio de uma menina da sua escola.

Em seu coração, Miral já tomara sua decisão e não precisava de nem mais um minuto, mas ainda parecia sensato tirar alguns dias para refletir. Os dois se despediram em frente a uma parede de pedra branca que ofuscava sob o sol. Hani ficou parado por alguns momentos e a observou se afastar, deslizando graciosamente pela multidão de pessoas que voltavam do *souk* e se dirigiam para suas aldeias. Conforme caminhava de volta para o bairro armênio, ele avaliou suas qualidades. "Ela será uma boa política", concluiu. "É um pouco exaltada e impulsiva, mas com um pouco de treinamento vai aprender a se controlar."

Miral não conseguia parar de pensar nas palavras que Hani havia lhe dito ou em seus olhos escuros, que pareciam olhar no fundo de sua alma. Eles partilhavam uma paixão pela política e o comprometimento com o trabalho social nos campos de refugiados; ambos admiravam a esquerda da OLP pelo rigor moral que havia demonstrado. Hani, no entanto, criticava a intransigência da esquerda, principalmente em relação às negociações de paz com Israel.

A caminho de casa, Miral se sentiu mais serena, de certa maneira mais concreta e, acima de tudo, fisicamente atraída pelo rapaz. Indo para casa no final de semana seguinte, decidiu passar pelo bairro armênio e entrou na Cidade Velha pelo Portão de Herodes. Sentiu como se estivesse entrando em uma nova fase de sua vida, cheia de energia e entusiasmo e, conforme passava pelo portão, repassou sua escolha mais uma vez na cabeça, sabendo que teria que viver com aquela decisão em segredo. "Eu não vou voltar atrás", pensou.

5

O homem estava olhando nos olhos de Khaldun. Ele acabara de fazer uma proposta ao garoto, a qual poderia mudar o rumo de sua vida. Khaldun olhou em volta para o barraco onde havia passado os últimos três anos, para as ruas lamacentas, para o lixo, para as crianças correndo umas atrás das outras pelo meio do esgoto a céu aberto. O que havia ainda neste lugar para ele fazer? Claro, era seu lar, esta terra, mas também era seu inferno. Que futuro ele poderia ter ali? Ele iria crescer e ficar velho em um barraco e talvez morresse prematuramente, mas por motivos úteis, e ele queria ser útil, fazer sua parte. Ele sentiu a adrenalina aumentando nas veias; teria gostado de jogar futebol sempre que quisesse e ser um combatente quando crescesse. Khaldun assentiu concordando.

O homem de pé diante dele lhe deu um tapa nas costas.

— Ótimo, então está fechado. Assegure-se de estar lá às 7 horas amanhã de manhã — disse, antes de se afastar lentamente.

Khaldun pensou em Miral, sobre a última vez em que a vira, quando ela estava subindo o caminho que levava a Jerusalém. Ela era a única pessoa com quem ele teria desejado conversar antes de partir. Naquela noite, esticado em sua cama estreita, ele relembrou as histórias que as pessoas mais velhas do campo contavam sobre Deir Yassin e Sabra e Shatila, sobre os corpos mutilados deitados em pilhas e se decompondo ao sol. Ele pensou em seu pai, morto no Líbano — Khaldun nem sabia onde ele estava enterrado —, e por um instante pensou na possibilidade de Miral estar certa, de que ele devesse aceitar a bolsa de estudos em Damasco. Ele poderia morar em uma casa, uma casa de verdade. Os outros habitantes do campo, seus amigos e vizinhos, vieram à sua mente, e ele refletiu sobre o destino cruel que os unia. Ele não seria digno de sua família se não lutasse como seu pai, seu avô e seu bisavô haviam feito. Naquela noite, ele adormeceu com a certeza de que fizera a escolha certa.

Said acordara esperando que Khaldun tivesse tempo suficiente naquele dia para ensiná-lo a fazer um estilingue. Esperara por meia hora no lugar no qual Khaldun normalmente jogava futebol com os meninos mais velhos, mas, ao perceber que Khaldun não apareceria, voltou para seu barraco, chutando cada lata e garrafa vazia que encontrava pelo caminho. Viu a mãe de Khaldun do lado de fora do barraco, ocupada, pendurando roupa em um varal esgarçado.

— Bom dia — disse ele. — Sabe onde posso encontrar Khaldun? Ele não está no campo de futebol.

Quando ouviu o nome do filho, a mulher se encolheu. Ela arrumou cuidadosamente um lençol esfarrapado antes de se voltar para o menino.

— Olá, Said. Khaldun não está. Ele foi estudar em Damasco e não pôde se despedir de ninguém porque tinha que partir hoje ao amanhecer, mas me pediu para lhe dar algo.

Said observou a mulher desaparecer atrás da folha enferrujada de metal que lhe servia como porta da frente. Depois de alguns momentos, ela reapareceu e entregou uma sacola de plástico para o menino. Ele a pegou, agradeceu e se afastou devagar. Assim que virou a esquina, sentou-se em uma pedra e abriu a sacola. Para sua grande surpresa, ele se viu segurando a calça militar que Khaldun sempre usava, que havia pertencido a seu pai. Said ficou feliz em receber a calça de presente, pois sabia o orgulho que Khaldun sentia ao usá-la. Havia outro volume na sacola, algo embrulhado em jornal velho. Quando viu o estilingue, ele ficou emocionado e, enquanto corria para o campo onde as outras crianças estavam jogando futebol, seus olhos brilhavam com as lágrimas.

Miral passara a manhã inteira pensando na manifestação que deveria acontecer naquela tarde em Ramallah. Antes de ir para lá, decidiu, ela faria uma viagem rápida ao campo de Kalandia para distribuir alguns livros para as crianças e, com alguma sorte, dizer olá para Khaldun. Durante o almoço, anunciou que não estava se sentindo bem e que ia se deitar um pouco. Correu para o quarto, tirou o uniforme da escola, disparou escada abaixo, atravessou o parque enquanto os professores ainda comiam e escalou o muro.

Miral correu para o Portão de Damasco, o ponto de partida dos ônibus para os territórios ocupados. Quando ela finalmente alcançou o caminho que levava ao campo abaixo, Miral viu Said, que usava um estilingue para lançar pedras na carcaça de um automóvel, enquanto meninos de idades variadas se reuniam em volta dele, admirando-o. Ao chegar mais perto, percebeu que Said usava as calças de Khaldun — ele tivera que enrolar as bainhas bem para cima e amarrar a cintura com uma corda. Sua estatura definitivamente baixa contrastava com seus movimentos sérios, de estilo militar, enquanto ele manejava o estilingue.

Miral o cumprimentou assim que se juntou ao grupo. O garoto estava ocupado mirando no único pedaço de janela ainda intacto na teia de metal que um dia devia ter sido um jipe. Quando ouviu a voz de Miral, ele teve um sobressalto, o que o fez atirar tão longe que acabou atingindo uma das outras crianças ao fundo. A gargalhada se espalhou imediatamente e contagiou Miral também, enquanto Said, vermelho de vergonha, era o único membro do grupo que não ria.

Depois que os risos esmaeceram, Miral se virou para Said.

— Por que Khaldun lhe deu as calças dele? Você as ganhou em alguma espécie de aposta?

— Ele me deu antes de ir para Damasco. Mas eu não o vi. A mãe dele me deu.

— Damasco?

— É, ele partiu hoje ao amanhecer. Não teve tempo de se despedir. Mas você deve saber mais do que eu. Foi você quem ficou empurrando-o para ir estudar lá.

Miral ficou indecisa se deveria revelar que não sabia nada a respeito da decisão de Khaldun e que não a considerava plausível, mas escolheu agir como se não houvesse nada de errado.

— Bem, é claro que eu sabia que ele ia partir, só não achei que fosse acontecer em tão pouco tempo. Você se incomoda de me levar até a casa da mãe dele? — perguntou ela, tentando esconder sua surpresa e satisfação. Seus pensamentos de gratidão foram para Hani, que havia sido bem-sucedido, ao que parecia, onde ela fracassara.

Miral e Said chegaram ao barraco de Khaldun, e então ela esperou que ele fosse embora antes de bater na porta. Quando a mãe de Khaldun atendeu, Miral falou:

— Bom dia. Nós não nos conhecemos, mas eu sou amiga de Khaldun, uma das meninas da escola Dar El-Tifel. E eu... gostaria de saber como a senhora está... e como foi a partida de Khaldun?

— Você deve ser Miral. Entre e sente-se — disse a mulher, apontando para uma cadeira de palha.

Miral ficou surpresa ao ver que a mãe de Khaldun sabia seu nome. Ela gostou instintivamente da mulher, que, embora aparentando olhos tristes, lhe abriu um sorriso adorável.

— Khaldun falou com a senhora sobre mim? — perguntou Miral enquanto se sentava.

— Ele me disse que uma menina muito bonita poderia passar por aqui e me perguntar o que havia acontecido com ele. Quer um pouco de café, querida?

Miral assentiu, e a mulher se levantou para prepará-lo. Colocando duas colheres de café de cardamomo e uma colher de açúcar em uma panelinha, acrescentou água e colocou no fogo, mexendo devagar.

Miral a observou enquanto falava.

— Eu tinha a sensação de que este momento chegaria, mas a partida dele me pegou de surpresa mesmo assim. Seu filho é um menino maravilhoso. Só espero que ele realmente vá para Damasco e não pare no Líbano com o restante da OLP. Será que eu podia vir visitá-la de vez em quando para poder ter notícias dele?

— É claro, venha me visitar quando quiser. Eu aceitei que meu filho vá viver longe de mim para que possa ter possibilidades melhores para seu futuro. Tenho uma carta para você. Ele me pediu para não abrir. Pela maneira que ele fala, sei que tem você em grande estima.

Sentadas na frente do barraco, a mulher e a garota beberam seu café em silêncio. Ambas sabiam que era impossível fazer Khaldun mudar de ideia depois que ele houvesse tomado uma decisão. Nos olhos de sua mãe, Miral podia ver a tristeza de grandes perdas e, ao mesmo tempo, a resignação de alguém que nunca tivera escolha.

— Eu tenho que ir — disse Miral ao terminar o café. — Foi um prazer conhecê-la.

As duas se abraçaram carinhosamente.

— Khaldun tinha razão, você é uma menina inteligente e muito bonita também — falou a mulher enquanto entregava o envelope amarelo para Miral.

A essa altura estava tarde, então Miral decidiu voltar para Dar El-Tifel e não ir a Ramallah, reduzindo assim as chances de que os professores descobrissem sua ausência. Mas, quando escalou o muro e pulou para dentro do terreno da escola, ela percebeu que havia alguém no banco alguns metros à sua frente, fazendo sinal para que se aproximasse. Era a filha adotiva de Hind, Hidaya.

— Aposto que esteve em algum protesto, como sempre. Você sabe o quanto minha mãe gosta de você, e eu sinto a mesma coisa. Então não vou dizer nada a ela sobre essa manifestação, mas você nem vai pensar em ir à próxima.

Hidaya sempre tratara Miral e Rania com gentileza, sentindo grande carinho por elas, ela que havia crescido na escola e tivera a sorte de ser criada pessoalmente por Hind.

— Não, eu juro — disse Miral a ela. — Estive apenas no campo de refugiados de Kalandia. Eu queria ver esse menino, Khaldun. Talvez você se lembre dele; Hind conseguiu para ele uma bolsa de estudos em Damasco. Mas, de qualquer modo, cheguei tarde demais.

— Ele já foi para a Síria? Hind me contou que ele recusou a bolsa de estudos. Ela disse que a ofereceria para uma das meninas da escola.

— Não sei. A mãe dele me entregou uma carta. Talvez diga onde ele está agora — falou Miral, tirando da bolsa o envelope amarelo com a simples inscrição "Para Miral". — Tenho medo de que ele tenha tomado a decisão errada — continuou Miral. — É um menino muito inteligente, mas também é impulsivo. É jovem demais para escolher com sabedoria e frequentemente flerta com a tragédia.

Hidaya deu uma olhada para a escola, para o jardim bemcuidado e para o campo de atletismo das meninas. Este lugar fora toda a sua vida, e ela havia se dedicado inteiramente a ele. Era, para ela, um ponto de referência, um oásis em meio a uma terra devastada.

— Os meninos inteligentes são os que sentem ter os fardos mais pesados, porque são capazes de entender. Às vezes, isso não é um privilégio tão grande — disse Hidaya. — Vá para o seu quarto e não se esqueça do acordo que fez com mamãe Hind.

Quando as outras meninas estavam lá fora, no pátio, e Miral estava sozinha em seu quarto, ela se sentou na cama e abriu o envelope. A caligrafia, apesar de trêmula, era de certa forma elegante.

Querida Miral,

Quando você receber esta carta, eu estarei muito longe. Mas não vou embora para sempre. Um dia, voltarei para minha terra como um homem livre. Vou cultivar os campos da minha aldeia ou retomar os meus estudos. Não tenho a menor intenção de fugir. Sei que poderia, mas não quero. Sou só um menino, eu sei, mas me sinto adulto. A vida nos campos de refugiados não é normal, como você sabe; aqui você aprende a crescer jogando pedras e sem ler livros. O passado volta à minha mente todas as noites e me acorda, e eu fico deitado aqui, suado e zangado. Aqui eu estou sozinho, mas aonde vou haverá muitos outros meninos como eu. Não quero virar um herói. É suficiente para mim ser um soldado lutando por um país que não existe, mas é meu.

O que posso fazer com minha vida, com meu tempo, com meu futuro? Estas são as perguntas que me fiz frequentemente durante noites insones no campo e só agora acho que encontrei uma resposta: posso estar preparado para fazer a coisa certa, para lutar pelas coisas nas quais acredito, seja qual for o custo.

Quero agradecer a você porque você foi a única pessoa que trouxe alegria para minha vida. Seus sorrisos me farão companhia nessa jornada difícil.

Eu a verei em breve,
Khaldun

Uma grande manifestação estava marcada para alguns dias depois, um protesto no qual tanto palestinos quanto israelenses deveriam participar. A gripe, combinada à proibição imposta a ela por Hind e Hidaya, impediu Miral de ir. Ela estava cochilando na cama quando ouviu seu nome.

— Miral, você está acordada?

Hind estava no vão da porta, o cabelo branco preso na nuca, os traços calmos como sempre. Ainda grogue por causa do sono e do remédio para gripe, Miral ficou surpresa em vê-la e conseguiu abrir um sorriso fraco. Então, lembrou-se da manifestação e do fato de estar proibida de participar, e seu rosto ficou sombrio.

— Sei que está zangada comigo — falou Hind, entrando e se sentando na lateral da cama. — E sei o quanto você queria ir à manifestação. Por isso vim lhe dizer que tudo foi bem. Houve alguns incidentes sem importância, mas no geral as coisas correram pacificamente.

Miral não conseguiu conter um sorriso de satisfação.

— Um grande número de pessoas compareceu — continuou Hind. — Vários estrangeiros e especialmente muitos pacifistas israelenses, que marcharam lado a lado com os palestinos, entoando os mesmos slogans, cantando as mesmas canções. Se eu não a deixei ir, Miral, é porque quero proteger você e a escola. Quando se formar e sair daqui, você será livre para fazer o que achar certo, mas, por enquanto, eu só espero que a situação tenha mudado até lá e que garotas inteligentes como você não precisem mais jogar pedras.

Miral a observou. Hind envelhecera muito nos últimos dois anos. Ela parecia mais frágil, apesar do orgulho de sua família estar intacto nos olhos, junto com o legado de sua velha força.

6

Khaldun estava na estrada havia dois dias, escondido em um caminhão que transportava laranjas, tendo um garoto dois anos mais velho do que ele como companhia. Jogados de um lado para o outro pelos bueiros na estrada, eles quase não falavam, mas sorriam fracamente cada vez que seus olhos se encontravam. Khaldun achara uma pequena rachadura entre as folhas de metal que cobriam as laterais do caminhão e, através dessa minúscula abertura, podia ter um vislumbre da paisagem. Primeiro, viu um desfile de pomares intermináveis, aldeias encarapitadas nas encostas das colinas e campinas onde rebanhos de ovelhas pastavam. Pouco a pouco a vegetação foi desaparecendo, a grama se tornou esturricada e a paisagem ficou rochosa e árida. Ele pensou que um dia também teria um pedaço de terra para cultivar e, enquanto isso, estava feliz por não ter que acordar na manhã seguinte na miséria do campo de refugiados.

Um pouco mais adiante, o caminhão fez uma parada brusca e súbita, jogando Khaldun contra um monte de laranjas. Quando se levantou, o outro menino começou a rir dele enquanto o suco brilhante pingava da testa de Khaldun, que fez um sinal para ele ficar em silêncio, como o motorista os advertira a fazer no caso de paradas inesperadas. Eles ouviram vozes do lado de fora, falando em hebraico. Parecia que tinham chegado à fronteira. Os dois meninos haviam sido designados para ficar em um espaço bem profundo no caminhão, perto da cabine do motorista e sob algumas tábuas que, por sua vez, estavam cobertas por uma grossa camada de laranjas. Khaldun e seu companheiro estavam praticamente deitados, com muito pouco espaço para se mexer. Se um soldado olhasse rapidamente na direção deles, não seria capaz de vê-los, mas, no caso de uma inspeção mais detalhada, eles seriam detectados. A porta de trás do caminhão estava aberta e algumas laranjas deviam ter caído, porque Khaldun ouviu o motorista reclamando a respeito de sua carga. Instintivamente, Khaldun pegou algumas laranjas e as usou para bloquear a abertura na lateral do caminhão. O outro·menino fez a mesma coisa de seu lado. Um soldado israelense passou a mão por toda a beira da cobertura de lona. Após alguns minutos, ouviram o som da porta se fechando e do motor sendo ligado de novo, e os meninos suspiraram aliviados.

Finalmente o caminhão chegou ao desembarcadouro do cais de Acre e entrou no casco de um pequeno navio de carga do Chipre.

Khaldun sentiu o navio andar. Ele queria sair daquele caminhão, ir para a ponte, ver o mar e sentir seu cheiro. Por mais de dois dias, ele e seu companheiro de viagem haviam visto pouco mais do que laranjas. Ele gostava muito da fruta, de seu aroma delicado e sabor característico. Ela era o símbolo de seu país, e um dia ele teria um grande laranjal. Mas, no momento, no calor e fedor do casco, o cheiro de laranjas lhe parecia do lixo. O mar estava subindo, e o navio começou a balançar. Khaldun sentiu o pouco que havia em seu estômago revirar-se, mas lutou contra o enjoo e tentou pensar em algo belo. Era impossível. O cheiro das laranjas maduras era nauseante. "Quando será que terei meu primeiro rifle?", ele pensou, tentando fugir de sua situação surreal. Uma barbinha rala tornava seus traços ainda mais duros. Levando-se tudo em consideração, ele estava feliz; dali a dois dias, não seria mais um refugiado. Seria um partidário político, talvez até um guerreiro, em uma luta que mais cedo ou mais tarde o faria voltar à Palestina como um libertador. No final, ele escolhera não fugir, não ir para Damasco para estudar matemática ou para o Kuwait para trabalhar para os magnatas do petróleo. Ele iria para o Líbano, para estudar e treinar.

— Uma nova guerra virá, e desta vez não vai durar seis dias — disse ele em voz baixa, mas ninguém podia ouvi-lo, porque o ronco dos motores abafava qualquer som. O navio desembarcou sua carga de laranjas e desespero no porto de uma cidadezinha no sul do Líbano. As frutas, a essa altura bastante maduras depois da longa viagem, acabariam sendo espremidas por máquinas de aço brilhantes para virarem suco, que então seria vendido para diversas partes do mundo. Por sua vez, os dois meninos iriam alimentar um aparato diferente, a máquina da guerra, que em alguns meses os tornaria homens, transformando seu rancor em ódio, sua adrenalina em coragem, sua adolescência em ousadia e sua doçura em resolução. Khaldun acendeu um cigarro em uma tentativa de tirar o cheiro amargo das laranjas da boca. A lua lançava uma longa esteira de luz por cima do mar, como uma ponte sobre a escuridão.

— Antes de mais nada, eu quero que vocês todos tenham em mente, sempre, que há uma grande diferença entre a violência que nosso povo é compelido a usar como meio de obter a terra que nos pertence e massacres como aqueles de Deir Yassin e Sabra e Shatila. Se entenderem isso, já estão no caminho certo. Sei que vão sentir saudades de casa. Mas olhem para o outro lado do mar, aquela é Acre, e além dela, Haifa; assim, irão se sentir em casa.

O instrutor militar, apesar de sua apresentação gentil, não tinha a menor intenção de ser indulgente com o grupinho de meninos, quase todos menores de idade, que haviam se reunido no campo de treinamento pela primeira vez. Khaldun olhou em volta. Sem uniformes, sem armas, mais tímidos do que exibidos, eles pareciam mais preparados para um passeio de barco do que para uma batalha. O homem que estava falando era o único de uniforme militar. Ao final de seu breve discurso, ele fez um sinal para Khaldun, enquanto seus companheiros de armas se moviam desordenadamente em direção à tenda que servia de refeitório.

— Você deve ser o filho de Khaled — disse o instrutor.

— Fui eu quem insistiu para que o procurassem. Eu estava ao lado do seu pai quando ele foi morto. Era um dos homens mais corajosos que já conheci. Se tivéssemos mil combatentes como ele naquela época, estaríamos bebendo café à beira-mar em Tel Aviv neste momento. Você tem os olhos dele; vamos esperar que também tenha sua coragem. Se a resposta for sim, vai ter a chance de mostrá-la. Agora é melhor você ir comer, porque logo logo não vai sobrar nada da sopa, nem mesmo o cheiro.

Khaldun se sentiu burro por não ter dito nada, por não ter perguntado como seu pai morrera, mas, ao mesmo tempo, foi tomado por uma sensação libertadora. Talvez ele estivesse malvestido e subnutrido como a maioria dos outros meninos, mas se sentia diferente. Ele era filho de Khaled, filho de um herói. Um lutador de nascença.

7

Hani já estava sentado a uma mesa, bebendo café de cardamomo e lendo *Al-Quds*, o jornal árabe diário de Jerusalém, e, pela expressão em seu rosto, Miral adivinhou que a notícia não era boa. Ela ficou imóvel e o observou de longe durante alguns momentos. O rapaz parecia uma mistura de calma, carisma e dignidade. Clientes do café se aproximavam para cumprimentá-lo e, principalmente, para ouvir suas opiniões.

Os olhos dele encontraram os de Miral, e ele fez um sinal para que ela se aproximasse.

Antes mesmo que ela pudesse se sentar, ele sorriu e perguntou:

— Já se decidiu tão rápido?

— Bem, você também foi rápido. Sabe do que estou falando. Mas, de qualquer modo, eu não teria voltado se não fosse assim. Quero fazer a minha parte! Não posso mais ficar parada tamborilando os dedos. Já viu o que está acontecendo em Gaza? Só ontem cinco pessoas foram mortas lá — falou ela, a voz firme, dizendo em voz alta as palavras que repetira com tanta frequência em sua cabeça.

— É, estou lendo sobre isso agora. Infelizmente, esses são os mesmos crimes sobre os quais lemos todos os dias, não apenas em Gaza, mas também em Jenin, em Nablus e em muitas outras cidades palestinas. O mais perturbador é que esses eventos estão acontecendo contra um cenário de silêncio mundial. Outros países estão preocupados demais com suas economias e debates a respeito de corrupção no governo para prestarem atenção. De qualquer maneira, Miral, há algo urgente a ser feito. Você está disposta?

— É claro — respondeu ela sem hesitação.

Hani sorriu e dobrou o jornal.

— Vamos dar uma volta.

Quando estavam do lado de fora, ele começou a falar novamente.

— Eu queria lhe dizer que Khaldun já está em Beirute, onde vai estudar e receber seu treinamento.

Sem pensar nas consequências, Miral lhe deu um grande abraço e um beijo na bochecha. Eles estavam passando em frente ao Portão de Damasco, e os outros pedestres olharam para eles, escandalizados. Hani se soltou gentilmente, pegou-a pelo braço e disse:

— O toque de recolher acabou de ser cancelado em um dos campos de refugiados perto de Ramallah. Em breve nós iremos para lá e ajudaremos os agricultores a colher suas azeitonas antes que seja tarde demais. — A expressão de surpresa e decepção dela o divertiu, e ele acrescentou: — Olhe, o que vamos fazer é extremamente importante. É assim que o nosso povo vive, e até os menores atos são significativos. Mas antes eu tenho que apresentá-la ao restante do grupo.

O encontro aconteceu em um velho apartamento no bairro armênio, perto do Portão de Jaffa. Esta era a parte mais alta da Cidade Velha, e de lá se tinha uma vista por cima dos telhados, vermelhos a oeste e brancos a leste, descendo até a Esplanada das Mesquitas. O campanário da Catedral de São Tiago se elevava majestosamente acima da vastidão de prédios mais baixos e das folhagens exuberantes dos jardins públicos, que serviam de ponto de encontro para os jovens das vizinhanças.

Os proprietários de uma loja do outro lado da rua ficavam de olho no apartamento e, caso vislumbrassem a polícia na rua, avisariam a todo mundo, pendurando um pedaço de pano branco na porta e sinalizando que o apartamento devia ser evacuado imediatamente.

Na sala da frente do apartamento, cerca de dez pessoas estavam ocupadas fazendo fotocópias e mimeografando panfletos; no segundo aposento, que era maior e mais confortável, seis outras estavam sentadas em volta de uma grande mesa de madeira, absortas num debate, a fumaça de seus cigarros subindo em espirais antes de se acumular sob a abóbada do teto de pedra.

Uma das pessoas à mesa, um rapaz chamado Ayman, foi o primeiro a falar:

— Aqui está o secretário! — disse, apontando para Hani.

— Falávamos sobre encontrar meios seguros de colocar líderes locais da intifada em contato com homens da OLP em outros países.

Antes de responder, Hani fez um sinal para que Miral chegasse mais perto.

— Também temos que criar novos canais para mandar e receber recados — falou ele. — Os antigos não são mais seguros, e é por isso que precisamos de rostos novos, que o serviço secreto não conheça. Deixem-me lhes apresentar Miral, uma nova camarada.

E então Miral os cumprimentou. Seus sorrisos lhe disseram que ela já fazia parte do grupo, e eles a convidaram a tomar parte à mesa. Eles formavam uma célula clandestina e, assim, realizavam suas reuniões em apartamentos diferentes de tempos em tempos e ocasionalmente em parques públicos. Miral seria notificada diretamente a respeito ou por Hani ou por uma garota de seu bairro chamada Jasmine.

Hani começou passando pela escola em dias alternados, chegando na mesma hora, pouco depois de as aulas terem terminado. Sem chamar atenção, ele se colocava atrás de uma grande árvore perto do portão dos fundos do campus. Miral o encontrava ali, e os dois trocavam apenas algumas palavras a fim de evitar que o porteiro os visse. Hind tinha uma vaga ideia de que algo estava acontecendo, mas achava que Miral só estava se deixando levar pelo rodamoinho geral da adolescência. De sua parte, Miral tinha muito cuidado para não ser pega. Ela parecia ter perdido sua alegria e vivacidade, e sempre se mostrava distraída. Suas notas não eram mais espetaculares como haviam sido um dia. Mas ela tentava agir como sempre, pelo menos com as meninas menores. Nas noites em que as meninas pediam a ela que lhes contasse histórias para dormir, Miral ficava de pé no meio do quarto e pedia a elas que botassem a cabeça no travesseiro e fechassem os olhos, e então começava a lhes contar histórias de *As mil e uma noites*, a história do rei que matava suas esposas na noite de núpcias, uma depois da outra, por medo de que pudessem traí-lo, até que uma jovem chamada Sherazade se salvou contando a ele uma história diferente noite após noite. Contar histórias era o momento preferido do dia de Miral.

Apesar de Hind parecer não saber o que estava acontecendo, ela conhecia Miral bem demais e sentia que a garota só estava fingindo seguir as regras; mas, como Miral arriscava-se a ser expulsa imediatamente por qualquer infração, Hind agia como se não houvesse nada errado. Ela gostava muito da menina e acreditava em Miral, que, como todos os garotos e garotas de sua geração, era forçada a crescer rápido demais.

Miral manteve sua promessa de encontrar Hani e ir com ele ao campo de refugiados perto de Ramallah. Como a visita caiu no final de semana, quando estava em casa, ela simplesmente disse a seu pai que ia passar o dia com uma amiga.

— Você já leu *My Home, My Land*, de Abu Iyad? — perguntou Hani a ela quando estavam entrando no carro. Miral sacudiu a cabeça. — Ele foi uma das mentes mais iluminadas do nosso povo — continuou Hani — O Mossad o assassinou.

Conforme dirigiam, sacudindo com os buracos no asfalto, Miral extravasou toda a raiva que havia segurado desde sua última visita ao campo de Kalandia.

— Os confrontos no campo me convenceram de que ensinar inglês para as crianças não basta. Estou disposta a ajudar os agricultores com a colheita, mas quero fazer mais. Estou falando sobre uma reação de verdade, uma reação adequada, que faça muito barulho do outro lado. Vocês todos pertencem à Frente Popular, Hani. Deviam ser o partido das ações, não das palavras, droga!

Hani estava dirigindo com grande concentração, decidido a evitar o máximo de buracos possíveis na faixa de asfalto que dividia aquelas colinas duramente disputadas.

— Miral — disse ele —, você tem que entender que o objetivo da luta não é extravasar a nossa raiva, mas nos libertar da ocupação. Eu entendo e admiro o seu entusiasmo. Sei que você é corajosa e, acredite em mim, vai ser muito útil à FPLP e à causa palestina. Mas de jeito nenhum vou permitir que se junte ao braço armado. Você é impulsiva demais para fazer parte disso. — Depois de uma pausa, Hani continuou. — Em vez disso, você vai trabalhar dentro da estrutura política. Precisamos de novas perspectivas, de indivíduos inteligentes que possam aumentar a consciência de nosso povo e fazé-los entender o que está acontecendo. A ignorância é uma armadilha na qual é muito fácil de se cair. Decidi que você vai trabalhar como mensageira do setor organizacional. Você vai ver, será uma tarefa emocionante. E quero que venha às reuniões semanais de setor para poder escutar e aprender.

Hani apertou a mão dela e, ao sentir o calor emanando da mão dele, Miral ficou agradavelmente agitada. Quanto a Hani, estava bastante encantado com aquela menina, com seu frescor, seus silêncios, o olhar desafiador que às vezes ele via em seus olhos. Ele sentia que a ânsia dela em fazer sua parte, caso direcionada adequadamente, seria muito útil.

Quando chegaram ao campo, eles viram um grupo de lavradores, junto a alguns meninos e meninas mais novos, todos ocupados colhendo azeitonas. Alguns trabalhadores estavam nas árvores, soltando azeitonas, enquanto mulheres os juntavam em engradados ou em grandes plásticos abertos no chão. Miral e Hani se juntaram ao grupo e começaram a trabalhar ao lado dos outros. Depois de algum tempo, Miral começou a sentir dores excruciantes nos braços e nas pernas; Hani lhe entregou uma garrafa d'água e lhe disse para parar por um ou dois minutos. À tarde, depois que a primeira manhã da colheita havia chegado ao fim, eles foram convidados para almoçar com os lavradores. A refeição foi arrumada em um tapete azul e vermelho que fora estendido no chão atrás da fazenda e cercado por genuflexórios cheios de lã crua. Incluía espetos de carneiro grelhado, arroz de açafrão, legumes grelhados e salada. Enquanto os outros estavam se sentando para comer, Hani, carregando um prato cheio de comida e uma jarra de limonada fresca, se dirigiu para uma casa pequena e isolada. Miral foi capaz de vislumbrar um homem de cerca de 30 anos que conversava com Hani enquanto devorava a comida. Ela não conseguia imaginar quem ele poderia ser, mas adivinhou que a casinha era seu esconderijo.

Hani retornou meia hora depois e se sentou ao lado de Miral, que estava mastigando um pedaço de carneiro. Percebendo que alguns fios de cabelo haviam entrado em sua boca, ele os afastou carinhosamente, sorrindo e levando seu rosto mais para perto do dela. Miral sentiu seu coração batendo enlouquecidamente e baixou os olhos para esconder a vergonha; o restante do grupo, imerso em conversas e piadas, não prestou atenção. Hani se inclinou na direção dela novamente, oferecendo-lhe comida, mas, dessa vez, Miral estava distraída pela tarde e subitamente deu um pulo e ficou de pé, exclamando:

— Ah, meu Deus, eu tenho que ir!

Ela tinha medo de que seu pai começasse a se preocupar. Então Hani, se ofereceu para acompanhá-la até em casa. Quando chegaram a Jerusalém, deixaram o carro em um estacionamento fora da Cidade Velha e andaram juntos, atravessando o *souk* até o lugar onde teriam que se separar. Estavam cheios de uma felicidade que não precisava de palavras. Andaram juntos de mãos dadas, quase se abraçando, trocando olhares de compreensão mútua e desejo conforme abriam caminho pela multidão que vinha da Cidade Velha e ia para as aldeias na periferia de Jerusalém. No meio dessa confusão, Miral não viu seu pai, que estava em uma barraca comprando café. Surpreso e incrédulo, Jamal observou sua filha passar. Cheio de raiva, ele se esqueceu do café e correu para alcançá-la.

— O que está fazendo aqui, Miral? E quem é este homem? Não, espere, eu não quero saber — falou ele, bloqueando a resposta da filha com um gesto com a mão. — Vamos para casa neste instante! — gritou, puxando-a pelo braço. Hani tentou explicar, dizendo que sentia muitíssimo. Mas não há nada mais obstinado do que a ira de um pai que acredita estar protegendo sua filha.

Hani observou por alguns momentos enquanto Jamal arrastava Miral Via Dolorosa abaixo. "Que nome adequado", pensou, e então começou a andar em direção a seu apartamento.

Miral se virou por um instante e viu que Hani havia desaparecido. Ela tinha medo de que aquele fosse o fim de tudo, de que não fosse mais vê-lo.

— O que diabos estava fazendo? É isso que eu gostaria de saber! Você enlouqueceu? — Seu pai a encheu de perguntas, não tanto procurando respostas quanto exorcizando sua própria raiva e medo. — O que estava fazendo com aquele homem? Você faz alguma ideia de quem ele é?

Enquanto Jamal continuava gritando furiosamente e a empurrava à sua frente, Miral encontrou forças para retrucar:

— Ele é um amigo meu, Baba. É uma boa pessoa. Não é pecado ser politicamente ativo. Ele é um verdadeiro patriota! — Jamal nunca ouvira a voz dela vibrar com tanto orgulho.

— Patriota? — replicou ele, abrindo a porta principal do edifício. — Você não faz ideia do que está falando! Há quanto tempo o conhece?

— Ele é amigo da Jasmine. Eu o conheci por acaso... — Antes que pudesse terminar sua frase, Jamal lhe deu um tapa no rosto.

— Não me olhe nos olhos e minta para mim! — gritou ele com todas as suas forças. — Acha que eu sou burro? Agora me escute com atenção. Você é jovem demais para entender a situação na qual está se metendo. Então, antes que faça algo irremediavelmente idiota, eu a proíbo totalmente de ver aquele homem novamente! Está me ouvindo? Eu já vi isso antes. Nossa família foi destruída da mesma maneira. Minha irmã passou dez anos na prisão e depois foi expulsa do país. Ela não vai ver sua terra de novo. Não quero isso para você. A violência não é o caminho.

— Você não entende nada porque tem se escondido na mesquita a vida inteira! — As palavras explodiram automaticamente da boca de Miral. Então, vendo o quão profundamente o havia magoado, ela continuou: — Eu não quis dizer isso, Baba. — Mas um mar de decepção surgira subitamente entre eles. Jamal estava realmente arrasado. Miral nunca vira seu pai em tal estado, e as palavras ficaram presas em sua garganta enquanto as lágrimas escorriam por seu rosto.

Ela se sentia humilhada e confusa, mas não conseguia evitar que seus pensamentos voltassem às últimas semanas. Elas haviam sido as mais intensas de sua vida, e ela não conseguia se imaginar voltando para a vida que tivera antes, como se nada tivesse acontecido. Ela tinha que descobrir uma maneira para se comunicar com Hani e continuar sua atividade política.

Miral passou um dia na cama, sem tocar na comida ou falar com quem quer que fosse. Sua irmã Rania tentou distraí-la contando piadas engraçadas. Em seguida, ela listou os sacrifícios que seu pai havia feito por elas, lembrando a Miral o quanto ele a amava. Mas só quando viu os olhos de seu pai — ele estivera chorando em particular — Miral mudou sua atitude. Era a primeira vez que ele impunha qualquer coisa a ela ou a tratava de maneira autoritária. A tristeza dela cresceu, e, junto com ela, a raiva. Ela sabia que nunca poderia desistir de Hani e de seus ideais. Mais do que nunca convencida de que o que estava fazendo era o correto, ela percebia agora que teria que enganar não apenas a escola — como se não fosse o bastante — mas também seu pai.

Decidiu usar a astúcia. No decorrer dos dias seguintes, tentou assumir uma aparência serena para que as autoridades da escola acreditassem que estava se dobrando à sua vontade; mas, assim que pôde, se encontrou com Hani no café no bairro armênio. Juntos, eles concordaram com uma série de precauções que preveniriam futuros incidentes. Eles se veriam com muito menos frequência — nunca em público — e se comunicariam por intermédio de Jasmine.

— Não quero parar de vê-la. Eu não posso. Se você quiser, eu falo com seu pai — disse Hani.

— Não, não, por enquanto é melhor esperar — respondeu Miral. — Talvez você possa fazer isso mais à frente. Eu também não quero parar de vê-lo. — Seus olhos se encontraram, e eles se abraçaram apertado.

— Eu entendo por que seu pai está preocupado — falou Hani. — Nós todos somos alvos. Shin Bet, o serviço secreto de Israel, não está apenas observando; todo dia eles prendem um ou mais dos nossos camaradas. Você também tem que ser cuidadosa. Não guarde panfletos ou outros materiais comprometedores em casa. Infelizmente, o rapaz que era nosso contato com a OLP na Jordânia desapareceu. Ele partiu há dois dias e nunca chegou lá. Ninguém sabe onde ele está, e temo que tenha sido preso.

— Talvez ele só esteja se escondendo por algum tempo — disse Miral — Não quero parecer ingênua, mas nós todos estamos ficando paranoicos.

— Espero que você tenha razão, *habibti*, mas William Burroughs disse uma vez que "paranoia é só ter todos os fatos". O grande problema é que ele estava carregando documentos, incluindo um relatório detalhado das operações que realizamos nos últimos três meses. Ele foi visto pela última vez tentando atravessar de Israel para a Jordânia pela ponte Allenby.

Um arrepio percorreu a espinha de Miral quando ela ouviu a tensão na voz de Hani. Antes de voltar para o campus de Dar El-Tifel, ela se livrou de todos os panfletos que tinha, queimando-os na banheira, e escondeu seus livros no bueiro em frente a seu prédio.

8

A semana seguinte foi calma. Miral só viu Hani uma vez. Ela carregou panfletos impressos pela gráfica clandestina da FPLP até vários bazares fora da Cidade Velha, onde alguns dos outros ativistas do grupo os coletariam e distribuiriam. Quando o final de semana chegou, Miral, como sempre, foi para a casa do pai. O relacionamento deles parecia mais tranquilo. No fundo de seu coração, Jamal estava preocupado, especialmente ao ver os olhos evasivos e enigmáticos da filha, mas havia decidido deixar as coisas andarem, pelo menos no momento. E, enquanto preparava um almoço digno de ocasiões especiais, ele analisava Miral, que parecia estar passando por uma grave crise nervosa. Ele não sabia se devia atribuir isso às provas que ela teria em breve ou a algo que ela estava escondendo, mas decidiu conversar a respeito no dia seguinte, em vez de perturbar a atmosfera de harmonia que havia naquele momento em sua casa.

Miral adormeceu feliz naquela noite, pois veria Hani de novo no dia seguinte. Eles deveriam se encontrar na Igreja do Santo Sepulcro, onde haviam estado deixando recados um para o outro durante as últimas semanas, escondendo bilhetes debaixo da pedra negra atrás do altar na Capela da Crucificação. Não dava para expressar o quanto ela sentia falta de Hani.

Na manhã seguinte, Jasmine foi até a casa dela para lhe dizer que todos a esperavam em uma manifestação que o movimento decidira fazer no último minuto. Miral pediu para Rania lhe dar cobertura e foi para o evento. Quando chegou, ela serpenteou por entre a multidão até chegar ao destacamento da FPLP. Hani estava no meio. Uma echarpe vermelha cobria a maior parte de seu rosto, mas Miral reconheceu seus olhos imediatamente; ela nunca conhecera ninguém cujo olhar fosse tão profundo e intenso. Um arrepio a percorreu, e Hani também pareceu alegremente surpreso. Eles se abraçaram enquanto a multidão ondulava em torno deles, gritando palavras de ordem. Hani e Miral se permitiram ser carregados pela massa multicolorida, como galhos em um rio durante uma enchente. Estavam de mãos dadas quando ouviram a primeira lata de gás lacrimogêneo chiando pelo ar. Parte da multidão começou a correr enlouquecidamente, enquanto alguns dos manifestantes mais jovens passaram a jogar pedras e a arremessar bolas de gude com estilingues. Outros improvisaram barricadas com latas de lixo e atearam fogo em pneus de carro. Alguns militantes da FPLP estavam carregando coquetéis molotov e começaram a acendê-los e a arremessá-los nos tanques israelenses. Miral foi tomada pela adrenalina. Desta vez, ao contrário do ataque ao campo de refugiados, ela não estava com medo; o que sentia por dentro era um ódio denso e negro correndo por suas veias. Ela mal percebeu o gás lacrimogêneo e estava respirando profunda e normalmente. Um jovem manifestante estava distribuindo coquetéis molotov. Miral foi até ele. Ela acendeu a bomba incendiária que ele lhe deu, correu na direção dos israelenses e atirou neles.

Miral se virou e viu Hani. Ele parecia chocado e aturdido. Seus olhos estavam tristes agora, mas não com a melancolia de sempre. Ele foi até Miral, segurou-a por trás e tentou tirá-la de sua raiva.

— Nós vamos embora neste instante — disse ele enquanto a segurava. — Isso não é para você. Nós não somos assim, Miral. Isso não vai nos levar a lugar algum.

Miral olhou para ele, surpresa.

— O que você está dizendo? Não era isso que você queria? A luta cresce na proporção da raiva das pessoas. Este é o único caminho que nos resta e não podemos voltar atrás agora.

Nesse ponto, Hani a levou para longe à força e, quando haviam quase atravessado a multidão de manifestantes, nadando contra a corrente desta vez, Hani puxou sua echarpe para baixo e se virou para ela.

— Miral, você tem que me escutar. Toda essa violência não faz mais sentido. Eles são militarmente superiores a nós, independentemente do que façamos, e esse desequilíbrio de forças irá nos levar à barbárie. Tenho medo do que podemos nos tornar. Se respondermos a cada um de seus ataques com mais violência, vamos acionar o mecanismo clássico do "cão que morde o próprio rabo" e vamos nos tornar prisioneiros de sua lógica fadada ao fracasso. Temos que obrigá-los a sentar à mesa de negociações e temos que inventar outras maneiras de responder a eles.

Desanimada e zangada, Miral replicou:

— O que você sugere que façamos? Que nos entreguemos? Que façamos uma toca e vivamos como coelhos? O que há com você? Você me assusta quando fala assim. Eu não o reconheço.

— Depois das prisões dos últimos dias, eu estou convencido de que um confronto violento vai acabar sendo benéfico para os israelenses que não querem negociações: os colonizadores, por exemplo, a direita religiosa, a direita ortodoxa. Você não entende? É uma estratégia política que eles estão usando para nos desacreditar, para parecer aos olhos do mundo que *nós* somos a força de ocupação e são *eles* que estão se defendendo. Nossa esperança está na porção da sociedade civil israelense que está ficando cada vez mais convencida de que a paz deve ser restabelecida entre nós. Pense sobre isso e vai ver que precisamos começar a trilhar caminhos que deem resultados rápidos, porque o nosso povo não pode continuar nesse caminho. Temos que deixar espaço para negociações, e chegar a um comprometimento político é crucial. A violência é uma armadilha que estamos estupidamente armando para nós mesmos. Temos que usar o cérebro, não os instintos. Somos dois povos lutando pelo mesmo pedaço de terra. Ambos temos nossos motivos e nós dois somos vítimas. Eles sofreram o Holocausto e nós sofremos porque o mundo se sentiu culpado e nos usou como moeda de troca.

Miral ficou olhando para ele e não teve resposta. Ela sentia que havia algo verdadeiro em suas palavras, mas esperava que ele estivesse só desabafando.

— A verdade é sempre inconveniente — falou ela —, principalmente quando você a diz em voz alta. Não devia falar assim em público, Hani, não neste momento. É perigoso demais. Você pode ser mal-interpretado e sabe que não é preciso muito para alguém ser tachado de traidor.

Hani também não estava com vontade de falar mais. Ele aproximou seu rosto do de Miral, tão perto que podia sentir seu calor. Seus lábios se encontraram em um beijo apaixonado. Não era o primeiro beijo deles, mas foi o mais desesperado, abolindo o tempo e o espaço apesar do gosto acre do gás lacrimogêneo e da confusão em volta deles. Agarrados um ao outro, eles se afastaram em direção à Cidade Velha.

Mês após mês, conforme o conflito aumentava, também aumentava a divisão entre as facções palestinas, em grande parte devido às negociações secretas de paz, cujos objetivos eram amplamente partilhados pela sociedade civil. Mas os esquerdistas radicais e os grupos religiosos acreditavam que tais esforços eram uma concessão, era comprometer a causa e — acima de tudo — uma traição. Hani temia especialmente os colaboracionistas, isto é, espiões que passavam informações aos israelenses porque precisavam de dinheiro ou de vistos de trabalho. Por causa deles, a desconfiança reinava em todos os lugares. Tinha-se que ser muito cauteloso, não se podia confiar em ninguém. Não se podia falar ao telefone por medo de escutas, e todos os documentos tinham que ser queimados depois de lidos. Hani dizia que todo mundo era espião em potencial e que o inimigo tirava vantagem das fraquezas das pessoas para atraí-las para a armadilha. Toda semana apareciam panfletos listando os nomes dos colaboradores; eles e suas famílias eram repudiados pela sociedade palestina.

Desde 1948, o serviço secreto israelense vinha constantemente aperfeiçoando suas estratégias para contra-atacar a onda de protestos. A atual inquietação não era nem um pouco enfraquecida por métodos tradicionais de repressão, e o grande eco produzido pela imprensa internacional e pelos jornais diários, que descreviam em detalhes tudo que acontecera nos territórios ocupados, estava causando ao governo israelense cada vez mais constrangimento. As autoridades procuravam novos métodos de esmagar a revolta enquanto criavam o mínimo de notícias possível fora do país. Entre esses métodos, o mais sangrento certamente era o amplo recurso de atiradores de elite, que eram deslocados para lugares mais sensíveis e preveniam qualquer reunião de jovens nas ruas. A aparência de tranquilidade e coexistência pacífica tinha que emanar da capital, Jerusalém, a qualquer custo. Então soldados se tornaram uma presença permanente em cada esquina das ruas estreitas da cidade, assim como ao longo das estradas que levavam à cidade. Os líderes da resistência palestina também fizeram ajustes em seus métodos, mudando constantemente os locais de suas manifestações e evitando áreas onde não havia abrigo, como praças públicas.

O sistema mais dissimulado criado pelos israelenses envolvia usar comerciantes árabes, especialmente cabeleireiros e esteticistas, para recrutar informantes e pombos-correio entre suas jovens clientes mulheres. Os proprietários das lojas eram ameaçados com a perda do alvará ou lhes diziam que a pressão fiscal logo os forçaria a fechar. Passavam, então, a cooperar e, com sua cumplicidade, as jovens clientes eram drogadas e então, enquanto sob influência de narcóticos ou soníferos,

213

fotografadas em poses obscenas. Alguns dias depois, a tal garota era contatada e chamada à loja com a desculpa de que havia esquecido algum objeto pessoal. Alguns agentes do Shin Bet estariam esperando por ela. Os homens do serviço secreto lhe mostravam as fotografias e, ameaçando divulgá-las e com isso desonrar a moça e sua família, as obrigavam a espionar membros da resistência e, às vezes, a marcar seus automóveis com um líquido fosforescente perceptível apenas pelo equipamento de raios X dos helicópteros militares, tornando os carros e as pessoas dentro deles alvos potenciais de ataques fatais de mísseis.

Durante a Primeira Intifada, esse método foi usado para forçar dúzias de garotas a se tornarem informantes. Alguns meses depois, uma delas teve a coragem de relatar sua experiência para um dos líderes da resistência com quem vinha saindo há algum tempo. Esse homem, sabendo que teria que levar o assunto a público, antes de mais nada pediu a mão da garota em casamento, de forma a não desonrá-la, e então mandou imprimir folhetos e os distribuiu em todos os bairros árabes da cidade, pedindo que as meninas que haviam sido chantageadas não colaborassem com os israelenses e entrassem em contato com a resistência. Durante os dias que se seguiram, muitas moças, estudantes que viviam em Jerusalém e nas aldeias vizinhas, apareceram. Aquelas que se apresentaram tiveram a confidencialidade e o perdão garantidos. Rapazes da resistência se casaram com elas para que não caíssem em desonra quando as fotografias fossem publicadas. Nos casos mais delicados, elas foram morar em outro lugar a fim de evitar a retaliação. Essa cadeia de solidariedade envolveu todos aqueles que, de uma forma ou de outra, participaram nos distúrbios e permitiram que a Primeira Intifada continuasse até 1992, apesar da dura repressão israelense.

Lojas pertencentes a barbeiros e cabeleireiros que haviam participado das chantagens foram incendiadas; seus nomes foram divulgados e eles, banidos da cidade. Aqueles cuja cooperação resultara na morte de um líder da resistência foram condenados, sentenciados e executados; outros foram poupados, em consideração a detalhes atenuantes, mas foram obrigados a pedir desculpas publicamente e a visitar escolas, contando suas histórias e informando as garotas sobre os perigos aos quais poderiam estar sujeitas.

Havia uma profunda hostilidade em relação à polícia secreta e ao Exército israelense, mas talvez ainda mais intensa fosse a aversão reservada a qualquer palestino que colaborasse com eles. Falando claramente, o que estava acontecendo não era tanto uma guerra quanto um conflito ancestral e visceral entre dois povos. De um lado, um Exército nacional bem-treinado e bem-armado; do outro, uma turba de jovens que seguia seus instintos em vez de qualquer estratégia ou arte marcial. O ódio recíproco compensava a falta de perspectivas nessa luta e fornecia o cenário para uma obsessão mútua e tenaz pela mesma terra. Hani temia que uma solução fosse demorar a chegar e que, enquanto isso, a reação de seu povo fosse se tornar cada vez mais radical e talvez caísse sob o controle de países na fronteira que tinham contas a acertar com Israel.

Miral suspeitava de que algumas meninas de sua escola estivessem sendo chantageadas. Na verdade, ela percebera que duas alunas não participavam mais das manifestações. Elas haviam se isolado até mesmo em sala de aula, estavam comendo menos e pareciam deprimidas. Ela decidiu explicar às suas colegas de escola a conduta adequada em caso de chantagem e fez algumas reuniões de improviso. As duas meninas — junto com uma terceira, que evidentemente dissimulava melhor — empalideceram visivelmente com as palavras dela. Alguns dias depois, as três confessaram.

No entanto, havia outra garota em especial que levantava as suspeitas de Miral. Fadia era pequena, bonita e ambiciosa, com pele delicada, olhos claros e cabelo liso. Ela nunca confessou ter colaborado com os israelenses, mas Miral desconfiava dela ainda assim, apesar de estarem na mesma turma e de Fadia ser sempre gentil com Miral. Embora a família de Fadia fosse visivelmente pobre, ela era uma das garotas mais elegantes da escola e, quando deixava o campus à tarde, sempre trazia um presentinho para Miral: doces, um caderno ou talvez um sorvete.

Um dia, durante uma manifestação, um amigo apresentou a Miral uma lista de garotas que estavam colaborando com os israelenses. Por causa da delicadeza da situação e da atenção especial dada a não desonrar as meninas, tais listas raramente continham erros. Ao lado dos nomes das três garotas de Dar El-Tifel que haviam confessado, Miral leu o nome de Fadia e entendeu o motivo por trás das constantes atenções, dos presentes, dos sorrisos forçados. Ela suspeitava de que essa garota aparentemente ambiciosa nem fora chantageada, mas se oferecera voluntariamente como colaboradora em troca de dinheiro. Miral se sentiu em perigo: Fadia podia dar seu nome para os israelenses a qualquer momento e, se já não o tivesse feito, era porque provavelmente queria mais dela. Era bem provável que ela quisesse conhecer os líderes da resistência de quem Miral se tornara amiga.

Miral decidiu que a única coisa a fazer era se distanciar de sua colega de turma, não abruptamente, mas lentamente, tentando não levantar as suspeitas de Fadia e evitar que ela desse o nome de Miral para o Shin Bet. Fadia pediu várias vezes para ir às demonstrações com ela, mas Miral respondia que não pretendia mais participar porque chegara a hora de pensar em seu futuro. Depois disso, foi Fadia que se distanciou, aos poucos, tendo percebido que sua amiga se tornara cautelosa e que não seria mais capaz de tirar informações dela. Consciente de que o jogo acabara, Fadia também sabia que seria a principal suspeita se algo acontecesse com Miral. Ela então voltou sua atenção para outra pessoa e, no final do ano letivo, se transferiu para outra escola.

Na aparência, a vida de Miral corria de maneira normal e ela ia para a casa do pai todos os finais de semana. Na realidade, porém, ela estava lidando com duas vidas paralelas: a normal da escola, que levara durante anos, onde a maior parte de seu tempo era dedicada aos estudos, e sua única distração eram as histórias noturnas que ela contava para as meninas mais novas; e a vida secreta ligada a Hani e à intifada. Ela pensava constantemente nele, em seus momentos juntos e seu amor crescente. Agora, sempre que tinham uma oportunidade, eles se encontravam na casa dele e passavam horas abraçados, conversando, e, conforme sua paixão crescia, Miral descobria os segredos do amor. Hani era muito delicado; os véus da infância e da inocência caíram e a consciência física de Miral cresceu. Ao mesmo tempo, sua leitura voraz de livros e de jornais políticos ampliou seus horizontes intelectuais. Pela primeira vez, ela começou a sintonizar noticiários de TV, para grande chateação de sua irmã, que queria ver filmes de ação. Para compensar Rania, Miral às vezes a levava junto para a casa de Hani, onde todos se deitavam no telhado e assistiam ao pôr do sol.

Ela sentia que havia finalmente escapado de ser comandada pelos outros e agora era dona das próprias escolhas. Se dormisse em casa com mais frequência durante a semana, teria ainda mais liberdade de movimento do que na escola, onde se tornava cada vez mais difícil encontrar novas desculpas para deixar o campus.

De certa forma, o tempo havia invertido os papéis de Miral e Rania. Em seus primeiros anos em Dar El-Tifel, Miral fora a protetora de sua irmã, agindo quase como uma mãe para a menina; depois que Miral se tornou uma das garotas mais politicamente ativas da escola, foi Rania quem assumiu o papel de protetora, dando cobertura para a irmã em relação aos professores, enquanto, ao mesmo tempo, tentava dissuadi-la de se expor a um perigo tão frequente. Conforme os anos se passaram, as diferenças de temperamento entre as duas haviam se tornado mais notáveis. Rania passou a ser cada vez mais intolerante em relação à vida escolar, cheia de regras, e não gostava nada de estudar. Ela queria ir para Haifa viver com a tia e, em algum momento, se casar. Miral tentava convencê-la de que devia continuar seus estudos, dizendo a Rania que a observara quando estava dando aulas de matemática para as crianças do campo e que achava que ela tinha muito talento para lecionar.

— Conhecimento é liberdade — disse Miral a ela, tentando persuadir a irmã ao repetir as palavras de seu pai. Miral amava tanto a escola quanto as suas atividades políticas, acreditando que sua emancipação viria através de seus estudos e de sua consciência crescente. Naqueles dias, toda a sua conversa girava em torno de história e política. Rania adorava música pop, para dançar, e achava a irmã chata e repetitiva; Miral ouvia apenas canções patrióticas interpretadas por cantores jordanianos e libaneses e ficava especialmente emocionada quando tais hinos eram tocados na televisão como trilha sonora para as manifestações da intifada.

Rania preferia usar saias ou vestidos, e sua grande paixão eram sapatos de salto alto de cores vibrantes. Miral adorava jeans justos, camisetas largas e tênis, substituindo os últimos por sandálias nos meses de verão. Apesar de as duas irmãs discutirem frequentemente e discordarem em praticamente todos os assuntos, elas se amavam profundamente.

* * *

Em seus jantares de família nos finais de semana, Jamal e Rania gostavam de conversar sobre o que haviam feito durante a semana anterior. Uma semana, Rania descreveu os novos sutiãs que vira suas amigas usando (que ela tinha certeza de que a fariam parecer menos reta) e então abordou o tópico do que queria fazer naquele verão. Miral estava distraída, seus olhos vagos, seu apetite havia praticamente desaparecido. Hani estava se afastando cada vez mais do partido; todo mundo estava reclamando dele com ela. Ele estava desertando de tudo; fazia discursos defendendo a moderação bem no momento em que o pânico se espalhava por todo o grupo por causa das centenas de prisões que haviam sido feitas por toda a Cidade Velha nos últimos dias. Era só uma questão de tempo para Hani e talvez para ela também.

— Qual é o problema, querida? — seu pai perguntou, acariciando sua cabeça.

Miral permaneceu em silêncio por alguns segundos, vasculhando o cérebro pelas palavras certas a fim de não alarmar seu pai; então, descreveu o que vira durante sua ida mais recente ao campo de refugiados. Jamal olhou para ela com crescente preocupação.

— Você entende, papai? O nosso povo não pode continuar a apodrecer nos campos. Que futuro pode haver para aquelas crianças? O mundo é indiferente, e somos confrontados com a injustiça e a arrogância de uma ocupação militar. Sabe, papai, para as crianças dos campos de refugiados, os israelenses são soldados ou colonizadores. É a única face de Israel que elas conhecem.

Jamal olhou para fora da janela para o céu azul sem nuvens de Jerusalém.

— Miral, eu sei como você se sente, mas temos que encontrar maneiras não violentas de fazer com que a nossa voz seja ouvida. Não vamos conseguir o que é nosso por direito com pedras ou mesmo com rifles, e estamos nos arriscando a iniciar um círculo vicioso de violência que será muito difícil de destruir. Por favor, eu gostaria que você passasse mais tempo pensando na escola e em suas provas finais.

Mas Miral tinha outras coisas em mente além de seu diploma. Mais tarde, naquela noite, enquanto andava pelas ruas da Cidade Velha a caminho da seção da FPLP e respirava os aromas intensos das especiarias do Oriente Médio no *souk*, ela sentiu todo o fascínio da cidade, toda a força misteriosa que a envolvia. Seus pensamentos se voltaram para alguns dos gestos cômicos de Khaldun, que ainda estavam vívidos em sua memória, e ficou imaginando quando teria notícias dele de novo. Havia prometido escrever para ele. Ela pensou na gratidão das pessoas nas aldeias perto de Ramallah. Camponeses simples e orgulhosos submetidos a humilhações contínuas, determinados a manter suas tradições e sua cultura. Assim que viu Hani, ela se iluminou como uma vela. Ele foi até ela, beijou-a na testa e sussurrou em seu ouvido que a seção estava sendo observada e que não haveria mais reuniões naquele lugar. Ela devia voltar para casa, disse, e ele entraria em contato com ela.

Às 3 horas da manhã seguinte, alguém começou a bater violentamente em sua porta da frente. Miral entendeu na hora o que estava acontecendo; ela ouvira alguns camaradas da Frente Popular falarem a respeito de tais visitas. Jamal, surpreso e semiadormecido, foi para a porta.

— Polícia! Abram! — Quem falava era um homem vestindo roupas civis. Ele esticou um distintivo brilhante para o incrédulo Jamal. — Onde está sua filha Miral? — perguntou o homem. — Ela tem que vir conosco. Aqui está o mandado — acrescentou ele, entregando uma folha de papel a Jamal.

— Por que quer falar com ela? O que ela fez? Deve haver algum engano — disse Jamal, a voz rouca de ansiedade.

— Não há engano algum. Sua filha tem que vir conosco para interrogatório. Agora, vá chamá-la, estamos com pressa — falou o homem, entrando na sala de estar. Dois policiais uniformizados permaneceram na porta da frente, esperando ordens.

Miral, já vestida, saiu de seu quarto.

— Aqui estou eu — disse ela, fingindo uma autoconfiança que na realidade não havia dentro de si.

— Bem, vejo que você está pronta. Vamos, então — afirmou o homem, agarrando Miral pelo braço. Um arrepio a percorreu quando sentiu o toque de sua mão fria. Quando passaram em frente ao pai dela, Miral disse:

— Está tudo bem, papai. Eu não fiz nada de errado. Vou voltar logo, você vai ver. — E deixou o homem de pijamas com a aparência velha e arrasada.

Quando viu sua filha ser empurrada com brutalidade para dentro de uma viatura de polícia, junto com alguns outros jovens do bairro, Jamal correu para o quarto para pegar seus sapatos, pensando em segui-los a pé. Enquanto isso, uma pequena multidão de pais furiosos e preocupados havia se reunido na rua; alguém disse que a polícia havia pegado muitas pessoas naquela noite. Jamal viu muitos de seus vizinhos se abraçando e chorando. Os soldados saíam das casas, carregando livros, documentos e computadores, enquanto Jamal começava a correr desesperadamente atrás da van.

Ela rodou pelas ruas da Cidade Velha, dirigindo-se para a delegacia de Mascubia, no Portão Novo, onde ficava o centro de interrogatórios. Tantos jovens palestinos haviam sido torturados brutalmente dentro dos muros daquele edifício macabro que todo árabe que passava na frente dele se sentia inquieto. As ruas desertas davam a Jerusalém um aspecto taciturno. A Cidade Nova, com seus prédios altos, parecia estar sitiando a antiga e atormentada Cidade Velha.

A van parou no pátio da delegacia e os prisioneiros foram levados a suas várias celas. Com a exceção de uma garota trêmula e chorosa de seu bairro, Miral não conhecia nenhum dos outros. Ela foi levada a uma sala grande. Estava escuro, exceto pela luz de uma lâmpada pendurada no teto acima de uma mesa enferrujada com um velho telefone preto. O resto da mobília consistia em três cadeiras de madeira e um arquivo de metal. As paredes tinham manchas de todas as cores e tamanhos, algumas reconhecíveis como sangue seco. Estava muito frio, mas a ansiedade de Miral a impedia de sentir a temperatura ambiente. Suas mãos estavam suando, seu coração batia descontroladamente, e ela não parava de pensar: "Tenho que ficar calma. Tenho que ficar calma. Eles estão tentando me assustar, me perturbar." Apesar de seus esforços para melhorar o ânimo, suas pernas estavam ficando cada vez mais fracas. Ela ouviu sons distantes, o barulho de portas batendo, passos no corredor. O período de espera, que na realidade não durou mais do que meia hora, pareceu imensuravelmente longo para Miral. Cada minuto aumentava sua aflição. Finalmente, a porta de metal atrás dela se abriu, sobressaltando-a.

— Venha cá. Sente-se na minha frente — ordenou-lhe um policial, apontando uma cadeira de frente para a mesa. A não ser por uma mecha de cabelo que caía por cima de sua testa, ele era quase que completamente calvo. Ele se sentou e acendeu arrogantemente um cigarro. Então, tirou uma pasta de uma gaveta. Miral vislumbrou seu nome e alguns documentos em hebraico. O homem começou a virar páginas com seus dedos gorduchos, o tempo todo segurando o cigarro apertado entre os lábios. — Já estamos de olho em você há algum tempo, Miral — falou ele, rindo com um tom reprovador. — Você decepcionou seu pai e todos nós. — Havia um timbre melódico em sua voz.

— Como disse? — retrucou Miral, fingindo ignorância. Ela decidira limitar-se, se possível, a dar apenas respostas vagas e evasivas.

Enquanto o policial apagava lentamente o cigarro, seus lábios se curvaram em um sorriso de escárnio.

— Muito bem — disse ele. — Se você responder direito, eu a deixarei ir para casa antes que anoiteça. Senão, vai me forçar a mantê-la aqui mais tempo. Quem dá essas ordens? — Conforme fez essa pergunta, ele lhe mostrou um panfleto. Miral deu de ombros. O panfleto vinha da FPLP; ela própria o havia entregado dois dias antes, carregando vários de um lugar para outro em uma bolsa de palha debaixo de alguns maços de hortelã selvagem. Os panfletos continham as ordens principais para a seção de Belém. Jasmine deveria tê-los entregado, mas em vez disso pedira que Miral o fizesse em seu lugar, e Miral concordara sem o conhecimento de Hani, que, quando descobriu, ficou bastante zangado e a acusou de ser imprudente e impulsiva. Miral ficou ressentida com isso, mas ele explicou que a área toda estava cheia de colaboradores. Ela devia ter lhe contado antes, disse ele.

— Olhe mais de perto — falou o policial. Parecia um ultimato, e fez com que ela deixasse seus pensamentos de lado. — E não me faça perder tempo com joguinhos.

Após um momento inicial de confusão, Miral respondeu:

— Quer que eu diga o que você quer ouvir ou quer que eu diga a verdade? Não sei o que é esse panfleto.

— Não me venha com essa merda! Se quer bancar a ingênua inocente, faça isso com seu pai, não comigo. Agora olhe bem para esta foto e me diga qual desses indivíduos é quem dá as ordens.

A fotografia mostrava quase todos os membros da FPLP, incluindo Hani, durante a última manifestação. Miral encontrou forças para outra negação.

— Não faço a menor ideia de quem são essas pessoas — declarou ela com a voz mais firme que pôde.

O policial se recostou em sua cadeira e acendeu outro cigarro.

— Seria uma pena para uma garota bonita como você passar os melhores anos de sua vida na cadeia. Realmente uma pena. — A voz dele reassumiu seu timbre melodioso. — Diga os nomes e eu a deixarei ir para casa imediatamente. — Ele entregou uma caneta a ela. — Se não quer dizê-los, escreva-os. Ou pegue a caneta e faça um círculo em volta dos rostos das pessoas que imprimem esses folhetos. Quem são elas? Quem lhes traz as ordens? Quem é seu contato com o exterior?

A falsa e repugnante cortesia do homem reacendeu a ira de Miral.

— Não adianta se fazer de bonzinho. Eu não sei quem são essas pessoas. Não sei quem imprimiu os folhetos. Eu não sei de nada. — E acrescentou desafiadoramente: — Vá em frente e comece a me bater, se quiser, mas eu não sei de nada.

Ele riu e apertou um botão.

— Então você quer brincar com os adultos. Continue me provocando e vai ver o que acontece com esse seu rostinho bonito. Não vai se reconhecer no espelho.

Miral lhe lançou um olhar desafiador.

— Se bater em uma menina faz com que você se sinta mais homem, vá em frente.

— Está enganada. Eu mesmo não vou botar um dedo em você. Mas tenho uma amiga que mal pode esperar pela oportunidade — respondeu o policial.

— Sou uma cidadã israelense — afirmou Miral. — Se isso realmente é uma democracia, eu tenho os mesmos direitos que você.

O homem sorriu quando falou:

— Não quando se trata de uma questão de segurança nacional. Agora, vai resolver cooperar ou devo chamar minha amiga?

Miral olhou para ele.

— Não tenho nada a dizer.

Ele ficou em silêncio e continuou a fumar, sem dizer mais palavra alguma e sem olhar para ela, como se estivesse sozinho na sala. De repente, Miral ouviu a porta pesada atrás de si ranger nas dobradiças. Ela se virou e viu uma mulher um pouco acima dos 30 anos, loura e de compleição forte. Ela usava uma camiseta preta, calças de camuflagem cor de areia e um par de coturnos pesados.

Sem uma palavra, ela correu para Miral, agarrou-a pelo cabelo e a arrastou para fora da sala. Miral gritou conforme era arrastada por um corredor ofuscantemente iluminado por inúmeras lâmpadas fluorescentes. Seus gritos se misturavam aos de outros jovens que estavam apanhando. Esses urros de dor pareciam sacudir o prédio inteiro. A mulher jogou Miral por uma porta aberta para dentro de um aposento que estava praticamente escuro. Parecia um banheiro, completamente coberto de azulejos brancos e dividido por cortinas transparentes. A mulher amarrou as mãos de Miral com algemas de plástico e jogou o rosto da menina contra a parede. Miral sentiu o fio de plástico cortando seus pulsos e seu coração batendo enlouquecidamente, enquanto esperava que a tortura começasse.

Ela não teve que esperar muito. Golpes de chicote começaram a chover em suas costas, em suas pernas, em seu pescoço. A dor logo se tornou insuportável, e Miral não pôde deixar de gritar cada vez que era atingida. Ela podia sentir sua camiseta rasgando e, pouco depois, o sangue correndo por suas costas. Após alguns minutos, ela desmaiou e, quando recuperou a consciência, sua camiseta e calças haviam desaparecido. Ela se sentiu envergonhada e tentou se cobrir, mas suas mãos ainda estavam amarradas nas costas. Aturdida, ela não fazia ideia de quanto tempo havia se passado. Dois soldados ordenaram que ela se ajoelhasse no chão frio e sujo.

— Você não pode se sentar. Se fizer isso, a loura vai voltar. Ela ainda não terminou com você — disseram a ela, rindo. Depois de uma hora, ela não conseguiu mais aguentar e desmaiou de novo. Dessa vez, acordou deitada em um quarto extremamente pequeno. Atrás de uma grade, o mesmo policial de antes repetiu as mesmas perguntas, mais uma vez, mas sem sucesso.

— Eu quero ir para casa. Quero acordar desse pesadelo. — Ela ficava repetindo para si mesma. — Só tenho que aguentar mais algumas horas.

Mas não demorou muito para que uma nova torturadora entrasse na cela. Conforme as horas se passavam, os tormentos se tornavam mais e mais refinados. Em um determinado momento, um capuz foi colocado em sua cabeça e tirado depois de meia hora. Miral se viu cercada por uma luz ofuscante e uma música ensurdecedora intercalada com os gritos de dor dos outros detentos. O som e a luz não deixavam Miral dormir. Para fugir mentalmente de sua situação, Miral começou a reviver alguns dos momentos mais felizes de sua vida. Pensou no quarto aconchegante que tinha quando criança, em suas paredes azul-claras, nas fotografias de seus amigos, em sua irmã na praia onde brincavam na água. Ela não conseguia se lembrar de quando havia escondido os presentes de Hani, especialmente aquele livro *My Home, My Land*. Enquanto continuava procurando na cabeça uma forma de escapar para fugir daquele lugar, ela imaginou as cores vermelho e amarelo, do grande tapete que ficava pendurado na parede da sala de estar de sua família.

— Esse tapete é muito mais velho do que você, Miral. Tem pelo menos oitenta anos. — Seu pai a lembrava com orgulho.

Enquanto viajava em sonhos para fugir da dor física que latejava em seus ferimentos, um policial diferente entrava a cada meia hora, a sacudia e lhe fazia as mesmas perguntas. A resposta dela também era sempre a mesma: ela não sabia de nada. Seu colapso começou várias horas depois, quando ela pediu permissão para ir ao banheiro e foi negada. Ela podia ir, eles disseram, se lhes desse algo em troca e, naquele momento, Miral começou a chorar histericamente, tomada pela vergonha e pela humilhação ao ver suas pernas molhadas e a poça de urina debaixo de si.

Ela foi incapaz de diminuir sua ansiedade. O cansaço pairava sobre ela, mas ainda não havia chegado ao fim. Foi levada de volta à primeira sala.

— Que nojo! Que fedor! — falou o policial. — Quer se lavar? Quer as suas roupas? — Quando ela disse que sim, ele perguntou. — Então vai cooperar ou devemos continuar?

— Mas eu não sei de nada! — respondeu Miral — Vocês pegaram a pessoa errada. — Ao ouvir essas palavras, ele bateu nela violentamente com as costas da mão, derrubando-a no chão. Enquanto Miral tentava se levantar, usando uma das mãos para limpar o sangue que escorria de seu nariz, dois soldados entraram e lhe entregaram uma toalha molhada para que ela pudesse limpar o rosto. Aí a ajudaram violentamente a vestir uma blusa de moletom e uma calça.

Estava na hora de comparecer diante do juiz, como a lei relativa aos menores de idade exigia.

10

Durante aquelas mesmas horas, Jamal estava sentado na sala de espera da delegacia de polícia, pedindo a cada dez minutos notícias de sua filha, mas diziam não saber nada sobre ela. Miral estava em outro prédio, no centro de interrogatórios. A entrada da delegacia era um corredor comprido, espartano, mas bastante confortável. Ouvia-se música judaica, talvez para impedir que os gritos mais lancinantes chegassem aos ouvidos dos parentes dos detentos. Jamal esperou com outros pais, alguns deles ainda de pijamas, sentados em cadeiras e tentando consolar uns aos outros. Alguém anunciou que uma pessoa importante fora presa carregando documentos comprometedores e tentando entrar na Jordânia. Jamal percebeu que era inútil permanecer onde estava e que tinha que fazer mais do que esperar. Quando viu a primeira luz da manhã se espalhar sobre as colinas da Judeia, ele decidiu em desespero que a melhor atitude seria ir embora da delegacia e encontrar um advogado. Percebeu que ficar naquela sala de espera, onde era impotente, seria em vão.

Ele arrumou um advogado. Apesar de ser jovem, aquele homem tinha adquirido muita experiência legal desde o início da intifada e conhecia bem os casos envolvendo militantes palestinos que estavam presos.

— Não se preocupe, Jamal — disse o advogado pelo telefone. — Se sua filha é menor de idade, ela irá a julgamento hoje e, se não tiver nada em sua ficha, eles a deixarão sair com uma advertência.

E, como o advogado previra, Miral, acompanhada por dois policiais, foi levada ao tribunal na tarde do dia seguinte. A sala do tribunal estava praticamente vazia, com poucas pessoas e o juiz. Ele não olhou para Miral, mas se manteve atento ao documento que estava examinando. Ela vislumbrou o pai em um canto, sentado ao lado de duas outras pessoas e, assim que o juiz ergueu a cabeça, olhou para o advogado de acusação e perguntou "O que temos aqui?", o homem ao lado de seu pai se aproximou e se declarou advogado de Jamal. Instintivamente, Miral viu que essa era a sua chance e resolveu agir inocente e submissa, chutando para longe todo o ar de desafio. E, quando o advogado de acusação começou a declarar seu caso para o juiz, Miral tirou o casaco de moletom que cobria seus hematomas. Os policiais olharam para ela ameaçadoramente, reconhecendo sua tentativa de mostrar para o juiz as marcas de seus maus-tratos, que eram claramente visíveis, incluindo aquelas debaixo de sua camiseta branca manchada de sangue. Jamal parecera derrotado, mas, quando viu o estado de Miral, teve que fazer um grande esforço para não gritar. O advogado agarrou seu braço e lhe disse que ficasse calmo. Ele podia ver que Miral havia apanhado e provavelmente fora torturada, mas o advogado sussurrou que isso era praticamente procedimento-padrão para conseguir informações e que ninguém era poupado, nem mesmo os mais jovens.

Miral estava tentando evitar os olhos de seu pai, mas pelo canto de seus próprios olhos ela o viu tremendo na cadeira.

O juiz perguntou muito bruscamente ao advogado de acusação se Miral havia feito uma confissão ou se havia alguma prova de seu envolvimento nos tumultos da intifada, e o advogado respondeu que precisava de mais 48 horas antes de poder apresentar tais provas e ofereceu ao juiz uma fotografia que mostrava Miral, de perfil, em uma manifestação. O juiz olhou para Miral por um instante antes de voltar sua atenção para o diálogo entre os dois advogados. O advogado de Miral perguntou à acusação se havia alguma outra prova ou testemunha contra sua cliente. O advogado de acusação desdenhosamente evitou responder a ele e continuou falando apenas com o juiz, mas o juiz mandou o advogado de acusação responder à pergunta do advogado de Miral. Naquela mesma manhã, o diário israelense *Haaretz* havia publicado uma longa denúncia dos abusos cometidos por oficiais israelenses encarregados dos interrogatórios, alguns cujas vítimas eram menores de idade, tudo em nome da segurança nacional. O título da matéria era "Até onde você está disposto a ir?", e havia um exemplar do jornal sobre a mesa do juiz. Depois de ouvir os argumentos dos dois lados, ele disse que, já que a acusada era menor, que não havia confessado e não cometera violações anteriores, ele lhe daria o benefício das circunstâncias atenuantes. O advogado de Jamal lhe deu um sorriso satisfeito.

— A garota pode ser libertada hoje — falou o juiz, especificando que ela pagasse uma multa somando 3 mil *shekels* ou cerca de 200 dólares. Então, com um olhar severo na direção de Miral, acrescentou: — Não quero vê-la no meu tribunal novamente. Da próxima vez, a sentença não será tão leve. Portanto, é melhor se assegurar de que ficará longe de confusão de agora em diante.

Sentindo como se um peso tivesse sido tirado de seu peito, Jamal pagou a multa e esperou que Miral fosse solta. Quando o portão se abriu e ele a viu aparecer, seu coração pulou para a garganta e lágrimas rolaram por suas bochechas enquanto ele a abraçava com toda a força que tinha. A tensão daquelas horas intermináveis finalmente havia se dissolvido. Miral não pôde conter um grito de dor por causa das feridas que queimavam em suas costas. Ela foi levada imediatamente para uma clínica, onde um médico fez curativos em seus ferimentos, e então ela por fim foi para casa.

Jamal entendia o perigo que ainda corriam. Ele pensou em um plano para evitar a repetição de tais acontecimentos. Miral se lavou e foi para a cama e, assim que ela adormeceu, Jamal pediu a Rania que ficasse com a irmã e foi para Dar El-Tifel. Ele queria discutir com Hind sua decisão de tirar Miral de Jerusalém por enquanto, a fim de mantê-la a salvo num futuro próximo. Hind o recebeu em seu escritório e, após uma troca de saudações cordiais, pediu a ele notícias de Miral.

Quando Jamal contou a história, recontando o que havia acontecido e descrevendo o estado físico de Miral, seus olhos se encheram de lágrimas. A cada detalhe que ele acrescentava, o rosto de Hind mostrava angústia e preocupação crescentes. Ela concordou com a necessidade de mandar Miral para a casa da tia em Haifa por algum tempo. Até que as provas começassem, Hind falou. Jamal perguntou se um mês seria suficiente. Quando Hind disse que sim, ele quis saber se isso comprometeria as notas de Miral. Hind disse a ele para não se preocupar. Miral sabia o que o programa de estudos exigia e ficaria bem se estudasse por conta própria enquanto estivesse na casa da tia. Jamal foi embora com uma mochila cheia de livros e cadernos para Miral.

Haifa era um lugar ideal, uma cidade calma, longe do ar político pesado que se respirava em todos os bairros de Jerusalém. A cidade de Haifa era considerada uma espécie de laboratório cívico, onde israelenses e palestinos conseguiam coexistir pacificamente.

A partida de Miral foi acertada para três dias depois, e ela permaneceu na cama durante esse tempo, deixando seus ferimentos cicatrizarem — aqueles que haviam marcado seu corpo mas também sua dignidade, e, em última análise, sua alma. Sentia-se como um pássaro machucado: qualquer movimento lhe custava muito esforço, e ela quase não falava. Pediu a Rania notícias daqueles que haviam sido presos no bairro, e Rania lhe disse que muitos ainda estavam na cadeia, enquanto outros que não haviam sido encontrados naquela noite — Hani entre eles — estavam vivendo como fugitivos.

A notícia caiu em cima de Miral com a força de um chicote e, depois de ouvir sua irmã, ela puxou as cobertas por cima da cabeça e começou a chorar. Rania tentou consolá-la, massageando os pés da irmã e assegurando-a de que ela ficaria bem em Haifa.

Várias horas antes da hora marcada para a partida, enquanto seu pai estava na mesquita conduzindo as orações matinais, Miral recebeu visitas inesperadas: dois de seus ex-camaradas da FPLP, Jasmine e Ayman. Pela primeira vez em dias, Miral sorriu, mas, quando tentou abraçá-los, eles pareceram frios e indiferentes; então, quando começaram a despejar perguntas em cima dela, Miral entendeu que não era uma simples visita de velhos amigos, mas um interrogatório. Eles a mandaram contar exatamente como fora feita a prisão, que métodos haviam sido usados para fazê-la falar e se ela fora acareada com mais alguém. Acima de tudo, queriam saber que provas e que nomes os agentes israelenses tinham em mãos. Esse era um procedimento-padrão utilizado pela FPLP para comparar informações e determinar se algum de seus membros havia confessado sob interrogatório ou, pior, se fora forçado a colaborar. Triste e decepcionada, Miral lhes contou tudo. Ela revelou que estava prestes a ser mandada para Haifa para estudar e se preparar para suas provas finais. Quando pediu notícias de Hani, seus dois interrogadores trocaram olhares enigmáticos e a informaram de que ele fora dispensado de seu cargo como secretário da seção de Jerusalém da FPLP. Eles advertiram Miral a tomar cuidado com ele por causa de suas atitudes de vira-casaca e seus discursos a favor de negociações com os israelenses, o que a esquerda palestina considerava alta traição. Finalmente, antes de partirem, Jasmine e Ayman pediram a Miral para não tentar contatar nenhum deles e para esperar uma comunicação futura. Assim que eles saíram, Miral pediu a Rania para deixar um recado para Hani com o dono de um café no bairro armênio; Hani tinha que saber que ela fora para Haifa, que voltaria em um mês e que, se ele quisesse se comunicar com ela, teria que ser através daquele café. A caminho de casa depois das orações, Jamal viu Jasmine saindo da casa. Seu rosto se tornou sombrio, e, sem dizer uma palavra a Miral, ele adiantou o horário de sua partida e acompanhou a filha até Haifa pessoalmente.

No momento em que passaram pelos limites da cidade de Jerusalém, Miral ficou engasgada com a sensação de que estava abandonando tudo o que lhe era mais querido. E enquanto o ônibus, soltando fumaça e fungando, atravessava as estradas poeirentas de Samaria a caminho de Haifa, ela sentiu uma angústia crescente. Para que seu pai não visse suas lágrimas, ela passou a viagem inteira com a testa grudada na janela.

Miral soube que Haifa estava perto quando viu as flores brancas e vermelhas dos arbustos de espirradeiras que margeavam o último pedaço da estrada antes de o ônibus entrar na cidade. As janelas do veículo pareciam quase ser acariciadas por aquelas plantas, e então as primeiras casas apareceram, acompanhando a beira da praia. Por um instante, Miral vislumbrou o cemitério árabe e suas lápides castigadas pela areia. Era lá que sua mãe estava enterrada, a alguns passos do mar e da praia que ela tanto amava, e onde costumava trazer seus amigos no verão para longos passeios pela costa.

Estranhamente, a visão daquele cemitério trouxe uma sensação de paz à mente de Miral.

11

Miral se sentia em casa em Haifa. Ela e Rania haviam passado a maior parte de seus verões ali na casa da tia Tamam, regozijando-se no ritmo mais lento que substituía seu rígido cronograma escolar. As meninas sempre ficavam curiosas para ver a cidade natal de sua mãe novamente, para descobrir como ela havia mudado desde o ano anterior, o quanto seus primos haviam crescido e quantos novos prédios haviam sido construídos no monte Carmelo. Mas seu lugar preferido era a praia, onde passavam dias inteiros nadando e brincando.

A atmosfera em Haifa era completamente diferente do clima que prevalecia em Jerusalém, pois em Haifa o novo e o velho se misturavam harmoniosamente. A cidade estava sempre em movimento, em busca — como seus habitantes — de uma identidade. Apesar de os bairros árabes, com seus becos pitorescos, ruas esburacadas e tinta descascada, terem sido parcialmente demolidos e substituídos por prédios residenciais modernos, a vida em Haifa era mais agradável do que em outros lugares. A cidade era ensolarada, jovial, alegre, com suas lojas coloridas abertas 24 horas e o grande pedaço de verde que ia do mar ao monte Carmelo decorado, como uma árvore de Natal, com restaurantes de todos os tipos, um depois do outro, em ambos os lados da rua, onde canções podiam ser ouvidas em todos os idiomas. Oficialmente, cidadãos árabes e judeus de Israel tinham direitos iguais, mas em Haifa a coexistência entre árabes e israelenses era uma realidade, não uma utopia, e era o resultado de uma decisão corajosa de incluir no Estado de Israel os árabes que haviam permanecido lá. Aqui, as feridas deixadas pela guerra e pelo abandono dos lares pelos árabes — lares que eram imediatamente designados a judeus que imigravam para Israel das ruínas da Europa após a Segunda Guerra Mundial — haviam tido mais tempo para cicatrizar.

Fosse devido ao caráter cosmopolita que o porto dava à cidade ou ao fato de que sua anexação datava do passado distante de 1948, ou pelo ar quente e agridoce do mar, havia uma ebulição cultural em Haifa que fazia com que o lugar fosse aberto e receptivo a todo tipo de diversidade. Falava-se tanto árabe quanto hebraico, e as pessoas se misturavam, não apenas como colegas de trabalho mas também como amigos.

Mas, dessa vez, Haifa representava para Miral um local de exílio de seu mundo. Ela não sabia quantas horas havia passado no ônibus, mas quando viu sua tia, que viera à rodoviária para recebê-la, Miral compreendeu que seu destino imediato estava selado. Jamal partiu no dia seguinte. Miral o observara enquanto ele sussurrava para sua tia Tamam e vira a preocupação e a tristeza no rosto dele.

Miral caiu em um estado de transe. Passava dias inteiros deitada na cama com as janelas fechadas, comendo muito pouco. Aparentemente, não havia ninguém que ela desejasse ver, nem mesmo seu adorado primo Samer, que normalmente a mantinha ocupada durante dias a fio com suas cantorias e conversas. Tamam tentava distraí-la, deitando-se em uma cama próxima e contando histórias sobre sua mãe. Nadia, Tamam dizia, fora fascinada pelas mulheres israelenses e seu estilo de vida, por sua independência, suas roupas, suas festas na praia, e ela se lembrava de como a mãe de Miral fora capaz de entender nuances linguísticas que outros não percebiam nas músicas tocadas pelas bandas na costa.

— Sua mãe sempre dizia: "Quando vejo as pessoas dançando, seus corpos balançando me fazem acreditar que existe felicidade no mundo." Sua mãe amava dançar.

Tamam percebeu o quanto sua sobrinha havia crescido desde a última vez em que a vira e achava que podia detectar nos olhos de Miral a mesma curiosidade vivaz que lembrava de sua irmã Nadia. Da mesma forma, Miral podia ter um vislumbre — em certas atitudes que sua tia assumia, no movimento imperceptível de sua mão antes que dissesse algo que considerava importante, em sua maneira de sorrir — de traços de sua mãe, do pouco que se lembrava dela. O que Miral mais admirava na tia era sua mente aberta, que às vezes a levava a deixar de lado a fachada de mulher tradicional. Enquanto conversava com Tamam um dia a respeito de um vizinho notório por seus casos extraconjugais, Miral ficou surpresa em ouvir sua tia declarar que tal comportamento era resultado da infelicidade e da solidão, não da maldade.

Tamam descreveu para a sobrinha como fora a vida para a família depois de 1948. Ela relatou histórias divertidas sobre si mesma e seu marido, na esperança de persuadir Miral a sair da cama e dar uma volta ou talvez ir fazer compras, mas a menina recusava. Então Tamam pediu ajuda ao filho Samer. Samer estava em seu primeiro ano de faculdade, era um rapaz de 22 anos, com um corpo esguio e musculoso e cílios longos que realçavam seus olhos pretos, cujo encanto radiante não passava despercebido. Ele havia se tornado bastante popular na família por seu bom humor, disposição a ajudar e beleza, mas seu traço mais enternecedor era a falta de jeito. Estava sempre quebrando coisas em casa, para desgosto da mãe e diversão geral do restante da família.

Samer e Miral eram primos, mas realmente próximos por uma relação de amizade e carinho profundo. Assim, ele ficava triste ao vê-la naquele estado, e resolveu intervir. Entrando no quarto com uma xícara de café, ele abriu as janelas, puxou as cobertas dela e disse:

— Levante-se já ou serei forçado a pegá-la no colo e levá-la para o banheiro. Vamos, levante-se, vou levá-la a um lugar que conheço.

— Deixe-me em paz! — gritou Miral. — Pare, por favor! Não estou com vontade. Estou cansada demais para fazer qualquer coisa e minhas costas ainda doem.

— Tente parar de ficar amuada — disse Samer e então a pegou a força da cama e a carregou para dentro do chuveiro. Quando o jato de água fria encharcou os dois, Miral começou a rir.

— Está bem, deixe-me tomar um banho e eu vou com você. Mas saia daqui e me deixe em paz!

Samer, pingando, saiu do banheiro, gritando enquanto fechava a porta:

— Vou lhe dar dez minutos e então vou entrar de novo. Considere-se avisada!

Tamam ficou felicíssima ao vê-los saindo juntos novamente. Quando já estavam no carro, Miral perguntou:

— Agora, para onde vamos?

— Vamos a uma festa na praia — respondeu Samer. — Você tem que conhecer alguns amigos meus.

Miral falou:

— Deixe-me sair! Tudo isso só para eu conhecer os seus amigos idiotas?

— Miral, eu quero que você veja minha noiva.

Essa declaração fez Miral parar, e ela sorriu enquanto pensava em sua amiga Maha, que tivera um casinho com Samer no verão anterior. Miral não percebera que as coisas haviam ficado sérias. Maha era uma garota de Dar El-Tifel. Como era órfã e não tinha outros parentes, ela passava os verões na escola. Mas no ano anterior ela se formara e conseguira uma bolsa para estudar na Universidade de Haifa e acompanhara Miral e Rania até lá. Miral relembrou seus longos passeios com Maha pelas ruas do distrito comercial, atrás do porto, onde ficava a maioria das lojas de roupas. Ela se lembrou da sensibilidade e da timidez da amiga, e de como ela ficava constrangida quando via jovens se beijando em público ou observava as roupas diminutas das mulheres de Haifa, que usavam minissaias ou até mesmo biquínis para andar pela cidade. Conforme os dias se passavam, Maha, que fora pálida e sempre tivera os olhos tristes, pareceu renascer. O sol e o ar marinho haviam feito bem a ela, dando-lhe uma cor saudável e o que parecia ser um sorriso permanente. Agora Miral entendia por quê.

Como acontecia sempre que estava em Haifa, a curiosidade de Miral era estimulada por tudo que a cercava. Ela percebia até as menores mudanças que haviam acontecido desde o ano anterior — uma casa recém-pintada, um bar com um novo letreiro, um banco na orla que não estava ali antes. Seu corpo também parecia responder positivamente, não apenas ao sol do verão, mas também a todas as facetas de sua cidade natal, que revelava constantemente alguma maravilha iridescente, como uma campina depois de uma chuva de verão.

Samer estacionou o carro longe da praia de Carmelo, de modo que eles tiveram que andar uma boa distância pela orla até chegarem a seu destino. Era uma noite quente; o sol ainda não havia se escondido completamente atrás do horizonte, e uma brisa suave soprava as folhas das palmeiras altas. Os dois jovens andavam devagar, conversando sobre isso e aquilo, até que Miral de repente parou e ficou imóvel, levantando as orelhas e ouvindo uma música que vinha de um bar na praia.

Uma garota com traços delicados e cabelo louro solto na altura dos ombros estava arrumando as mesas e se movendo no ritmo da música. Ela era alguns anos mais velha do que Miral e parecia não ter consciência de onde estava, transportada, seguindo uma melodia que parecia vir não tanto do rádio como de dentro dela. Deixando Samer, que havia parado para cumprimentar alguns outros amigos, Miral se aproximou da moça e perguntou:

— Que música é essa?

A garota ergueu os olhos, viu Miral e sorriu para ela. Então, colocou o último copo na mesa e falou:

— "Here Comes the Sun", dos Beatles.

— É maravilhosa — disse Miral, que nunca ouvira uma música da qual gostara tanto. — Sabe, a música com a qual estou acostumada é um pouco diferente — acrescentou, e então mordeu rapidamente o lábio superior. Ela não queria que a garota lhe fizesse muitas perguntas. Naquela noite ela não queria pensar sobre Jerusalém e as manifestações, queria ser apenas uma adolescente normal a caminho de uma festa.

Talvez sentindo o constrangimento de Miral, a outra garota não fez nenhuma pergunta e apenas se apresentou.

— Sou Lisa — falou, esticando a mão, que era branca como alabastro. Miral, surpresa pela espontaneidade inesperada, apertou a mão estendida com certa força e declarou seu nome com o mesmo tom de voz que usava na escola durante a chamada. Em seguida, despediu-se e voltou para perto de Samer e seus amigos.

— Onde você estava? — Samer perguntou.

— Você conhece aquela garota? Acho que ela é israelense.

— É claro que a conheço. Muito bem, na verdade. Vou lhe contar tudo sobre ela mais tarde — completou Samer.

— Desculpe por ter me afastado. Foi só que eu ouvi uma música linda e queria ficar mais perto dela.

— Bem, olhe, já estava na hora de você descobrir que hinos patrióticos não são o único tipo de música que existe! — exclamou Maha, abraçando Miral e a cumprimentando afetuosamente.

As duas moças se olharam nos olhos por alguns segundos e então caíram na gargalhada. Samer abraçou as duas e disse:

— O jantar está na mesa! Foi Ron que cozinhou.

* * *

Miral notou que quase todos os convidados na festa eram judeus israelenses mas, depois de seu constrangimento inicial, ela parou de prestar atenção a esse fato, e todo mundo acabou se divertindo. Maha lhe contou como sua vida havia mudado desde que viera para Haifa, mas a música, que estava muito alta, impediu que Miral ouvisse muito do que a amiga dizia. Depois de terem comido, Samer as tirou para dançar. Miral não estava com vontade, mas foi arrastada para a pista por Maha e Lisa. No final da noite, eles todos ficaram sentados ao redor de uma fogueira, conversando, suas vozes se misturando ao burburinho em geral. Ficou claro para Miral que todo mundo, intencional ou despercebidamente, evitava qualquer referência à política, até o momento em que um garoto perguntou a ela sobre o broche em seu vestido.

— O que esse símbolo significa? — perguntou ele, chegando mais perto dela para poder ver melhor.

Ele já devia ter adivinhado o que era, porque ela pôde ouvir seu tom de voz mudando.

— É a bandeira palestina — respondeu ela, tão natural e ingenuamente quanto podia.

— Ah — foi tudo o que ele falou na frente dela. Mas, conforme se afastava, ela o ouviu resmungar: — É difícil acreditar. Nós damos a eles a cidadania e eles não dão valor.

As meninas começaram a rir e, apesar do pequeno incidente, a festa correu muito bem.

A presença de Maha durante aqueles dias mudou muitos dos hábitos de Miral, que nunca passara tanto tempo conversando com alguém, nem mesmo com a irmã. Agora as tardes pareciam curtas demais para conter todas as suas conversas. Maha ajudou Miral a estudar para as provas finais; ela conhecia todo tipo de técnicas de memorização e era capaz de se lembrar das perguntas que tivera que responder no ano anterior. E, apesar de Miral não conseguir se concentrar muito, a ajuda de Maha a obrigava a se esforçar mais. Em alguns meses, ela teria que escolher que matéria iria cursar na faculdade. Maha sugeriu que ela se matriculasse na Universidade de Haifa, mas isso significaria se afastar de Hani para sempre. Miral não estava pronta para isso. Observando as outras meninas de sua idade, vendo-as brincar serenamente entre si, ela pensou que talvez criassem menos problemas para si mesmas do que ela fazia, que sua abençoada ignorância as poupava da crueldade da vida fora de Haifa. Além disso, algumas semanas antes ela não tinha nem um pouco de sua despreocupação atual, o que na realidade tinha pouco a ver com quem ela era.

Miral se consolou pensando na grande liberdade interior que havia ganhado, imaginando que muitas daquelas garotas iriam se casar com homens escolhidos por suas famílias e aceitariam aqueles casamentos arranjados sem reclamar. Elas ficariam ao lado dos maridos mesmo se não os amassem e seriam tão fiéis a eles quanto cães a seus donos, não por opção, mas por necessidade. Enquanto voltava lentamente para casa em um final de tarde e o sol tornava um pedaço do horizonte no mar vermelho intenso, ela percebeu que — como sua mãe, que sempre fora uma mulher independente — não tinha a menor intenção de seguir um caminho que outra pessoa houvesse determinado.

Samer parecia cada vez mais evasivo e nervoso, principalmente se Maha estava por perto. Miral podia ver que algo entre eles fora perdido. Uma noite, ele confidenciou a Miral que havia se apaixonado por uma garota israelense. O choque a fez pular.

— Está falando sério? Sua mãe vai ter um ataque cardíaco!

Samer replicou que Tamam já sabia e que chegara a hora de superar os preconceitos. Ele disse a Miral que havia convidado a garota para almoçar no dia seguinte.

A tia de Miral estava em estado de profunda agitação. Ela andava de um lado para o outro na sala, arrumando as almofadas do sofá, polindo a prataria; pediu a Miral que a ajudasse com os preparativos. Miral acordara muito cedo naquela manhã e encontrara a tia já ocupada na cozinha. Miral podia detectar em seus movimentos uma ansiedade incomum, beirando a histeria, enquanto ela corria pela cozinha preparando os pratos árabes mais tradicionais: cuscuz com peixe como primeiro prato, sopa de grão-de-bico, salada e falafel seguido por tâmaras recheadas de castanha, com limonada e chá de hortelã para beber. No final, a jovem percebeu que era praticamente impossível ajudar a tia de qualquer maneira, já que ela queria supervisionar tudo, incluindo a arrumação da mesa, ditando literalmente até a posição milimétrica que cada objeto deveria ocupar. Então, ela vestiu uma roupa tradicional para ocasiões festivas, provocando assim um espanto ainda maior em sua sobrinha, já que Tamam, como muitas das mulheres em Haifa, sempre se vestia com roupas ocidentais.

Admirando a *galabia* longa e preta e o lenço que cobria a cabeça da tia, Miral ficou imaginando o que ela estava tentando demonstrar, que mensagem se escondia por trás daquela preparação diligente. Ela tinha preconceito contra a garota ou queria apenas destacar suas diferenças? Quando Tamam percebeu o espanto da sobrinha, explicou que nunca vira a namorada de seu filho. Só sabia que Samer estava muito apaixonado e que ela era filha de um general do Exército israelense. Por um momento, ela olhou para Miral com uma expressão peculiar no rosto, como se dissesse: "O que está acontecendo conosco? Eles matam nosso povo na Cisjordânia e meu filho está apaixonado por uma garota judia? Só espere para ver como as pessoas vão olhar para nós!"

O apartamento de cobertura de Tamam, com seu grande terraço com vista para o mar, ficava localizado no bairro de Halisa, em um prédio em que moravam tanto árabes quanto judeus. Ela tinha relações cordiais com seus vizinhos judeus, alguns dos quais haviam até se tornado amigos. Mesmo assim, não teria sido fácil para qualquer mulher árabe aceitar de boa vontade o relacionamento de seu filho com uma garota judia, principalmente sendo ela filha de um oficial do Exército.

A notícia também fez Miral sentir uma profunda inquietação. Enquanto esperava que Samer e a amada chegassem, Miral refletiu que o pai da garota podia ter comandado operações que levaram à morte ou ao desaparecimento de alguns de seus amigos. Talvez um dia ele levasse seus homens ao campo de refugiados de Kalandia, onde matariam os meninos mais corajosos, incluindo alguns de seus alunos das aulas de inglês.

Quando a campainha tocou, Miral e a tia, que estivera perdida em seus próprios pensamentos, pularam nas cadeiras. Elas trocaram olhares por um instante, e cada uma arrumou quase que distraidamente a roupa da outra.

12

Miral teve uma grande surpresa ao abrir a porta e encontrar Lisa de pé, seu cabelo louro refletindo a luz do sol. Lisa também ficou boquiaberta com a surpresa.

As duas garotas se entrosaram imediatamente e conversaram com a familiaridade de velhas amigas, apesar de ambas terem consciência da profunda diferença que as separava. Quando se conheceram, Lisa notara o broche com a bandeira palestina no peito de Miral, mas, para Lisa, ela não parecera ser uma das fundamentalistas de quem seu pai sempre falava. Lisa comeu seu cuscuz com gosto, e, entre uma mordida e outra, elogiava Tamam pelo almoço que havia preparado. Porém, depois de várias tentativas de iniciar uma conversa com ela — tentativas diante das quais sua anfitriã parecia se encolher —, Lisa percebeu que a mãe de Samer era desconfiada e sentiu quanto esforço deveria ter lhe custado recebê-la como convidada em sua casa. Miral, por outro lado, teve que admitir que não podia deixar de gostar dessa garota, e Lisa disse a si mesma que talvez Miral fosse apenas uma pessoa que tinha orgulho de seu povo, diferentemente de Samer, que, como muitos garotos e rapazes de Haifa, não estava nem um pouco interessado em questões políticas.

Para Lisa, era difícil não pensar em política e em todos os problemas que o assunto acarretava. Ela idolatrava o pai, um homem forte e corajoso de quem ela tivera enorme orgulho quando era pequena. Ultimamente, no entanto, uma espécie de inquietação crescera junto com esse sentimento conforme ela assistia à violência nos noticiários diários. Ele nunca permitia que sua filha esquecesse que tinham uma missão em Israel; durante toda a infância dela, ele a lembrara repetidamente de sua sorte em estar viva no momento mais importante da história de seu povo, quando eles finalmente podiam viver em sua terra prometida. Durante os últimos dois anos, com a promoção do pai a general, suas conversas haviam se tornado cada vez mais raras. Toda vez que ela o via, ele parecia mais embrutecido, mais cansado e impulsionado mais pelo ódio do que por seu antigo propósito.

Durante aqueles mesmos anos, Lisa descobrira em sua mãe uma mulher muito mais interessante do que ela jamais acreditara, enquanto as visitas esporádicas de seu pai se tornaram mais um incômodo do que um prazer. Sua mãe lhe contava sobre sua juventude em vários *kibbutzim*, onde o ideal socialista era muito forte, as pessoas acreditavam na justiça e na igualdade, e todos trabalhavam na lavoura, viviam e comiam juntos. A mãe de Lisa havia começado a fazer faculdade, mas logo abandonara os estudos para se casar. Desde que era criança, Lisa adorava observar sua mãe se maquiando diante do espelho. Seus olhos eram de um azul intenso; seu cabelo cor de avelã tinha mechas douradas do sol; seu rosto era oval, seus lábios cheios.

A infância de Lisa se parecera com a da mãe em muitos aspectos. Mesmo que com a passagem do tempo ela tivesse começado a ter um sentimento de inquietação para o qual não tinha nome, Lisa levara uma vida tranquila até conhecer Samer. Apesar de suas evidentes diferenças culturais, eles estavam ligados por uma paixão forte e recíproca. Adoravam as mesmas coisas; ela se sentira imediatamente à vontade com ele e dissera a si mesma que não havia motivos para não continuar a vê-lo. Eles estavam frequente e claramente juntos, não apenas descuidados quanto aos olhares desaprovadores das pessoas à sua volta, mas sentindo uma ligação de cumplicidade.

A mãe de Lisa, Rachel, ouvira algumas fofocas a respeito de sua filha, mas decidiu que Lisa estava só passando por um período de rebeldia adolescente. Afinal de contas, fora ela que ensinara à filha a ter a mente aberta. De qualquer modo, era claro que seu marido não devia saber nada sobre aquilo. Ela tinha certeza de que ele nunca entenderia.

E então Lisa e Samer sempre se encontravam em bairros árabes, para evitar a possibilidade de que algum parente ou amigo do pai da moça os visse e contasse tudo a ele. Ela tentou não dar a Samer a impressão de que tinha vergonha dele, mas ainda era cedo demais para que ela desafiasse a autoridade e os preconceitos de seu pai. Samer não se incomodava nem um pouco com as circunstâncias; ele disse que elas a haviam levado a descobrir vários lugares agradáveis que certamente não teria visto de outra forma, apesar de a maioria ser frequentada tanto por árabes quanto por judeus.

Lisa queria conhecer Miral melhor. Ela sentia que podiam ser amigas, já que ambas eram curiosas, adoravam desafios e eram impulsionadas por uma inquietação que abria meios de comunicação e enfraquecia quaisquer convicções que adviessem mais de uma sensação de dever do que de suas crenças pessoais.

Durante o almoço, Tamam também tentou ser cordial, mas Miral podia ouvir em sua voz o grande esforço que ela fazia para parecer à vontade.

Samer, por outro lado, parecia satisfeito com a forma como a tarde estava se desenrolando. Talvez mais do que qualquer outra coisa, ele era motivado por um certo desejo infantil de testar a mãe, que sempre o criara para acreditar no respeito mútuo entre árabes e judeus. Naquele momento de sua vida, mostrar-lhe que ela não conseguia seguir as lições que havia ensinado a ele era mais importante do que a lição em si. Ele amava Lisa, mas sabia muito bem que os relacionamentos mistos frequentemente davam uma ilusão inicial de felicidade e igualdade antes que a pessoa mais fraca, se não ambos, caísse em um abismo de incompreensão e preconceito. Duas garotas que ele conhecia haviam namorado rapazes judeus. Depois de algum tempo, os rapazes terminaram com as garotas e, desde então, nem as famílias das meninas nem seus amigos de vida inteira as haviam realmente aceitado de volta no grupo, considerando-as prova viva de que tais utopias estavam destinadas a continuar sendo apenas um desejo.

Depois do almoço na casa de Tamam, Miral e Lisa começaram a se ver com frequência. Samer as levava para longos passeios em seu carro ou eles passavam tardes na praia, os três juntos. Um dia, partiram sem destino e acabaram às margens do lago de Tiberíade, na parte norte do país. O calor era intenso e eles teriam dado um mergulho com prazer, mas nenhum deles trouxera roupa de banho. No entanto, aquela parte do lago estava deserta e, depois de olhar em volta primeiro, Lisa tirou toda a roupa com a maior naturalidade e mergulhou na água tépida. Miral, chocada, a observou e então começou a rir, fascinada por testemunhar um nível de ousadia que nunca seria capaz de imitar, que seria impossível para alguém de sua cultura.

As conversas entre as duas moças permaneciam superficiais, nunca tocando em política e, de qualquer modo, elas evitavam conversar profundamente, quase com medo de que suas expressões diferentes pudessem fazer com que o muro invisível que as separava, e que as havia separado antes que nascessem, se materializasse.

Durante aquelas férias, elas se tornaram, em certo sentido, amigas. Miral nunca seria capaz de partilhar sua paixão política com Lisa ou conversar com ela sobre a dor que todos os palestinos sentiam por causa dos ataques do Exército israelense. De sua parte, Lisa sentia um carinho profundo por essa garota que era tão diferente dela, mas achava que nunca poderia confidenciar a Miral as dúvidas que a assaltavam à noite, uma mistura de medo causado pelos ataques terroristas que estavam acontecendo em várias cidades e seu sentimento de inquietação sempre que o pai voltava para casa. As conversas entre as duas se limitavam às suas expectativas na vida, seus passatempos favoritos, seus sonhos para o futuro, música pop, pingue-pongue e garotos. As histórias que Lisa contava também levaram Miral a pensar em sexo pela primeira vez na vida. Sempre que o assunto surgia, ele violava os tabus de Miral, a constrangia muito e fazia com que ela corasse violentamente — além de rir com nervosismo. Ela nunca discutira sobre isso com ninguém. Lisa, obviamente mais experiente e muito menos inibida, dava conselhos sobre sexo, e Miral ouvia, sempre meio chocada e meio divertida, conforme se abria diante dela um mundo que a religião e os muros sólidos de Dar El-Tifel haviam mantido oculto e de cuja existência ela só tivera consciência durante seu breve e intenso relacionamento com Hani.

A frivolidade daqueles dias parecia um presente para Miral, um tesouro inesperado que a protegeria nos difíceis anos que viriam, lembrando-a de que uma vida diferente era possível.

Um dia, Lisa lhe fez uma pergunta à queima-roupa:

— Você já beijou uma menina?

— Se beijei uma menina do jeito que você beija um homem? — perguntou Miral. — Não, nunca fiz isso — respondeu, divertida com a ideia. — Eu beijei o meu namorado, mas ainda somos muito tímidos.

Lisa sorriu e explicou:

— O primeiro beijo nunca é grande coisa. Depois que você aprende a técnica, as coisas ficam muito melhores.

— Sério?

— É, sem dúvida. — O rosto de Lisa subitamente se iluminou. — Quer aprender como *realmente* beijar um homem?

Miral olhou para a amiga, estupefata, sem saber o que esperar dela. Então, com a voz fraca, ela respondeu:

— Q...quero?

— Você não devia me responder com uma pergunta, sabe. Quer aprender como fazer ou não?

— Quero. — Miral se sentia cada vez mais constrangida, mas sua curiosidade era grande demais.

Sem hesitação, Lisa chegou mais perto dela e pegou delicadamente o queixo de Miral entre o indicador e o polegar. Então, olhou para Miral com um sorriso reconfortante e disse:

— Agora, relaxe, não pense em nada e me siga.

Lisa pressionou seus lábios contra os de Miral, e uma sensação de calor a encheu; quando suas línguas se encontraram, Miral seguiu espontaneamente os movimentos da amiga.

As duas caíram na gargalhada.

— Está vendo? Não foi tão difícil, afinal de contas.

— Não, não foi — falou Miral, rindo, mas com o rosto corando.

Durante seus dias juntas, as garotas começaram a contar uma à outra sobre os dois mundos diferentes que existiam dentro de seu país. Só uma vez Lisa ultrapassou o limite imaginário que elas haviam desenhado para salvaguardar o território neutro no qual se moviam, quando mencionou que provavelmente seria chamada para cumprir o serviço militar no ano seguinte. Miral sabia que as garotas israelenses eram obrigadas a servir por dois anos e os rapazes por três, e estremecia com a possibilidade de encontrar Lisa de uniforme durante uma manifestação em Ramallah.

O que Miral mais gostava a respeito de Lisa era sua busca pela autonomia; o que Lisa adorava em Miral era sua ousadia, que parecia ser instintiva.

Sem nenhuma necessidade de falar a respeito, no entanto, ambas tinham absoluta consciência de que a situação surreal entre elas não podia durar e seria varrida pelas primeiras brisas de outono, quando o mar começaria a ficar revolto e as ondas lamberiam o cais do porto.

Miral sabia que Jerusalém não era Haifa e que, quando voltasse, ela encontraria a intifada, manifestantes fugindo de soldados e crianças refugiadas condenadas a crescerem dentro de alguns metros quadrados, à margem de tudo.

***

Uma tarde, enquanto Miral e Lisa passeavam de loja em loja, elas depararam com o pai de Lisa. Miral foi pega de surpresa; ela nunca havia considerado a possibilidade de tal encontro, e a última coisa que queria era ficar frente a frente com aquele homem, em cuja existência ela havia conseguido não pensar até então. Ela ficou repugnada pela ideia de ser apresentada e apertar a mão dele, uma mão na qual ela pensava como manchada pelo sangue de seu povo.

O pai de Lisa era um homem muito alto, com um rosto oval, traços comuns e um corpo esguio de atleta que treinava todos os dias. Miral nunca seria capaz de definir a expressão dele; apesar de certamente não sorrir — na verdade, parecia nunca ter feito isso —, ele não parecia ser uma má pessoa. Parecia normal, o tipo de pessoa cuja profissão você jamais seria capaz de adivinhar, se não fosse por suas roupas.

Felizmente, Lisa — talvez sentindo o desconforto da amiga — se adiantou com sagacidade para cumprimentar o pai e deixou Miral para trás. Na realidade, foi uma sorte para todos, pois, se a família de Samer não estava feliz com a união dele com Lisa, a dela era abertamente hostil em relação a isso. Lisa não sabia exatamente como o pai havia descoberto sobre o relacionamento, mas uma noite ele chegara em casa, a chamara em seu escritório e pedira que ela explicasse certos rumores que ouvira em relação à filha.

Lisa não negou nada e, quando o pai lhe passou um sermão sobre coerência e sobre o tipo de comportamento que ele considerava ser o dever de todos os membros de sua família, ela se limitou a baixar os olhos sem responder.

Alguns dias depois, quando ficou claro que sua filha não havia terminado o relacionamento, ele chegou a ponto de ameaçar expulsá-la de casa se ela e Samer fossem vistos juntos novamente. Lisa não falou sobre isso com ninguém, nem mesmo com Samer, que, em sua ignorância, continuou a agir sob a ilusão de que o único problema estava em tentar evitar lugares frequentados pelos parentes dela.

Antes que as férias de Miral acabassem, as garotas prometeram uma à outra que continuariam amigas, quer Lisa ainda estivesse com Samer ou não.

No final do mês, quando a data das provas finais de Miral estava se aproximando, ela recebeu um telefonema de seu pai pedindo que voltasse para casa. Alguns dias depois de seu retorno a Jerusalém, Miral soube que Samer fora preso sob uma acusação falsa e ficara detido em um centro de interrogatórios por três dias. Ele e Lisa foram forçados a encarar a realidade de sua situação e, pouco tempo depois, decidiram se separar.

13

Miral e Lisa, por outro lado, permaneceram em contato, como se sua amizade representasse um desafio, em primeiro lugar, a elas próprias, e só secundariamente a outras pessoas. Algumas semanas depois de seu retorno à escola, Miral já fizera sua última prova quando recebeu um telefonema de Lisa. Esta tinha alguns assuntos para tratar em Jerusalém no dia seguinte e perguntou a Miral se gostaria de encontrá-la. Seria seu primeiro encontro fora da esfera de proteção que Haifa tinha — até certo ponto — lhes oferecido, e Miral se sentia um pouco inquieta com a ideia de que alguém poderia vê-la com uma amiga judia.

Miral apareceu no local e no horário designados, usando jeans justos, uma camiseta azul e um casaco de moletom branco. Lisa estava mais bonita do que o normal: seu vestido amarelo era decotado o suficiente para revelar as formas perfeitas de seus seios, e seu cabelo caía solto pelos ombros, em duas tranças que emolduravam seu rosto. Miral não imaginara que ficaria tão feliz em ver Lisa de novo; ela a levou a um restaurante tranquilo, onde almoçaram e contaram as novidades.

Enquanto estavam conversando, Lisa comunicou casualmente sua informação mais importante:

— Acabou que fui dispensada do serviço militar por causa da minha asma. Não vou ter que me alistar. Estou muito feliz com isso — disse ela, mantendo a voz baixa. Miral começou a tossir, parou e começou novamente. Seu segundo ataque atraiu a atenção do proprietário, que começou a se aproximar da mesa delas, só para ser detido por um gesto de Miral, que indicou que estava tudo bem. Sem nem perceber isso, Lisa continuou: — Sabe, pensei muito no que você me disse nesse verão, sobre os territórios ocupados.

Quando o café chegou, Miral quis ler a borra na xícara de sua amiga e prever sua sorte. Ela disse a Lisa para esvaziar a xícara de um gole só, pegou o objeto dela e rapidamente o inverteu em um pires. Então, virando a xícara para cima, começou a analisar seu conteúdo cuidadosamente.

— Algo vai fazer você mudar seu estilo de vida — anunciou, interpretando um traço grosso de sedimento deixado pelo café de cardamomo. Ela virou a xícara de novo e a girou, pressionando levemente a borda contra o pires. Então, inspecionou a borra de café mais uma vez, sorriu e falou. — Antes do final do ano que vem, você vai se apaixonar por um homem mais velho. E dessa vez será amor verdadeiro.

Samer imediatamente veio à mente de Lisa e, com ele, seu romance, que fora destruído por razões absurdas, inaceitáveis.

— Vamos, não pense nisso — disse Miral, adivinhando os pensamentos da amiga e sorrindo. — Vocês dois não estavam mesmo destinados um ao outro. Ele é um ótimo sujeito, mas também é narcisista e um pouco imaturo. Você precisa estar com alguém sensível e doce...

Lisa riu; ali estava mais uma prova de que sua amizade estava deixando para trás a fonte da qual se originara e se tornando algo exclusivamente entre as duas. Elas eram duas amigas, apenas duas amigas.

Depois de pagarem a conta, elas decidiram dar uma volta pelo bairro armênio. O ar estava agradavelmente fresco.

— Eu gostaria de ver o lugar ao qual você mais se sente ligada — declarou Lisa de repente, interrompendo o rumo da conversa. Miral hesitou por um instante, fixando os olhos em sua amiga e então fez sinal para um táxi que passava.

— Ramallah, por favor.

Quando Lisa ouviu Miral dizer ao taxista seu destino, seu primeiro instinto foi saltar do carro. Ela abriu a porta quando o táxi já estava em movimento, mas Miral a segurou com um gesto ao mesmo tempo delicado e autoritário; seus olhos, e um movimento quase imperceptível de sua cabeça, sinalizaram para Lisa que estava tudo bem.

Enquanto isso, o Mercedes marrom estava passando pela rua Saleh el-Din, lotada de consumidores carregando suas compras. Lisa olhou para as lojas, que se estendiam até a beira da rua, e as mercadorias, que eram expostas do chão ao teto. A superfície do asfalto estava crivada de buracos, e o táxi prosseguiu sacolejando, deixando as últimas casas de Jerusalém para trás. Nenhuma das garotas disse uma palavra.

Elas mal estavam fora do táxi quando Lisa gritou:

— Por que você me trouxe aqui? Isso é algum tipo de teste?

— Eu só quero que você veja que há outro mundo a apenas alguns quilômetros dos novos prédios israelenses. Um mundo esquecido, mas ele existe — respondeu Miral, andando alguns metros à frente de Lisa e tentando evitar as poças que as chuvas do dia anterior deixaram em todos os lugares.

— Você chegou a pensar que eu posso ser machucada aqui? Israelenses não têm permissão para vir aqui! — falou Lisa, gritando novamente e se esforçando ao máximo para acompanhar o ritmo rápido de Miral.

— Vamos, Lisa, você sabe que eu nunca a faria correr riscos desnecessários. Fique perto de mim, não abra a boca e, se realmente precisar falar, fale em inglês, nunca em hebraico. Direi que você trabalha para alguma ONG europeia. Você não vai correr perigo algum.

Lisa notou algumas crianças jogando futebol com uma bola esquisita que parecia ser feita de trapos. Assim que as crianças viram as garotas, abandonaram seu campo improvisado e correram na direção delas. Enquanto observava o grupo de meninos sujos e que berravam se aproximar, Lisa pensou que eles certamente estavam carregando pedras nos bolsos, e mais uma vez seu instinto foi correr, refazer seus passos, voltar para a estrada de Ramallah e pegar o próximo táxi. Mas, ao ver Miral andar calmamente na direção das crianças, Lisa só diminuiu o ritmo. Ela viu as crianças cercarem a amiga, que começou a distribuir balas entre elas, acariciar suas cabeças e dar tapinhas carinhosos em suas costas ou traseiros.

"Uma mão calorosa segura a minha", Lisa escreveu em seu diário naquela noite.

Eu estava esperando hostilidade e em vez disso me vejo cercada de rostos sorridentes. Eles me pegam pela mão e me levam para um tour pelo campo. As crianças estão malvestidas, com calças remendadas e camisetas desbotadas e cheias de buracos. Elas me mostram suas casas pequenas e escuras, onde as mães estão cozinhando, curvadas por cima de fogueiras improvisadas ou sentadas diante das portas, costurando. As crianças falam comigo em árabe — exceto os mais velhos, que falam em um inglês arrevesado — mas eu nem preciso de palavras para entender o que eles querem que eu saiba, eles o comunicam com os olhos. Só teve um menino que me fez sentir um pouco inquieta. Ele me observou de longe. Seu cabelo preto caía em uma mecha por cima da testa, ele tinha um cigarro apagado preso no canto da boca e olhava para mim como se soubesse que eu sou judia. Vi Miral conversando com ele. Eles pareciam sérios, mas ela não me apresentou. Pela primeira vez, eu vi o que é segregação. Seja como for, o fato é que este é um mundo que não podemos nem imaginar. São eles que deveriam ser nossos inimigos?

Miral estava de olho em Lisa. As crianças seguravam as mãos dela e a levavam de um barraco para o outro. Queriam mostrar a ela fotografias de seus irmãos ou pais mortos ou os poucos livros que possuíam, e que mostravam como se fossem heranças valiosas. Lisa pôde perceber em seus olhos uma emoção reprimida, mas intensa. Ela devolveu os sorrisos das crianças e se deixou ser puxada. Em poucos minutos, as crianças foram capazes de apagar tudo o que ela já ouvira a respeito dos campos de refugiados.

Miral se aproximou do amigo de Khaldun, Said. Ele lhe deu um meio sorriso e então lhe entregou um pacote que tirou de debaixo da camiseta. Enquanto Miral o escondia em sua mochila, Said acendeu um cigarro.

— Então agora você também está fumando? Quando recebeu este pacote? — perguntou ela, agarrando o cigarro do canto da boca do menino, jogando-o no chão e o apagando com o bico de sua bota. Seu gesto brusco pegou Said de surpresa, e ele permaneceu imóvel por alguns segundos, uma expressão de interrogação no rosto e fumaça saindo lentamente de suas narinas.

— Um parente que veio aqui pela Jordânia trouxe há cerca de uma semana. Havia uma carta para mim também. Parece que ele está bem.

Miral colocou uma das mãos no ombro dele.

— Prometa-me que vai parar de fumar?

Said retrucou:

— Vai me matar? Eu acordo todas as manhãs e sei que as chances de eu dormir na minha cama de novo naquela noite são mais ou menos as mesmas de ser baleado por um franco-atirador israelense ou esmagado por um tanque e terminar em um caixão. —Sem pausar, ele acrescentou em seguida: — Diga-me, quanto vale a vida de um menino em um campo de refugiados?

Miral não respondeu.

— Eu lhe digo quanto, Miral. Não vale nada, porque nós não existimos; estamos fora do mundo. Cigarros não fazem tão mal quando se cresce aqui. — Ele chutou uma lata que estava no chão perto de seu pé.

"Que direito tenho eu", Miral pensou, mordendo a língua, "de vir aqui cheia das minhas teorias de vida saudável de Dar El-Tifel e falar dessa maneira com um menino que eu mal conheço, um menino que vive nessas condições desesperadoras?"

A chegada de Lisa salvou Miral de seu constrangimento, e ela se afastou de Said para encontrar a amiga. Depois de alguns passos, Miral se virou para acenar para Said, mas ele já havia desaparecido.

Durante a viagem de volta, Miral viu que Lisa ainda estava abalada, como se fantasmas que até algumas horas antes existiam apenas em matérias de jornal ou relatos na televisão tivessem subitamente se materializado e assumido rostos e nomes bem definidos.

"De agora em diante" , Miral pensou, "ela vai ter o rosto daquelas crianças marcados a ferro em sua mente. Vai sentir as mãos delas segurando a sua e vai ver seus olhos olhando para ela sem súplica, mostrando a ela suas condições de vida com dignidade, quando nada do que têm é digno."

Enquanto o táxi avançava pelas curvas da estrada no caminho de volta para Jerusalém, Lisa agarrou a mão da amiga. Ela não conseguiu falar, mas sentiu como se tivesse que fazer Miral entender que sua visita ao campo significara muito para ela. Naquele dia, ela vira que o lugar mais feio do mundo — onde o esgoto era a céu aberto, onde as casas eram feitas de barro, palha e metal ondulado — podia ser o lugar onde a solidariedade e o fato de compartilhar a mesma condição levavam a relações muito sólidas. Qualquer um que entrasse desarmado naquele lugar conquistaria o coração de todos imediatamente, pelo simples fato de ter ido até lá. Lisa ficou chocada ao descobrir que seu país possuía cantos tão escuros. Ela repetia para si mesma sem parar:

— Como podem existir lugares tão degradantes? Este não pode ser o meu país.

14

Ao retornar à escola e chegar a seu quarto, Miral trancou a porta, sentou-se na cama e abriu o pacote. A primeira coisa que viu foi uma fotografia de Khaldun com alguns de seus camaradas, todos vestidos de preto, com *kaffiyehs* brancos e pretos em torno do pescoço. Khaldun estava sorrindo, com um cigarro na boca. No verso, ele havia escrito: "Como pode ver, não parei de fumar, mas em todos os outros aspectos eu mudei muito."

Ele parecia mesmo diferente. Agora, era um homem; ela não podia dizer que ele era bonito, mas havia charme e confiança em sua figura. Miral ficou impressionada ao ver sua expressão suavizada, tão menos zangada do que quando ele era só um menino. O pacote também continha uma carta, que ela abriu impacientemente. A caligrafia de Khaldun também estava mais relaxada, mais madura do que costumava ser.

> *Querida Miral,*
> *Espero que este pacote chegue até você. Sei que você ainda está em Dar El-Tifel, mas não é fácil para os meus amigos chegarem a Jerusalém. Aqui está uma foto minha. Como estou? Já me sinto diferente! Também estou lhe mandando um livro que escrevi — a vida é cheia*

de surpresas. Às vezes, quando olho para o manuscrito, nem consigo acreditar que ele está lá! Levei um ano para escrever, e estou mais interessado em ouvir sua opinião a respeito do que a de qualquer outra pessoa.

Depois que meu treinamento terminou, eu tentei ser guarda-costas de um dos líderes da Frente Popular pela Libertação da Palestina, um grande intelectual e escritor. Ele me deu muitos livros para ler, me encorajou a escrever, e, como você, me diz que sou inteligente demais para carregar um rifle. E então ele me deu uma velha máquina de escrever e me obrigou a escrever minha história, todas as coisas pelas quais passei, como cresci em um campo de refugiados e como achei uma forma de sair daquele inferno. Sinto como se tivesse vivido várias vidas ao mesmo tempo, mas talvez eu tenha me saído bem, no final das contas. Você está no terceiro capítulo. Tinha que estar; eu não poderia deixá-la de fora. Entendi muitas coisas nos últimos anos, Miral, e, acima de tudo, percebi que você tinha razão quando disse que uma caneta frequentemente é uma arma mais eficaz para a nossa causa do que um rifle. Infelizmente, há cada vez menos de nós que pensam assim; anos difíceis estão à nossa frente, e o eco de explosões vai abafar os sons das palavras. Temo que a demagogia tenha um impacto poderoso nas massas. Porém, mais do que qualquer outra coisa, eu temo o impacto dos fanáticos religiosos. De onde vieram esses malucos? Sempre fomos um povo secular. Vi o bastante deles aqui no Líbano para entender que o perigo não está nos livros sagrados; está na cabeça daqueles que os interpretam. Eles são os verdadeiros "professores do mal".

Eu pareço pessimista, certo? Acredite, não estou — mas apenas estou bem-informado. Por favor, tome cuidado com o que você fizer. Precisamos de pessoas como você, que estão interessadas em contar a verdade, sem enfeites e sem censura ideológica. Enquanto isso, o que você me diz, vai escrever para mim? Estou curioso para saber como você está e o que tem feito durante todo esse tempo.

Daqui a um mês, na mesma hora, o garoto que lhe entregou este pacote hoje terá outro para você. Se quiser me mandar uma carta, o melhor a fazer é entregá-la a Said ou à minha mãe.

Tenho certeza de que um dia — logo, eu espero — poderemos nos encontrar de novo. Talvez em algum país árabe.

Com amor,

Beijos,

Khaldun

Miral chorou de alegria. Não só Khaldun estava vivo, ele estava até mesmo seguro. Ela foi para a residência de Hind imediatamente e entrou em seu escritório. Hind estava examinando alguns documentos com três das mulheres que trabalhavam com ela.

— Mamãe Hind, preciso falar com a senhora — disse Miral, mostrando a carta. As duas saíram para a sacada. — Eu gostaria de ler uma carta maravilhosa para a senhora — falou Miral, visivelmente entusiasmada.

— Mas você não pode esperar alguns minutos? Tenho que terminar meu trabalho aqui. Os documentos não podem esperar.

— Não, eu também não posso esperar. É realmente urgente. Preciso saber o que você pensa.

Cedendo à insistência de Miral, Hind se sentou em um banquinho e se preparou para ouvir o conteúdo da carta de Khaldun. Quando a leitura terminou, ela sorriu, ao mesmo tempo divertida e admirada.

— Que palavras profundas e lindas! Esse garoto é poeta. E Deus sabe que nós precisamos de romance, nós precisamos sonhar. Miral, você percebe que uma vida foi salva? Agora eu tenho grandes expectativas para o futuro desse menino. Ele faz algumas observações muito inteligentes. Acho que devo cumprimentá-la por essa vitória, Miral.

Miral a abraçou, deu-lhe um beijo rápido na bochecha e saiu apressada com sua carta.

Apesar do medo que sentia depois de sua prisão, Miral continuava sendo politicamente engajada, mas de uma forma diferente. Jamal havia percebido que, quando ela estava em casa nos finais de semana, alguns rapazes vinham visitá-la, entre os quais estavam os líderes da resistência no bairro. Eles se encontravam para discutir negociações secretas de paz, leis, a eventual construção e o desenvolvimento do futuro Estado.

Jamal se sentia fraco e incapaz de proteger sua filha. Uma noite, às 2 horas da manhã, houve batidas violentas na porta. Jamal se levantou, mas antes de abrir a porta olhou no quarto das meninas. Miral, ainda acordada, estava segurando uma pilha de cerca de dez livros.

— Eu os escondo. Vá abrir a porta — disse ele para Miral, seu rosto branco de medo. Miral se vestiu enquanto o pai saía pelos fundos, para o pátio. Com grande esforço e a ajuda de uma estaca robusta, ele abriu um bueiro e jogou os livros dentro. Os soldados olharam em todos os cantos, mas não encontraram nada.

Assim que eles saíram, Jamal caiu em uma poltrona, sua testa pingando de suor. No dia seguinte, quando retirou os livros do bueiro, ele viu algumas folhas de papel saindo de um deles e reconheceu a caligrafia de Miral.

A intifada começou em uma manhã calma e ensolarada em dezembro de 1987, depois que um tanque israelense atropelou um caminhão cheio de trabalhadores palestinos, matando quatro, e então indo em frente, sem parar para ajudar. Desde então, não há indicações de que as revoltas e as manifestações vão acabar. No começo, se espalharam como um levante popular pelos territórios ocupados, Jerusalém, Nablus, Jenin, Hebron, Gaza, Ramallah, todos lugares onde as pessoas se reuniam espontaneamente nas ruas para protestar. O incidente com o caminhão foi interpretado como o limite, a última gota que fez o copo transbordar. Inicialmente, as manifestações eram pacíficas e os rostos de seus participantes descobertos, mas, em algum momento, meninos começaram a atirar pedras nos tanques, que eram um símbolo da ocupação e das esperanças destruídas. O esforço de repressão israelense foi massivo e feroz. Eles esperavam acabar com a revolta em um prazo curto, mas o fenômeno se espalhou e forçou os israelenses a mudarem sua tática. Foi quando apareceram os infiltrados e os franco-atiradores nos telhados, quando as prisões se encheram e os soldados começaram a quebrar os braços e as pernas de garotos dos territórios ocupados capturados durante os confrontos. Correndo perigo de morte, meninos, que não passam de crianças, desafiam os tanques israelenses, jogando pedras com estilingues ou com as próprias mãos. Quando seus rostos descobertos emergem das nuvens de gás lacrimogêneo, eles parecem predadores desesperados, seus olhos espumando de adrenalina e ódio. Os soldados do outro lado, filhos de sobreviventes do Shoah, ficam quase constrangidos, lutando contra um inimigo invisível por trás da proteção de uma grossa camada de aço. Os árabes perderam três guerras, e Israel fez de sua superioridade militar um meio de intimidação de sonhos de uma possível vingança. Mas a progressão dos protestos na Palestina ganha manchetes no mundo inteiro. Esta não é uma guerra entre dois exércitos normais ou mesmo entre fedayin maltreinados e mal-equipados e o exército mais poderoso da região; em vez disso, é uma forma de protesto instintivo, simplório e desesperado, que, em um dos paradoxos mais grotescos da história, parece a revolta dos judeus no gueto de Varsóvia. A intifada, a guerra das pedras, uma revolta improvável e impossível, uma representação distorcida, de cabeça para baixo, de Davi e Golias, irá atingir o imaginário do Ocidente tão violentamente que ele será acordado de seu sono de dez anos em relação ao Oriente Médio. As pedras arremessadas por jovens palestinos não tiveram nenhum efeito militar, mas provavelmente conseguiram causar algumas rachaduras na consciência mundial.

Jamal ficou impressionado com a autoridade da linguagem de Miral. Parecia um adulto falando. Mas ele também estava preocupado com a segurança de sua filha. Ligou para Tamam no mesmo dia e pediu a ela que viesse a Jerusalém e conversasse com as sobrinhas sobre a seriedade da condição física dele. A tia das meninas chegou no dia seguinte e falou muito francamente com Miral e Rania.

— Seu pai está preocupado. Vocês são crescidas e têm que entender certas coisas... Mas há algo mais importante do que todo o resto neste momento. Seu pai me pediu para contar a vocês que ele está com leucemia. Deveríamos ter contado a vocês há algum tempo... Ele vai ter que passar por uma cirurgia séria, seguida de tratamento.

As garotas estavam sentadas lado a lado, de mãos dadas, tentando apoiar uma à outra e reagir à notícia que acabava de cair sobre delas. Já havia algum tempo Miral percebera que seu pai perdera bastante peso, mas pensara que ele estava sofrendo de uma indisposição psicológica como resultado da preocupação com as filhas.

— Ele está muito doente — continuou Tamam. — Vocês têm que ficar perto dele e, acima de tudo, devem evitar qualquer atitude que o deixe preocupado. Miral, você vai ter que acabar com qualquer envolvimento político. A ideia de soldados na casa de novo o perturba enormemente.

Rania subitamente começou a chorar, agarrando-se à tia, enquanto Miral continuava em um silêncio mortificado. Seu pai sempre fora a base das duas em momentos difíceis, o que as havia ajudado durante as dificuldades da vida, tanto grandes quanto pequenas. Miral correu para o banheiro e viu seu rosto congelado desaparecer no espelho, indistinto por causa das lágrimas. A ideia de perder seu pai a tornara invisível.

No curso dos dias que se seguiram, Rania decidiu não dormir mais no campus da escola, mas morar em casa com Jamal. Miral sabia que essa decisão teria um efeito negativo sobre os estudos da irmã, mas, como entendia perfeitamente os motivos de Rania, deixou-a fazer o que queria. Logo, como Miral havia previsto, Rania parou de estudar. Ela passava os dias ao lado da cama do pai, junto com a mulher que vinha todos os dias para ajudá-lo. De vez em quando, Rania se levantava durante a noite e ia para o quarto dele. Ela o observava enquanto ele dormia e podia ver que ele estava ficando mais magro a cada dia. Ela queria lhe dizer para não ir embora, não deixá-las sozinhas, dizer que elas nunca conseguiriam sobreviver sem ele.

Miral ia vê-lo todas as tardes, mas não parou de participar das manifestações autorizadas, apesar de comparecer com menos frequência. Naqueles meses, tornou-se ainda mais prudente; ela nunca iria querer ser a causa da última tristeza de seu pai. Enquanto isso, a saúde de Jamal se deteriorava rápido, mas sua mente permanecia lúcida, e ele nunca reclamava dos espasmos de dor causados pela doença. Ele adorava saber que suas filhas estavam por perto e gostava muito de enchê-las de conselhos e orientações. Toda vez que elas entravam em seu quarto juntas, ele dizia que o sol havia iluminado seu dia. Elas se deitavam ao lado dele na cama e o abraçavam durante horas. Rania beijava as bochechas do pai sem parar, cavadas como estavam; a pele dele parecia extremamente macia e transparente. Jamal implorava continuamente que as filhas permanecessem próximas e que cuidassem uma da outra, independentemente do rumo que suas vidas tomassem. Ele percebia que Rania estava negligenciando seus estudos, mas fora incapaz de persuadi-la a se aplicar mais. Quando só faltava um mês para o final do ano letivo, Rania abandonou os estudos de vez. Miral tentou dissuadi-la, mas Rania foi inflexível:

— Não sou como você, Miral. A política não me interessa, eu não gosto de estudar e não tenho muitos amigos aqui em Jerusalém. No ano que vem, quero ir morar em Haifa com a tia Tamam.

Isso parecia um discurso ensaiado, e não havia muito que Miral pudesse acrescentar. Enquanto procurava palavras convincentes, ela começou a dizer: "Rania, escute...", mas a irmã a interrompeu imediatamente.

— Esqueça, Miral. Eu tomei minha decisão há algum tempo e não há nada que você possa dizer para me fazer mudar de ideia. Sério, é melhor assim.

Uma tarde na escola, antes de deixar o campus para visitar seu pai, Miral foi falar com Hind sobre sua irmã, mas encontrou apenas Miriam, a vice-diretora, que estava ocupada preparando alguns documentos para Hind assinar mais tarde.

— Ela saiu há cerca de meia hora. Não sei aonde foi — disse Miriam a Miral. — Quer deixar um recado para ela?

— Não, obrigada. Eu falo com ela outro dia.

Enquanto ia para casa, Miral se sentiu um pouco decepcionada. Hind tinha que saber que Rania havia se afastado da escola e ainda assim não fizera nada para impedi-la. Quando chegou em casa, Miral encontrou Hind sentada ao lado da cama de seu pai. Rania estava na cozinha, preparando chá de sálvia. Ao verem Miral entrar, os outros pararam de falar.

— Como vai, Miral? Está tudo bem? — perguntou Hind, sorrindo com simpatia. — Vim aqui conversar com seu pai sobre a situação da Rania e concordamos em deixá-la fazer o que considerar mais apropriado.

— Como assim? — Miral não podia acreditar que essa mulher combativa, que não a deixava ir às manifestações, ia agora se render com tanta facilidade a sua irmã.

— Miral. — A voz de seu pai era pouco mais do que um sussurro. — Por enquanto, é melhor assim. — A mão dele, por mais magra que estivesse, ainda tinha uma pegada forte.

Rania entrou com o chá.

— Se quiser, Miral, eu gostaria muito de ter uma conversa particular com você, só nós duas. O que acha de vir me ver amanhã à tarde? — perguntou Hind. Seu olhar não demonstrava a menor preocupação. Miral assentiu.

— Ótimo — falou Hind. — Então está marcado. Eu a esperarei no meu escritório amanhã à tarde depois da aula.

— Está bem — respondeu Miral lamentosamente. Rania, ao contrário, parecia serena; como se tivesse se livrado de um fardo pesado, ela se movia rapidamente e com segurança pelo quarto, arrumando ocasionalmente a roupa de cama do pai ou os travesseiros que apoiavam suas costas.

Hind foi embora depois do chá, e os outros três começaram a conversar, como sempre faziam. De alguma maneira, a serenidade de Hind os havia contaminado. Eles até fizeram piada com os sapatos novos de Rania, cuja cor era tão espalhafatosa que não combinava com nenhum de seus vestidos.

No dia seguinte, como combinado, Miral foi ao escritório de Hind.

— Veja, Miral — começou a diretora na hora, mal dando à aluna tempo para se sentar —, diferentemente do que você pensa, Rania não está só se entregando a um capricho.

Miral olhou para Hind interrogativamente. A garota esperava, na verdade, fazer a irmã mudar de ideia, precisamente porque ela, Miral, estava convencida de que o plano de Rania era uma vontade passageira, uma ideia aleatória, que ela tivera um dia e a qual resolvera botar em prática apenas porque não gostava de estudar.

— Rania tem um bloqueio psicológico que é muito comum em certos casos — continuou Hind. — Se tentarmos retirá-lo à força, o resultado será um rompimento definitivo. Neste momento, não existe nada para ela além de cuidar de seu pai. Se ela não fizer isso, se não dedicar todo seu tempo a isso, irá sentir que não fez o suficiente e poderia acabar sentindo culpa para sempre em relação à morte de seu pai.

Ao ouvir a palavra "morte", Miral deu um pulo, e as lágrimas que vinham se acumulando em seus olhos sem que ela percebesse começaram a cair lentamente. Antes que pudesse se conter, seu choro se tornou desconsolado. Hind a deixou chorar por alguns instantes; então se levantou e andou até ela. Passou os braços em volta de Miral, e as duas ficaram assim por muito tempo, até finalmente os soluços de Miral se acalmarem. Só com Hind ela podia se permitir chegar àquele ponto, e Miral não tinha vergonha por ter deixado cair a máscara de moça segura de si que se sentia obrigada a usar na frente de seu pai durante os últimos meses.

— Não estou dizendo que é fácil — acrescentou Hind, segurando Miral pelos ombros e a olhando nos olhos. — Mas se insistirmos para que Rania mude de ideia não há apenas o risco de que ela nunca volte para a escola; também há a chance de nos considerar, e a você em particular, inimigos que querem ficar em seu caminho e impedi-la de ajudar o pai.

15

Perto do final de maio, Miral também decidiu dormir em casa com o pai e a irmã, mas a condição de Jamal piorou e ele foi levado para um hospital. Apesar da doença, ele continuava a dar conselhos para as filhas e tinha longas conversas com elas. Ele tentava se lembrar do máximo possível de episódios da infância delas e do tempo em que a mãe delas era viva. Queria passar sua memória para elas. Ele pressionou Miral a continuar seus estudos — queria que ela se tornasse professora universitária — e, ao mesmo tempo, insistia que ela devia se esforçar para ser menos impulsiva.

A serenidade de Jamal naqueles dias contrastava com o sofrimento em seus membros. Os médicos disseram que a única possibilidade de salvá-lo seria um transplante de medula. As duas meninas, que eram consideradas as doadoras mais desejáveis, discutiram a possibilidade com o pai. Mas Jamal ficou preocupado e se recusou a passar pela cirurgia.

— Pelo menos deixe que nos testem antes, para ver se somos compatíveis — disse Miral.

— Não, não, sério. Vai ser como Deus quiser — respondeu ele. Ele estava sorrindo mesmo quando deu a resposta, o que era como uma pena de morte sem possibilidade de apelação, mas Miral pôde ver que ele estava ansioso. Ela não entendia como um homem sensato como seu pai podia de repente se tornar tão obstinado.

— Olhe, não é uma operação tão difícil, e tem bons resultados. O médico nos mostrou as taxas de sucesso. São excelentes — insistiram as filhas de Jamal.

— Sim, meninas, eu sei, ele também me mostrou. Mas é tarde demais para isso agora. Quero passar o tempo que me resta assim, com vocês perto de mim, e não em uma sala de cirurgia.

Nem um pouco convencidas, Miral e Rania fizeram os testes no dia seguinte. Alguns dias depois, as duas irmãs foram ver o médico novamente. Ele abriu um sorriso amigável e as guiou para sua sala. Sentado atrás de sua mesa, analisou rapidamente alguns documentos; as meninas viram seu rosto ficar sombrio. Ele se dirigiu a Rania primeiro, dizendo-lhe que ela tinha algum nível de compatibilidade com o pai e que, caso ele autorizasse a operação, as chances de sucesso eram remotas. Aí, limpou a garganta e gentilmente pediu a ela que se sentasse na sala de espera, pois queria ter uma palavra com sua irmã. Ele e Rania discutiriam detalhes mais tarde.

— Mas por que ela tem que sair? — perguntou Miral, surpresa.

— Bem, porque quero falar com você em particular primeiro. Depois, se você achar apropriado, sua irmã pode voltar.

Miral não entendeu; o médico parecia totalmente constrangido.

— Não guardo segredos da minha irmã. Diga-me o que tem para me dizer. — O coração dela estava acelerado. Ela tinha medo de ter algum tipo de doença ou alguma outra condição grave. Rania pegou sua mão e a apertou com força.

— Neste caso, vou direto ao assunto. Os testes mostram que sua compatibilidade com seu pai é inexistente.

— Então não posso doar a medula? Mas Rania é compatível, certo? Portanto...

— Essa não é a única questão aqui. O exame de DNA mostra que Jamal não é seu pai biológico.

O golpe fez com que ela perdesse a consciência. Quando abriu os olhos novamente, viu Rania chorando e o médico oferecendo a cada uma um copo d'água. As duas irmãs se abraçaram aos prantos, incapazes de compreender como algo assim era possível. Nenhuma das duas acreditava naquilo, mas todas as tentativas de pedir outra análise foram em vão.

— Miral, esse é um teste muito preciso, e nós fizemos todas as devidas verificações. Acredite, não há possibilidade de erro — respondeu o médico, visivelmente constrangido. — Eu sinto muito.

Rania abraçou Miral enquanto as meninas saíam da sala do médico.

— O que devemos fazer? — perguntou Miral para a irmã.

— Acho que não devemos contar a papai.

— Mas isso significaria...

— Sim, Miral, eu sei. Significa que ele não vai se operar. Mas o que você acha que aconteceria se ele descobrisse que nós sabemos a verdade?

— Partiria seu coração — Miral disse com um suspiro.

— Exatamente.

Quando estavam perto da saída, Miral pediu que Rania a deixasse um pouco sozinha e a aconselhou a ir para casa descansar.

— E o que você vai fazer?

— Não sei, eu preciso pensar. Não se preocupe comigo.

Muitas perguntas encheram a cabeça das duas irmãs. Quem era o verdadeiro pai de Miral? Jamal sabia? Como isso era possível? E por que ninguém jamais lhes contara nada? Antes de se separarem, elas se abraçaram de novo, prometendo se ver mais tarde, em casa.

Miral começou a andar sem rumo pelas ruas. Perambulou por horas sem chegar ao fundo da revelação que acabara de receber. Ela não conseguia nem chorar, apesar de sentir que precisava. Jamal devia saber, senão não teria se oposto tão veementemente a elas fazerem o teste. Mas como ela podia reunir coragem para pedir explicações a ele?

No final, ela decidiu conversar com a única pessoa que podia saber a verdade: tia Tamam.

A xícara de café caiu no chão e se quebrou em mil pedaços. Tamam não podia acreditar que Miral havia descoberto o segredo. Tantos anos haviam se passado que Tamam deixara de pensar a respeito. Em seu coração, ela estava realmente convencida de que Jamal era o único pai de sua sobrinha.

— Tia Tamam, por favor, me diga a verdade — implorou Miral. — Eu preciso saber.

Não havia mais motivos para Tamam guardar segredo; Miral tinha descoberto, e ela possuía o direito de saber a história de sua mãe. A história toda, sem censura.

E então Tamam contou do começo; recontou o abuso que ela e sua irmã haviam sofrido nas mãos do padrasto; a fuga de Nadia; sua vida dissoluta, primeiro em Jaffa e mais tarde em Tel Aviv; seu tempo na prisão com tia Fatima. E então Hilmi, em cujo amor sincero Nadia não confiara porque os homens antes dele a haviam decepcionado.

— Mas acredite, minha menina, Jamal foi um pai de verdade para você. Ele sabia de tudo, e ainda a ama como se você fosse carne e sangue dele.

Miral chorou; ela não podia acreditar que a mãe que Jamal retratara nunca havia existido, não fora nada além de um farrapo do que Nadia era. Pela primeira vez, Miral pensou que podia entender a origem do tormento que às vezes sentia. A dor de viver fora o que havia matado sua mãe.

16

Era um dia de junho, e Rania e Miral estavam indo para o hospital. No caminho, elas pararam no *souk* de especiarias e compraram um pouco do incenso favorito do pai. Haviam decidido se esforçar ao máximo para serem alegres e animadas quando estivessem na presença dele naquele dia.

Jamal estava deitado acordado em seu quarto. Quando viu as filhas entrarem, ele declarou que elas estavam realmente crescidas e que ambas eram lindas. Enquanto as observava andando pelo quarto, a dor que torturava seu corpo fraco lhe pareceu, por um momento, apenas um eco distante. Miral acendeu o incenso, desafiando a proibição da enfermeira. O pai das meninas as seguiu com os olhos até o perfume delicado chegar às suas narinas, e ele fechou as pálpebras por um instante. Então, reunindo todas as suas forças, ele disse, sorrindo enquanto falava:

— Ver vocês duas entrarem por aquela porta aquece meu coração. Vocês trouxeram alegria para a minha vida desde o dia em que nasceram.

As meninas se deitaram ao lado de Jamal e passaram os braços em volta dele. Miral podia sentir o quanto os pés dele estavam gelados. Ela tentou massageá-los para que esquentassem, mas foi inútil; a circulação do pai estava entrando em colapso.

***

Naquela tarde, Jamal entrou em coma. Foi como se ele tivesse esperado que as filhas viessem antes de cair em um sono irreversível. Rania telefonou para Miral, que naquele meio-tempo havia voltado para casa. Sentada no banco de trás de um táxi, Miral viu a imagem de seu pai indo embora, seus olhos fechados, sua respiração cada vez mais difícil, suas mãos cada vez mais frias. Quando ela chegou ao hospital, encontrou Rania chorando desesperadamente nos braços da tia. Miral também queria chorar, mas se conteve. Ela sabia que não podia desabar na frente de sua irmã. No entanto, tinha muito medo de ser deixada sozinha, e o desejo de extravasar seus sentimentos ganhou. Ela correu para o banheiro, trancou a porta e se entregou a uma longa e libertadora crise de choro, que continuou até uma enfermeira vir buscá-la.

Com uma voz um pouco entrecortada pela emoção, a enfermeira sussurrou que havia chegado o momento de Miral ir ver o pai e se despedir dele pela última vez. Miral reuniu sua coragem, ergueu-se dos azulejos verde-água do hospital e olhou para o espelho; foi preciso reunir toda a sua força. De quanto mais de força ela precisaria de agora em diante, ela pensou, para sobreviver à ausência do pai?

Ela apertou a mão de Jamal e lutou contra as lágrimas:

— Nós vamos conseguir, papai, não se preocupe. — Ela o assegurou: — Você nos deu muito. Você vai ver. Nós vamos ficar bem. Eu vou cuidar de Rania e ela vai cuidar de mim.

Cerca de uma hora depois, Jamal deu seu último suspiro.

Miral se sentiu profundamente triste. Naquela noite, ela, a irmã e a tia dormiram aninhadas juntas na cama de Jamal; queriam preservar o cheiro e o amor dele em suas lembranças. Só quando acordaram na manhã seguinte, elas se deram conta de que ele não estava mais lá.

Na mesma manhã, Hind leu no *Al-Quds* a notícia sobre a morte de Jamal. Não muito tempo depois, Miral chegou. Elas se abraçaram longamente, e então a garota implorou que Hind a ajudasse a convencer Rania a não ir para Haifa. Com toda a delicadeza que possuía, Hind respondeu:

— Miral, entendo sua dor, mas é meu dever informá-la de que não há nada incomum no comportamento de sua irmã. Ela só está pedindo ajuda a outras pessoas, e isso é normal. É humano. Você é muito forte, Miral; nunca mostra seus sentimentos. Isso pode ajudá-la a se defender de seus inimigos, mas, ao mesmo tempo, vai condená-la a uma vida inteira de solidão. Não deve exigir muito de si mesma.

Antes do enterro, as meninas prestaram sua última homenagem a Jamal. Rania ficou para trás, mas Miral se aproximou do caixão e beijou a testa fria e as bochechas cavadas. Apertou as mãos de seu pai, que em vida sempre foram quentes e macias, e sentiu sua rigidez gelada. A pele dele estava pálida, sua cor quase surreal, mas seu rosto estava plácido e relaxado; ele finalmente deixara o sofrimento terreno para trás.

Quando seus primos ergueram o caixão, as meninas soltaram gritos de dor. Toda a tensão acumulada durante aquelas últimas horas trágicas parecia ter sido canalizada em seu lamento.

Quase mil pessoas compareceram ao enterro de Jamal. Só então Miral percebeu como o pai era amado. Depois que a cerimônia acabou, um homem se aproximou dela e lhe entregou um envelope branco.

— Isso é o dinheiro que seu pai me emprestou — disse o estranho. — Ele era um homem bom e honesto. Eu não paguei a tempo, mas achei que era meu dever entregar o que lhe devia para suas filhas. Aqui está e, se houver qualquer coisa que eu possa fazer por vocês, é só pedir.

O envelope continha 1.200 dólares.

Através desse incidente e de outras histórias similares, Miral descobriu que seu pai havia ajudado silenciosamente muitas pessoas, e não apenas em sua vizinhança. Sua generosidade era como sua personalidade, humilde e discreta.

* * *

Nos dias seguintes à morte do pai, Miral frequentemente se deixava ficar por algum tempo nos lugares preferidos dele, sentada em um banco de pedra que oferecia vista para a Cúpula da Rocha ou no banco de madeira sob o pé de romã na frente de sua casa, onde Jamal lia o Corão ou observava as crianças da vizinhança jogando futebol.

Agora um vizinho vinha todos os dias para regar as plantas. O jasmim perfumara as noites de verão com sua fragrância intensa e, no outono, o pé de romã fornecera as frutas com as quais Jamal preparara as tortas deliciosas que distribuía para as crianças da vizinhança. Miral relembrou uma tarde ensolarada quando seu pai lhe dissera que o jasmim era como ela: lindo, perfumado e digno, capaz de se adaptar às circunstâncias e de superar as dificuldades da vida subindo por cima de tudo para encontrar nova luz. A romã, por outro lado, era como Rania: mais prática, mais solidamente enraizada na terra, devolvendo os cuidados dedicados a ela com seu fruto doce. Agora elas eram duas plantas crescidas, Miral pensou, sozinhas em um mar congelado de cimento.

Miral levou muito tempo antes de conseguir ter coragem de visitar o túmulo do pai. Ele estava no cemitério muçulmano na encosta do Monte das Oliveiras, que dava vista para a Cidade Velha. O cemitério judeu, com seus túmulos brancos refletindo a luz do sol, estava localizado um pouco mais adiante na encosta. Paradoxalmente, Miral pensou, judeus e árabes, que em vida haviam se mantido o mais longe possível uns dos outros, na morte se encontravam a apenas alguns metros de distância, separados apenas por um muro baixo.

Apesar de a morte de seu pai ter aberto um vazio em sua alma que nada podia preencher, Rania conseguiu encontrar um equilíbrio em Haifa que nunca conseguira achar em sua escola. Pouco depois de ter se mudado para lá, ficou noiva de um vizinho. Ela era muito jovem, mas sentia uma necessidade desesperada de construir a família que perdera cedo.

Diferentemente, Miral se jogou de cabeça na política de novo. Durante aqueles dias terríveis após a morte de seu pai, as duas irmãs viram suas vidas tomarem rumos inevitavelmente distintos, apesar de que o afeto que sempre as unira nunca diminuiria.

Para Miral, suas provas finais do ensino médio significavam o fim não apenas de seu ciclo acadêmico, mas também de sua vida em Dar El-Tifel. E, apesar de continuar a morar no campus, sua partida era apenas uma questão de tempo. Ela teria que tomar uma decisão rápida em relação a seu futuro, mas não conseguia pensar em nada além de Hani. Os planos apressados de casamento de Rania a haviam pegado de surpresa. Miral esperava que a irmã completasse seus estudos antes de dar um passo tão importante. Elas até tiveram uma discussão agitada sobre o assunto, mas então Miral se lembrou das palavras de Hind, de suas repetidas advertências de que não se pode forçar uma pessoa a fazer algo que ela não quer. Rania havia sofrido tanto, primeiro por causa da morte de sua mãe e então por causa da de seu pai; certamente ela não podia ser culpada por seu único desejo ser começar sua própria família.

Nesse meio-tempo, Hind estava tentando convencer Miral a aceitar uma bolsa para estudar na Europa. Muitas de suas colegas de turma iriam para a universidade em Ramallah, enquanto outras estavam preparadas para começar a trabalhar. Pela primeira vez na vida, Miral estava atolada em incertezas, feliz por finalmente não haver nada que a impedisse de decidir por si mesma que caminho tomar. Ela foi para a Cidade Velha para fazer algumas compras, preparando-se para ir a Haifa visitar Rania em seu novo lar.

17

Miral comprou um exemplar do *Al-Quds* e se sentou em um café perto do Portão de Damasco. Nos últimos anos, o número de judeus ortodoxos passando pelas ruas cobertas do *souk* vinha crescendo regularmente. Muitas casas na Cidade Velha haviam sido compradas ou tomadas de seus donos árabes e rapidamente decoradas com bandeiras israelenses e castiçais de sete velas. A contrapartida da guerra sangrenta nos territórios ocupados era, em Jerusalém, uma luta submersa pela posse da Cidade Velha, onde cada metro quadrado e cada pedra assumiam um valor simbólico.

Após passar os olhos pelas notícias da primeira página, ela virou para as páginas de dentro, onde se demorou em uma matéria sobre colaboradores mortos por manifestantes do al-Fatah em Gaza e um carro-bomba que havia causado a morte de um militante da Frente Popular para a Libertação da Palestina no Líbano no dia anterior. A vítima era descrita como tendo apenas 18 anos, e Miral especulou que devia haver algum erro. Pensou, então, em Hani e Khaldun, temendo por sua segurança. A vítima estava com um dos líderes da organização, para quem havia trabalhado como guarda-costas até algumas semanas antes e que diziam ser o verdadeiro alvo do ataque. A matéria não excluía, no entanto, a hipótese de que os autores tivessem na verdade querido atingir o jovem militante, o autor de um livro — publicado no Líbano, assim como em alguns países europeus, entre eles a Alemanha e a França — no qual recontava sua adolescência, primeiro no campo de Kalandia e depois nos campos de Sabra e Shatila, no sul de Beirute. Sua prosa violenta e sucinta levara alguns críticos literários a aclamar o jovem escritor palestino como o novo Ghassan Kanafani. Infelizmente, essa comparação não deve ter passado despercebida para os assassinos do rapaz. O escritor era Khaldun. E ele sofrera o mesmo destino brutal do autor de *Men in the Sun* e *Return to Haifa*, que tivera um fim prematuro quando, em 8 de julho de 1972, uma bomba colocada em seu carro pelo Mossad em Beirute matou tanto a ele quanto a sua sobrinha de 16 anos.

Um grito silencioso de dor intensa paralisou o corpo de Miral. Ela não conseguia pensar, não conseguia se mexer. Sentiu o desespero de estar consciente e ao mesmo tempo impotente. Ela pensara que Khaldun estava a salvo porque ele estava longe, mas ninguém está a salvo; o destino segue a pessoa aonde quer que ela vá.

Suas lágrimas borraram a tinta do jornal na frente dela. E, naquele momento, o calor do sol de Jerusalém tornou-se frio.

No dia seguinte, Miral foi ao mesmo café na esperança de que Jasmine passasse por lá e lhe desse notícias de Hani. O café se tornara um ponto de encontro regular para Miral e suas amigas. O proprietário era um homem de meia-idade, calvo e robusto, que cantarolava enquanto preparava bebidas geladas para seus jovens fregueses. Ele sempre cumprimentava Miral com um sorriso largo e carinhoso e lhe oferecia a melhor mesa.

Fazia muito tempo desde que ela recebera qualquer notícia de Hani, e Miral havia ficado cada vez mais preocupada. Os amigos dele no bairro respondiam às suas perguntas com respostas vagas, evasivas, e seus antigos camaradas na Frente Popular ficavam relutantes em dar qualquer informação que fosse sobre ele. Ninguém sabia onde ele podia estar; talvez tivesse saído do país. Miral sabia que, se ele ainda estivesse em Jerusalém, muito provavelmente estaria vivendo como fugitivo. Ela imaginava esperançosamente que depois da assinatura dos acordos de paz haveria uma anistia geral e que Hani se beneficiaria dela, mas quanto tempo mais se passaria até que isso acontecesse? Poderia levar anos.

Miral decidiu deixar um recado com a mãe de Hani. Em seu bilhete, Miral planejava contar a Hani sobre a descoberta de seu verdadeiro pai, Hilmi, que ela finalmente conseguira encontrar. Ele morava na Europa, onde era professor universitário de literatura. Havia mandado uma carta para Miral que a emocionara profundamente, uma carta na qual ele lhe dissera que deviam se encontrar e conversar sobre tudo. Ele escreveu sobre seu amor pela mãe dela, Nadia, de seu respeito por Jamal, e convidou Miral para ir visitá-lo, declarando que ela podia contar com ele em qualquer momento e em qualquer circunstância. Junto à carta havia uma passagem de avião para Berlim. Miral pensou por muito tempo sobre ir encontrá-lo lá, mas decidiu que não estava pronta.

Enquanto estava sentada ali, absorta em seus pensamentos, um rapaz usando óculos escuros se aproximou e perguntou se seu nome era Miral. Surpresa, ela respondeu que sim. O estranho olhou em volta nervosamente por vários segundos, enfiou a mão no bolso, retirou um envelope e o colocou na mesa de Miral, dizendo:

— Isto é para você. É de um amigo.

Ele se virou e rapidamente se misturou à multidão no mercado, desaparecendo como se nunca tivesse existido. Miral não teve sequer tempo de agradecer. Ela puxou o envelope mais para perto e viu que ele trazia as palavras "Para Miral".

Seus olhos se encheram de lágrimas, e ela sentiu um calor causticante similar ao que sentia quando corria dos soldados durante manifestações. Abriu o envelope, que continha um bilhete de Hani e, para confirmar sua autenticidade, uma fotografia dele, sentado sobre um gramado verde emoldurado por flores amarelas. Hani estava com uma barba malcuidada e usava um *kaffiyeh* branco e vermelho em volta do pescoço. No bilhete, ele pedia que Miral o encontrasse naquela tarde às 16 horas dentro da Igreja Ortodoxa Russa de Maria Madalena no Monte das Oliveiras. O coração de Miral batia violentamente; ela ficou de pé num pulo e deixou o café sem se despedir do dono. Esqueceu-se até de pagar a conta.

Apesar das dificuldades que encontrou pelo caminho, Miral chegou ao local indicado com algum tempo de antecedência. Seu ritmo fora reduzido pelos muitos peregrinos ortodoxos que enchiam as ruas e obstruíam todos os pontos de saída na Cidade Velha. Atravessar a Via Dolorosa fora uma tarefa especialmente difícil por causa de todos os fiéis que estavam caminhando na direção do que os cristãos consideram a mais sagrada das pedras, o Sepulcro. Miral se sentiu frustrada e ansiosa porque não podia correr, mas, depois que chegou ao seu destino, descobriu uma profunda fascinação em observar como a fé religiosa continuava a atrair pessoas do mundo inteiro para a cidade. Era difícil não se deixar entregar à atmosfera meditativa que impregnava o lugar, à sua severidade antiga. Na entrada da imponente basílica, a luz do sol refletida pelas cúpulas abobadadas impedia que Miral visse o interior do local. Uma vez lá dentro, ela foi envolvida pelo mistério frio provocado pela escuridão e pelo cheiro forte de incenso, que conseguia cobrir até o aroma das especiarias orientais. Guiada pela luz instável das velas nas capelas, ela se viu tomada por uma sensação de verdadeiro misticismo.

Enquanto observava os peregrinos passando por ela em uma fila silenciosa, Miral não percebeu a presença de Hani, que estava em uma alcova escura a alguns passos de distância, olhando em silêncio para ela. Quando o viu, ela se atirou em seus braços e ficou segurando-o enquanto a emoção a varria e lágrimas enchiam seus olhos. Seus rostos estavam bem próximos;

ela podia sentir o hálito dele, e leu todas as nuances de suas expressões. Hani acariciou-lhe o rosto e o cabelo.

— Deus, como senti saudades de você — disse ele.

Após um longo momento, eles se soltaram e só então Miral viu que ele perdera muito peso desde a última vez em que haviam se encontrado. Ele não se barbeava havia dias, e sua barba lhe dava uma aparência tão rude quanto trágica.

— Não acredito que você está aqui na minha frente! — exclamou Miral. — Achei que você tinha deixado o país e já havia abandonado qualquer esperança de vê-lo.

— Eu estou horrível, por favor, não olhe para mim — disse Hani roucamente, cobrindo o rosto com as mãos.

— Não seja ridículo — respondeu Miral. — Não fiz nada além de pensar em você, dia e noite. Eu te amo, Hani. Não me importo se está um pouco malcuidado. Na verdade, acho que você adquiriu um charme misterioso. — Seus olhos traíam tanto seu ardor quanto a tristeza das últimas semanas.

Ele a abraçou e disse:

— Minha querida, eu também te amo. Vamos sair daqui.

— Conte-me como você está e o que planeja fazer agora — falou Miral.

— A vida de fugitivo não é tão ruim — respondeu Hani com um tom tranquilizador. — Eu mudo de casa todo dia e durmo em lugares diferentes, porque tenho muitos amigos nos campos de refugiados e em nossas aldeias. Tento evitar a cidade o máximo possível. As pessoas parecem mais paranoicas e desconfiadas em áreas metropolitanas e é mais provável que eu seja capturado em Jerusalém do que em qualquer outro lugar. Mas eu queria vê-la... Soube do seu pai. Eu sinto tanto, Miral. As pessoas que me acolhem são pobres e eu divido o pouco de comida que tenho. Mas, a essa altura, estou acostumado com tudo e nada mais me assusta. Entenda, Miral, não há como voltar atrás. Temos tanta sede de viver em liberdade em nosso próprio Estado que podemos suportar qualquer coisa, qualquer sacrifício. — Hani pegou a mão dela. — Mas vamos falar de você, Miral, *habibti*. Como se saiu nas suas provas finais? Está pronta para o que vem a seguir? Espero que você tire uma nota muito alta para poder ser aceita em uma boa universidade... Não tenho dúvida de que ficarei orgulhoso de você.

— Minhas provas correram muito bem, Hani. Eu estudei muito. Ainda assim, todas as minhas amigas já decidiram o que vão fazer, e eu ainda não sei. Entrei com um pedido de uma bolsa para estudar no exterior, mas não tenho certeza se realmente quero ir. Eu queria me formar em ciências políticas.

Hani beijou a mão dela e respondeu.

— Você só tem que ser forte, Miral. Sei que tem isso dentro de você. Além do mais, me parece que já tomou sua decisão, apesar da confusão geral. Tem que tirar um diploma universitário, e eu acho que ciências políticas é a escolha perfeita para você. E, quer você estude aqui ou no exterior, eu irei encontrá-la.

Eles conversaram longamente, esquecendo o tempo e a umidade da igreja.

— É melhor que ninguém nos veja juntos — disse ele. — Infelizmente, as investigações que levaram a cem prisões vários meses atrás ainda estão abertas.

Miral continuava a segurar a mão dele apertada na sua.

Hani olhou para ela carinhosamente.

— Agora que você se formou, onde está morando?

— Ainda estou morando no campus. Mamãe Hind acha que é melhor para mim no momento. A escola é basicamente o meu lar. Entre outras coisas, eu vou com frequência ao American Colony Hotel para seguir o rumo das negociações.

— Quais são as chances de você conseguir a bolsa de estudos? — perguntou ele.

— Ah, Deus, cinco de nós entramos com um pedido, e eu não sou a melhor aluna do grupo — disse ela, baixando os olhos. — Vamos ver.

Hani sorriu por um instante, e seu rosto mostrou grande paixão.

— Acho que estamos perto da paz desta vez, Miral. Todos estão fazendo um grande esforço... nós, os israelenses e os norte-americanos também. Pela primeira vez eles acreditam que é possível.

— O que vai acontecer com a FPLP? Que reação podemos esperar deles? — perguntou ela, surpresa com o otimismo dele.

— Provavelmente estão se separando neste instante e, desta vez, a decisão será entre opções reais, concretas e os objetivos inatingíveis da ideologia cega. O povo já fez sua escolha; agora os partidos podem se adaptar ou podem desaparecer. — A voz de Hani ficou mais grave. — Muitas pessoas discordam de mim. Elas me acusaram de ser um colaborador, mas, quando a paz chegar, nós vamos ver. Nada disso vai importar mais. Eles estão se reunindo todos os dias, tanto aqui quanto em Oslo, falando sobre divisão de terras. Eu realmente acredito que pode dar certo desta vez.

— Como pode dizer isso?

— Miral, essa estrada é muito sangrenta, não tem saída. Nós vamos aceitar 22 por cento da terra... É mais do que temos agora. Não podemos continuar lutando para sempre.

— Vinte e dois por cento? Por que não pode ser um país para todo mundo, onde nós todos tenhamos os mesmos direitos? Democracia de verdade, como em Nova York?

Hani olhou para ela amorosamente.

— É cedo demais para isso. Devemos ter dois Estados: um israelense e outro palestino. A verdade é que os regimes árabes e as Nações Unidas não são nossos verdadeiros aliados. São os próprios israelenses. Miral, temos que nos lembrar de que, em 1982, quando Israel invadiu o Líbano, 400 mil israelenses foram para as ruas e protestaram, o que levou à queda do governo de direita e à retirada das tropas do Líbano. É deles que temos que nos aproximar. Eles não vão a lugar algum e nós também não. Um Estado, dois Estados; não me importo. Eu quero viver. Quero um futuro para nossos filhos.

Miral parou e olhou para ele com olhos assustados.

— Eles o ameaçaram? De que exatamente você foi acusado?

— Não se preocupe. O problema existe porque, infelizmente, vários camaradas foram vendidos para o Shin Bet recentemente, mas as acusações contra mim são só rumores. Ainda tenho muitos amigos no movimento, muitas pessoas que me têm em alta conta e que nunca irão me abandonar. Naturalmente, minhas posições em relação aos acordos de paz deixam todo mundo um pouco nervoso.

Nesse ponto, o tom de voz de Hani não deixava espaço para discussão; o assunto estava encerrado. A essa altura eles estavam no meio da procissão religiosa que estava acontecendo na Via Dolorosa. O ar era mais fresco ali, permeado pelo cheiro dos pinheiros e das oliveiras, sem gás lacrimogêneo. Miral não pode deixar de chorar enquanto toda a tensão e o drama das últimas semanas, assim como seu medo de abandono e solidão, transbordaram em um beijo terno.

Hani interpretou o choro dela como lágrimas de alívio e a segurou apertado, sem falar.

— *Habibti*, na sexta-feira vai haver uma grande manifestação pela paz em torno dos muros de Jerusalém, e dessa vez estaremos todos lá: árabes, pacifistas israelenses e pessoas que apoiam os acordos de paz vindas da Europa, dos Estados Unidos e de todo o mundo. É a primeira vez que o governo israelense autoriza uma manifestação desse tipo. Eu gostaria que você participasse, se puder.

— Você também vai estar lá? — ela perguntou, esperançosa.

— Pode ser arriscado para mim, mas vou fazer o possível para ir, eu prometo. Agora, no entanto, tenho que ir. Tenho que estar no campo antes do toque de recolher.

— Espere aqui um segundo — falou Miral. Ela entrou em uma rua lateral e voltou depois de alguns minutos com dois sanduíches, um de falafel e outro de kebab, e uma garrafa de suco de frutas. Enquanto entregava a comida para ele, ela disse: — Coma os dois, você está magro demais. Precisa de dinheiro?

— Não, eu não preciso de dinheiro, só precisava ver você. Vou fazer contato com você de novo, pessoalmente, pelo mesmo garoto que lhe entregou meu bilhete. Se quiser falar comigo por qualquer motivo que seja, deixe um recado com minha mãe e ela o enviará para mim.

Eles se despediram alguns minutos depois. Era a última vez que ela o veria.

18

Naquela noite, Miral decidiu pedir permissão a Hind para comparecer à passeata pela paz. Enquanto batia na porta, Miral pensava no que teria que fazer se a resposta fosse negativa.

Hind observou Miral entrar e se sentiu orgulhosa da forma como a garota crescera enquanto estivera em sua escola. Hind havia percebido uma grande mudança em Miral desde que ela retornara de Haifa. O rancor e a raiva que costumava ver em seus olhos haviam se transformado em melancolia e mistério. O que Miral lhe disse só confirmou sua impressão de que a menina alcançara um novo nível de maturidade.

— Eu gostaria de pedir sua permissão para sair do campus na próxima sexta-feira. Vai haver uma manifestação importante pela paz, a primeira a ser organizada por árabes e judeus israelenses juntos. Eu quero muito ir, mas não irei se a senhora não permitir.

Hind esperou até Miral ter terminado para sorrir.

— É claro que pode ir, Miral. Você se formou na escola e, além do mais, já passou dos 18 anos. Eu não tomo mais decisões por você. E, para lhe dizer a verdade, acho que desta vez essa manifestação é uma boa ideia; no entanto, eu pediria que você fosse cuidadosa. Já pensou em levar alguém com você? Tenho certeza de que Aziza gostaria de ir.

Seus olhos se encontraram e elas se encararam, sorrindo, por vários segundos. Miral disse apenas "Obrigada" e saiu do escritório. Hind confiava nela, e isso mostrava que algo realmente havia mudado.

Na sexta-feira seguinte, como em todos os outros dias, peregrinos cristãos, fiéis muçulmanos e judeus de Israel e de outros lugares chegaram ao Portão de Damasco. Normalmente, após ultrapassá-lo e percorrerem a Via Dolorosa, eles chegavam a uma interseção; lá, os cristãos continuavam pela Via Dolorosa, enquanto os árabes e judeus pegavam a rua El Wad, que os levava a seus lugares sagrados. Mas, naquele dia, uma multidão se reuniu bem nos degraus que desciam para o portão. Não era uma aglomeração, e sim um enorme cordão humano que cercava as paredes brancas brilhantes da Cidade Velha, manifestando-se pela paz.

Todos os participantes eram jovens, eufóricos, cheios de esperança, unidos por sonhos de viver em liberdade e paz. Tendo finalmente forçado os políticos a os ouvirem, eles se sentiam invencíveis. As autoridades ficaram surpresas com o número de manifestantes, o suficiente para fazer a cidade parar com as canções e os espíritos animados.

Eles estavam finalmente falando a mesma língua; eram pessoas diferentes com um objetivo comum, olhando na mesma direção pela primeira vez. E não havia nada mais doce do que a linguagem da paz, sem gás lacrimogêneo nem coquetéis molotov, sem o ódio que turvava a visão e entorpecia os sentimentos. Dessa vez, as tropas de choque, confusas e constrangidas quando os jovens lhes davam ramos de oliveira, ficaram paradas e observaram com os capacetes nas mãos. Miral e Aziza se juntaram ao enorme círculo de pessoas. Das janelas das casas, homens e mulheres penduravam bandeiras: a bandeira multicolorida da paz ou as bandeiras da Palestina e de Israel, lado a lado. Outros aplaudiam os participantes enquanto eles passavam. A cidade foi invadida e conquistada por um sentimento de amor fraterno.

Aquela manifestação mandou um sinal importante: a humanidade havia prevalecido. Era uma mensagem clara e evidente dirigida tanto aos políticos palestinos quanto aos israelenses. O nível extraordinário de participação no evento confirmou as pesquisas, de acordo com as quais a maioria esmagadora dos dois povos era a favor da paz. E, mais tarde naquela semana, o primeiro-ministro Rabin fez um discurso para os legisladores israelenses no qual defendia maior abertura no diálogo. Ele disse que o progresso nas negociações de paz devia continuar como se não houvesse violência e que os esforços para combater a violência e a desordem deviam continuar como se não houvesse negociações. Agora não eram mais os generais e coronéis que estavam ditando a agenda política, mas a vontade do povo, que gritava com toda a sua voz: "Chega de violência! Mais diplomacia!"

Miral estava no meio daquela multidão, que sitiava pacificamente os baluartes da cidade, quando ouviu seu nome ser chamado.

— Miral, Miral! Eu estou aqui! — Era uma voz de mulher.

— Lisa! Meu Deus, você também está aqui? — disse Miral, surpresa em vê-la.

— Eu não podia faltar.

As garotas se abraçaram afetuosamente, como velhas amigas, mas de repente Miral se sentiu constrangida; era tão diferente encontrar Lisa em Jerusalém, na cidade onde havia uma separação tão definida entre israelenses e palestinos.

— Com quem você veio? Quem lhe falou sobre esta manifestação? — perguntou Miral.

— Estou com meus amigos socialistas de Haifa. Vieram cinco ônibus do Norte, e nós estamos em um deles — falou Lisa. — Quer se juntar ao nosso grupo? Pode trazer a sua amiga.

Miral deu uma olhada constrangida na direção de Aziza e disse em voz baixa:

— Ah, não. Talvez eu a veja amanhã. Eu ligo para você.

— Ela beijou Lisa na bochecha e afastou-se rapidamente. Lisa tentou impedi-la, mas Miral já estava longe demais.

Com Aziza a seu lado, Miral fez um tour completo pela manifestação, procurando por Hani o tempo inteiro. Ela ficou surpresa ao ver alguns de seus ex-camaradas da FPLP. Miral e Aziza ficaram até o fim da marcha. Foi a manifestação mais alegre e impressionante em muitos anos. Os ecos das canções e slogans pedindo paz eram ouvidos por todo o caminho até o prédio do parlamento israelense, o Knesset. O legislativo suspendeu sua sessão, e uma reunião extraordinária do governo foi convocada para ouvir a vontade popular.

Ao anoitecer, Aziza sugeriu que elas voltassem para a escola. Ela e Miral ainda estavam cheias de entusiasmo, saltitando conforme andavam pelas ruas e às vezes até correndo. Mesmo não tendo visto Hani, Miral estava feliz.

Ele provavelmente ficara de fora por precaução, ela pensou. A polícia havia bloqueado a cidade.

— Hani estava certo em não vir — falou Aziza, tentando tranquilizá-la. — Não se preocupe com ele. Não deve ter querido ser preso justamente no momento mais delicado de nossas vidas.

As duas amigas voltaram apressadas para a escola; estava na hora do jantar; elas não haviam percebido quanto tempo havia se passado. Com um gesto automático, quase inconsciente, Aziza pegou um panfleto na rua, um comunicado distribuído pela Frente Popular pela Libertação da Palestina. Vendo que o nome de Hani estava escrito nele em letras grossas, Aziza leu a primeira linha e de repente sua expressão mudou. Ela enfiou desajeitadamente o panfleto no bolso, tentando disfarçar seu ato da amiga.

— Por que você escondeu esse pedaço de papel? O que ele diz? — perguntou Miral.

— Nada. Vamos, Miral. Está tarde, e mamãe Hind vai ficar preocupada — enquanto falava, Aziza começou a correr.

Miral a alcançou.

— Por favor, deixe-me ver — disse Miral. — O que houve?

— Eu lhe dou depois que chegarmos à escola.

— Por favor, não. Eu quero ver agora — retrucou Miral.

Aziza permaneceu em silêncio por algum tempo e então
sugeriu que fossem a um café.

Ela não queria dar o panfleto para a amiga, mas sabia que
tinha que entregá-lo.

— Sinto muito, Miral. Isso vai doer muito — disse Aziza,
estendendo o pedaço dobrado de papel.

Miral leu as poucas linhas em silêncio.

> *Vários colaboradores foram executados na manhã de
> ontem por um comando da FPLP, entre eles Hani Bisha-
> ra, o ex-secretário de Jerusalém. De acordo com evidên-
> cias avassaladoras e testemunhos oculares, ele fazia o
> papel de informante do serviço secreto israelense dentro
> de nosso partido e traiu a célula clandestina que opera-
> va em Jerusalém sob seu comando.*

> *No esforço de obter a libertação da nossa terra, não há
> lugar nem para acordos nem para traidores. Devemos
> ficar unidos como povo, especialmente nas decisões
> mais difíceis...*

Miral cerrou a mão direita e a pressionou contra a boca.
Ela tentou desesperadamente se conter, para não gritar. Não
conseguia falar; não conseguia se mexer. A dor que sentia se
somou à das muitas tragédias que sua família e seu povo haviam sofrido por anos, e era tão intensa que ela mal podia
respirar.

A noite caiu de uma vez; o sol, como faz nos países do
Oriente Médio, brilhou com um vermelho intenso e então

subitamente desapareceu abaixo do horizonte. Tomada pela náusea, Miral sentiu que estava tudo perdido; ela amassou o panfleto e o jogou no chão. Fora tudo inútil. Ela andou em choque no meio da multidão jubilante. Sua luta não tinha mais significado; sua paz estava perdida. Aziza a alcançou em uma esquina e a abraçou. Miral tentou, mas não conseguiu evitar seu vômito.

— Meu Deus, o que estamos fazendo com nós mesmos? — disse Aziza.

A escuridão cercava os baluartes da Cidade Velha. Miral não conseguia entender como a desconfiança podia levar à matança indiscriminada, como o ódio supera e destrói tudo, mesmo as causas mais justas. Sua esperança recém-nascida fora varrida para longe.

19

Naquela noite de verão em agosto, Miral esperou que as luzes se apagassem e então abriu lentamente a porta de seu quarto. O corredor estava vazio, sua escuridão mal aliviada pelo luar fraco. Ela desceu as escadas na ponta dos pés, tomando cuidado para não tropeçar em nenhum vaso de flor, e encostou de leve a porta atrás de si. Atravessando o jardim, Miral inalou a umidade noturna. Correu rapidamente para o ponto mais baixo do muro que separava o jardim do estacionamento do American Colony Hotel. No jardim, o silêncio absoluto reinava, quebrado apenas pelo farfalhar das folhas e por sua própria respiração ofegante. Ela olhou em volta uma última vez, para se assegurar de que ninguém a vira, e pulou o muro.

A emoção e a pressa haviam tirado seu fôlego, e agora ela podia sentir as pernas tremendo. Estava violando as regras da escola e temia mais do que tudo ser descoberta pela própria Hind, que a deixara ficar e morar na escola após sua formatura. Mas ela não conseguira resistir. Andara impacientemente de um lado para o outro pelo quarto o dia inteiro, sem falar com as amigas nem descer para o pátio da escola. Naquela noite ela nem havia tocado na comida, tão grande era seu entusiasmo em relação ao que estava acontecendo ali perto, ao lado da escola.

Ela atravessou o estacionamento e se viu em frente à entrada do hotel. Fingindo que eles não existiam, ela passou por um grupo de soldados que estava conversando ao lado de uma porta de correr. Um deles, um homem com um bigode grosso, a viu e perguntou quem ela era. Após um momento de constrangimento, as têmporas latejando, Miral respondeu em inglês, falando a primeira coisa que lhe veio à cabeça:

— Eu sou intérprete.

O soldado deu um trago em seu cigarro, jogou-o no chão e o esmagou com o salto de seu coturno. Ele chegou perto de Miral e olhou-a nos olhos por um longo tempo.

— Você não tem um passe, e eu não me lembro de tê-la visto antes.

Miral prendeu a respiração, mas não desviou nem por um instante seu olhar do soldado.

Naquele instante, uma antiga manifestação veio à sua cabeça em detalhes vívidos: o cheiro amargo do gás lacrimogêneo, o aperto da multidão, a voz de sua irmã ficando cada vez mais longe, os ruídos das latas de gás e das balas. Uma mancha verde em meio à fumaça, um soldado correndo na direção dela, rifle na mão, o visor de seu capacete levantado, seu bigode lhe dando um aspecto ameaçador enquanto Miral cobria o rosto com as mãos.

— Pode passar, senhorita, mas da próxima vez não esqueça seu passe.

Miral voltou de suas lembranças, sorriu e entrou no saguão do hotel, fingindo saber perfeitamente bem aonde estava indo.

Ela se viu diante do balcão comprido, de mármore branco, da recepção, atrás do qual reconheceu a amiga Sara, que a cumprimentou com um sorriso que pressagiava bons augúrios. De acordo com Sara, os rumores eram de que um acordo entre a delegação israelense e os representantes da Organização para a Libertação da Palestina era iminente. Eles estavam discutindo o nascimento do Estado Palestino. Miral sentiu seu coração batendo mais rápido; para seus ouvidos, nada soava melhor do que aquela palavra, "acordo". Era uma palavra abstrata o suficiente para deixar bastante espaço para a imaginação, e continha todas as esperanças que ela nutrira durante todos esses anos. Entusiasmada demais para falar calmamente, Miral deu alguns passos na direção de um pequeno sofá no lado oposto do saguão, de frente para o balcão da recepção.

— Pode me trazer uma xícara de café, por favor? — Era uma voz feminina, e arrancou Miral abruptamente de seus devaneios de paz. Ela se virou e viu uma mulher de meia-idade, vestida com roupas ocidentais e olhando para ela com uma expressão interrogativa no rosto.

— Sinto muito, mas eu não trabalho aqui.

— Ah, me desculpe. Eu a vi conversando com a garota da recepção e tirei a conclusão errada. Você é tão jovem... Também é jornalista? — A mulher sorriu para Miral, revelando duas filas grandes e paralelas de dentes excessivamente brancos.

Miral percebeu que a boca da mulher, que era muito grande, a fazia lembrar de alguma cantora, mas não conseguia pensar no nome.

— Na verdade, não — respondeu Miral, um pouco envergonhada. — Eu gostaria de ser.

— Bem, então eu posso lhe dizer algumas coisas... depois que pedirmos dois cafés. É chato conversar só com colegas o tempo inteiro. Além disso, eles são, na maioria, homens e, portanto, ainda mais chatos. — Com essa declaração, ela deu uma gargalhada alta.

— Ficarei feliz em escutar. Eu sou Miral — falou ela, esticando a mão.

— E eu sou Samar Hilal. Escrevo para o *Al-Quds*.

A mulher fez sinal para um garçom que estava passando pelo saguão, carregando uma bandeja cheia de bebidas. Com um gesto, o garçom pegou seu pedido e continuou em seu caminho.

— Aquela bandeja está a caminho do quarto 16. As delegações estão reunidas lá há horas, debatendo — informou Samar a Miral.

A nova conhecida de Miral lhe disse que era jornalista havia quase trinta anos e que trabalhava para o mesmo jornal durante os últimos vinte.

— Este vai ser meu quinto café hoje, mas tenho a sensação de que vamos ter que ficar acordados a noite inteira. Vai levar mais várias horas antes que eles se dignem a nos dizer qualquer coisa, mas, dessa vez, acho que vai valer a pena.

Miral gostou dela imediatamente, e o sentimento foi recíproco; Samar não tinha o hábito de contar segredos a estranhos. Ela tinha olhos penetrantes, um rosto fino e mãos delgadas com dedos esguios que ela mexia enquanto falava. Usava uma calça clara de linho e uma blusa azul, além de um lindo colar de filigrana de prata, daqueles trabalhados pelas mãos hábeis das mulheres das tribos nômades do deserto do Iêmen. Era difícil determinar a idade de Samar, mas, considerando sua longa experiência, Miral achou que ela devia ter pelo menos 50 anos.

— A essa altura, nós nos acostumamos tanto com a morte — continuou Samar, depois de um longo gole de café — que às vezes parece que se tornou apenas outra ocorrência diária normal.

Samar deu um longo gole na bebida e fez uma pausa por um instante, olhando para um ponto indefinível atrás de Miral. Então, como se estivesse acordando, ela piscou rapidamente algumas vezes e olhou de novo para a garota ao seu lado, que não podia ter mais de 20 anos. Ela devia ser muito corajosa para ousar ir a qualquer lugar perto do American Colony numa noite como aquela.

— Imagine — continuou Samar —, quando a guerra no Líbano começou, eu estava trabalhando no nosso escritório em Damasco. Um colega do *Herald Tribune* e eu contratamos um táxi para nos levar a Beirute. Durante a viagem, nós percebemos que todo o fluxo de veículos estava indo na direção oposta. Vimos carros queimados e corpos ao longo da estrada, e então eu disse para o meu amigo: "Olhe o que fazemos para viver. Quando todo mundo está fugindo, nós jornalistas vamos para a cena do desastre, como soldados." Em um determinado momento, nosso motorista sírio se recusou a seguir. Ele estava aterrorizado e não queria aceitar o dinheiro extra que nós lhe oferecemos. Acabou nos deixando em Sidon e voltou para Damasco. — Samar viu Miral virar a cabeça por um momento. — Desculpe-me, eu a estou entediando — acrescentou Samar. — Depois que começo, é difícil me deter.

— Não, não, você não está me entediando nem um pouco. Pelo contrário, é tudo tão novo para mim... Mas acabei de ver um garçom voltar e sussurrar algo para minha amiga na recepção. Sinto muito... Eu tive esperanças de que fosse alguma notícia.

— Acho que ainda é cedo demais para isso — disse Samar com um sorriso. — Você vai ver. Quando houver notícias, não vamos poder deixar de saber. — Ela fez sinal para o garçom novamente e pediu que ele trouxesse outro café.

Miral ficou olhando para o sorriso largo da nova amiga, imaginando como seus dentes podiam continuar tão brancos com a quantidade de café que ela tomava, mas se repreendeu por pensar uma coisa assim em uma noite como aquela.

— Por favor, continue — falou Miral.

— Como eu estava dizendo, tivemos que parar em Sidon. Nós podíamos ouvir morteiros bem distintamente, e aviões israelenses voavam por cima de nossas cabeças. Então, e só então, percebi que estava no meio de uma batalha. Eu era jornalista de front, como dizem. Mas uma coisa é ler sobre isso em livros, e outra bem diferente é acabar lá de verdade. Então nós dois entramos em pânico, até eu ver a bandeira do Qatar tremulando na sacada de um consulado e correr para lá com minha carteira de imprensa na mão. Através de uma janela, vi um homem usando uma *galabia* branca comprida com um *kaffiyeh* na cabeça. Eu acenei e gritei para ele: "Jornalistas! Somos jornalistas! Deixem-nos entrar!" O pessoal do consulado abriu a porta e permitiu que nós nos refugiássemos lá dentro. Eu podia ver o prédio do outro lado da rua, onde havia uma tropa antiaérea palestina. Os israelenses a bombardearam até virar pó.

Samar fez uma pausa, olhando por um momento para o líquido preto no fundo de sua xícara, e então continuou:

— Depois de umas duas horas, as coisas se acalmaram. Os nativos do Qatar no consulado nos emprestaram um carro, um Fiat vermelho pequeno, e foi assim que chegamos a Beirute. As pessoas estavam sentadas nos cafés na orla da praia, bebendo café e aperitivos como se nada estivesse acontecendo. Elas apontavam para os aviões voando acima e diziam: "Aquele ali vai bombardear Shatila", "Aquele está indo para Trípoli, onde estão as tropas sírias". Então tomavam calmamente suas bebidas, como se vida e morte andassem juntas em perfeita harmonia, no que lhes dizia respeito. Era possível ouvir o som abafado de explosões a poucos quilômetros de distância e ver a fumaça dos incêndios. Não quero parecer muito... muito sei lá o quê, mas me pareceu que eu também podia sentir o cheiro persistente da morte. Ninguém mais parecia estar prestando muita atenção nisso. Bom, muito bem. Agora você já pode me dizer que eu a estou entediando com todo esse papo de jornalista.

— Pelo contrário — respondeu Miral prontamente. — Concordo com você, a linha entre a vida e a morte parece diferente aqui do que em outros lugares. Às vezes eu vou a um dos campos de refugiados e ensino inglês para as crianças. As coisas parecem tão terrivelmente frágeis lá que toda hora de vida é como uma bênção e uma maldição ao mesmo tempo.

— Sei o que quer dizer. Os campos de refugiados são absolutamente os lugares mais surreais na face da terra, ou pelo menos nesta face. O conceito de tempo não existe, e não há espaço suficiente para fazer nada. Às pessoas ali é negado o direito de viver. Mas percebi que eles reclamam de serem marginalizados mais do que tudo. Lamentam o fato de estarem fora de tudo. Eles não querem assistência; só querem as ferramentas das quais precisam para recuperar a normalidade.

Samar pegou sua bolsa de couro escuro. Ela a vasculhou profundamente antes de encontrar um maço de cigarros norte-americanos e tirar um. Estendeu-o para Miral, que balançou a cabeça. Samar levantou o cigarro até a boca e o acendeu com um gesto lento, quase cansado. Enquanto inalava profundamente, um silêncio frio caiu sobre as duas. Tanto a mulher quanto a garota estavam pensando que um novo capítulo na vida de seu povo estava começando, e cada uma se considerava ao mesmo tempo figurante e protagonista no drama que se desenrolava. Seus olhos se encontraram, e Miral sentiu que suas atividades até agora — as aulas no campo de refugiados, as manifestações, as fugas da escola e da polícia — não tinham sido em vão, ou pelo menos não completamente inúteis.

Naquele momento, a mente de Samar foi tomada por um monte de dúvidas sobre o que ela escrevera anteriormente e o que escreveria no dia seguinte. Ela não gostava de prosa sentimental e tinha medo de perder sua objetividade.

Foi assim que Miral ficou sabendo — antes de suas colegas de escola, antes dos cidadãos de Jerusalém, até antes que os jornalistas tivessem tempo de comunicar a notícia para o mundo inteiro — que as negociações haviam chegado a uma conclusão positiva e que um acordo entre israelenses e palestinos, pelo menos na forma de rascunho, havia sido alcançado. As reuniões entre o líder da delegação israelense, Yossi Beilin, e o primo de Hind, Faisal Husseini, o chefe da equipe de negociação palestina, levariam no final ao famoso aperto de mãos entre Rabin e Arafat no Jardim das Rosas da Casa Branca.

Naquela noite, os olhos de Miral estavam cheios de esperança e turvos de emoção enquanto ela corria pelo jardim de Dar El-Tifel, assoviando despreocupadamente a canção dos Beatles "Here Comes the Sun". Antes de entrar de novo no prédio do dormitório, ela se virou para a cidade, que parecia estar sob uma leve bruma. A Mesquita de Al-Aqsa, a Cúpula da Rocha, o Muro das Lamentações, a Igreja do Santo Sepulcro:

estavam todos dentro dos mesmos muros, tão perto uns dos outros e ainda assim tão distantes.

Quando chegou a seu quarto, ela abriu a porta sem hesitar, confiante de que havia conseguido voltar sem ser detectada. Grande foi sua surpresa quando sentiu na escuridão a presença de outra pessoa; maior ainda quando descobriu que a outra pessoa era Hind. O espanto de Miral só se intensificou quando a rígida diretora, em vez de censurá-la, imediatamente lhe pediu notícias sobre as negociações.

Após dar a Hind um relato detalhado, incluindo seu encontro com Samar — a quem a diretora admirava por seu grande talento como jornalista —, Miral acompanhou Hind de volta ao seu quarto, certa de que a outra nunca mais falaria sobre o que ela havia lhe contado.

Quando voltou para seu próprio quarto, Miral se esticou na cama sem se despir e ficou ali olhando para o teto. Incapaz de adormecer, ela tentou imaginar o quanto sua mãe ficaria feliz em saber da boa notícia, que estava passando pelas rotativas naquele exato momento e que logo se espalharia pelo país.

Enquanto o mundo inteiro se juntava aos palestinos e aos israelenses assistindo ao vivo pela televisão ao histórico aperto de mão entre Arafat e Rabin, que pôs um final a décadas de violência e desconfiança, Miral estava discutindo seu futuro com Hind. Os resultados de suas provas finais haviam chegado e Miral passara em todas com notas excelentes. Hind estava radiante de orgulho pelo desempenho dela e chamara Miral a seu escritório. Assim que a jovem botou os pés lá dentro, Hind a abraçou, dizendo:

— Minha querida filha, parabéns!

Miral nunca se esqueceria das palavras de despedida da velha diretora para ela naquela noite:

— Hoje foi um grande dia para nosso povo, um novo começo, mas não vamos nos iludir; ainda há muito caminho pela frente. Eu havia perdido qualquer esperança de viver para ver esse momento histórico, mas você, você é jovem e tem a sorte de testemunhar o nascimento de um Estado palestino democrático. Vão precisar de todos nós, mas especialmente de você e de outros jovens cultos. Eu a chamei aqui para lhe dizer que você ganhou a bolsa de estudos. Você vai para o exterior para estudar, minha querida, e chegou a hora de você dar tudo de si. Sei que tem passado por um período difícil mas, de todas as garotas que se inscreveram para a bolsa, eu achei que você era a que mais merecia. Vá, estude e volte. Faça-nos sentir orgulho mais uma vez. Eu a amo muito, você sabe. Você é como uma filha para mim. Vai estudar em uma das melhores universidades da Europa. Acredite, Miral, às vezes você pode servir ao seu país muito melhor à distância.

Miral começou a chorar. Sua dor era grande demais: pela morte do pai, consumido lentamente por sua doença devastadora, e pela morte súbita e violenta de Hani. Hind tinha razão, Miral pensou: ela tinha que se afastar de Jerusalém e do luto por algum tempo. Ela teria gostado de conversar longamente com Hind, de confessar tudo a ela, contar-lhe toda a verdade, que ela se apaixonara por Hani, que participara de todas as manifestações, incluindo as violentas, jogando pedras e coquetéis molotov contra tanques israelenses, que fora membro militante da FPLP. Mas Hind olhou para ela com olhos cheios de compreensão e não havia necessidade de falar mais; Hind entendera tudo desde a primeira vez em que Miral se abrira para ela e contara sobre seu envolvimento político. Elas se abraçaram. Nenhuma palavra poderia ter dito mais do que aquele abraço.

20

A partida de Miral estava marcada para a manhã seguinte. Ela já se despedira de Rania e de sua tia Tamam em Haifa e estava agora juntando todas as suas coisas enquanto se preparava para deixar a vida em Jerusalém.

No caminho de volta de Haifa, uma viagem que fizera muitas vezes, ela tentou memorizar os lugares que lhe eram mais queridos: o Monte das Oliveiras, que parecia usar uma capa feita de eucaliptos, pinheiros e especialmente oliveiras, cobrindo a colina toda até o pé dos antigos muros de Jerusalém; e o domo dourado, que emanava calor para a cidade inteira. Também não queria se esquecer dos aromas fortes dos mercados.

Ela nunca seria capaz de se esquecer de sua cidade brilhante e ardente. Não queria saber o que a esperava na Europa, mas sabia que era a única opção que restara e que lhe permitiria algum fiapo de futuro. Seria mais fácil do que continuar vivendo em seu próprio país, onde todos os lugares a lembravam do que ela havia amado e perdido. Enquanto fazia a mala, com a ajuda de Aziza, ela incluiu todos os seus CDs, suas fotografias e as poucas peças de roupa que consistiam em todo seu guarda-roupa. Hind veio ao seu quarto e a presenteou com um sobretudo para ajudar a protegê-la do frio dos invernos europeus.

Aziza disse:

— Se você tiver problemas, se não conseguir, volte para casa. Não tenha medo de ser julgada. Nós somos irmãs.

Miral queria reter, fixa em sua memória, a imagem dos muros brancos de Jerusalém, seus portões, a escola Dar El-Tifel. Pois esquecer de tudo isso — mesmo que lembrar fosse doloroso — significaria que, um dia, por mais distante que fosse, ela se afundaria no remorso. Significaria tentar remover a camada de poeira que o tempo espalharia sobre as fotografias, sobre as imagens, sobre as vozes e os ecos de seu passado e mesmo sobre o silêncio, sobre os muitos silêncios pesados de sua vida. Ela queria se lembrar de tudo.

Aquele quarto, aquela janela e até mesmo aquela cama a tinham visto crescer e amadurecer; aquele travesseiro, no qual ela deitara a cabeça, absorvera suas lágrimas de dor pelas mortes de seus entes queridos: Nadia, Jamal, Hani.

Amanhã ela iria chorar em outro lugar, em um travesseiro diferente, longe de tudo, e talvez também fosse rir, pois sua vida mudaria radicalmente depois que se afastasse de Jerusalém. Miral tinha medo de perder sua identidade, mesmo sabendo que permanecer em Jerusalém significaria perder a si mesma.

Antes de adormecer, uma imagem veio à sua mente, clara como uma fotografia nova. Ela estava no terreno alto que levava ao campo de refugiados de Kalandia. Um caminho de flores intensamente amarelas com miolo quase vermelho, cultivadas por chuvas frequentes, havia crescido em meio aos destroços e às sucatas de metal. Ela desceu o caminho correndo, como se ele fosse levá-la a um futuro feliz. Mas a estrada de flores era efêmera, uma miragem, um sonho: era só o que restava para as pessoas no campo de refugiados. Quando Miral abriu os olhos, percebeu que o sonho era tanto uma ilusão quanto uma previsão.

O sonho era uma representação, um símbolo de seu nome, o nome árabe de uma linda tulipa amarela, uma daquelas que se pode ver às vezes, quando conseguem florescer, depois de uma chuva extremamente rara no deserto do Sinai e no Negev. Miral é a ligação das raízes com a terra; deixe que os muros de Jerusalém, todos os lugares santos, e museus e prédios majestosos desmoronem, e as flores, que são as verdadeiras filhas da terra, continuarão a brotar. Elas nunca irão desaparecer; vão continuar a crescer mesmo no solo fertilizado com sangue.

Jerusalém ainda estava tomada por comemorações no dia em que Miral partiu. Comboios de carros mostrando as bandeiras palestinas e israelenses estavam em todos os lugares. Era a primeira vez desde que o acordo fora assinado que as pessoas comemoravam tanto na parte ocidental quanto na oriental da cidade ao mesmo tempo. No final daquela tarde, Miral esperava por seu táxi do lado de fora da escola, parecendo inexpressiva no meio de suas amigas, que estavam todas reunidas em volta dela. Havia tentado ao máximo não chorar, mas agora, enquanto observava Hind pendurar a bandeira palestina em sua sacada para se juntar à comemoração, Miral não conseguia conter as lágrimas. Hind desceu e a abraçou, encorajando a jovem a continuar a deixá-la orgulhosa. Antes de Miral entrar no táxi, Hind fez uma pausa e tocou em seu braço.

— Minha querida menina, você não está deixando nada para trás. Tudo de que precisa já está dentro de você. Nunca vai se esquecer de quem é e de onde vem. As coisas que você passou aqui a ajudarão a ser bem-sucedida em qualquer lugar, não importa o que decida fazer. Nada está decidido, Miral, mas nada acontece por acaso também. Você é senhora de seu próprio destino.

Enquanto o táxi se afastava, Miral olhou para trás para dar uma última olhada, a tempo de ter um vislumbre indistinto de Aziza e das outras meninas correndo atrás do táxi, e da velha diretora, de pé no portão, acenando. Miral não fazia ideia de que seria a última vez que veria Hind.

— Para onde? — A voz do taxista interrompeu seus pensamentos.

— Aeroporto Ben Gurion.

— Para onde vai viajar, senhorita?

— Para a Europa — respondeu Miral, enquanto passava pela Cúpula da Rocha, que brilhava sob a luz do sol. No caminho pelo bairro dos judeus ortodoxos, ela viu colonos religiosos segurando armas e protestando contra a assinatura iminente dos acordos de paz. Alguns deles carregavam faixas com uma imagem do primeiro-ministro israelense Yitzhak Rabin e, abaixo, as palavras "Traidor, você nos traiu". Sua cidade, Jerusalém, estava mais uma vez pairando entre a paz e a guerra.

Este livro foi composto na tipologia Minion Pro,
em corpo 11/13,9, e impresso em papel off-white
no Sistema Cameron da Divisão Gráfica
da Distribuidora Record.